D1095312

RETIRÉ DE LA COLLECTION UNIVERSELLE
Bibliothèque et Archives nationales du Québec

L'attachement, un instinct oublié

Yvane Wiart

L'attachement, un instinct oublié

Préface de Bernard Golse

Albin Michel

Avertissement

En raison d'imprécisions dans les versions des œuvres de John Bowlby publiées en français, tous ses textes présentés ici ont été retraduits par l'auteur, pour une meilleure conformité à la pensée de leur créateur. Les citations d'origine ont été placées en notes de bas de page, pour davantage d'exactitude encore.

© Éditions Albin Michel, 2011

À Joyce McDougall, pour sa compréhension et son soutien, et pour m'avoir fait découvrir la neuropsychanalyse, et de ce fait, la neurobiologie développementale.

« A lesson that emerges is that **innovators** *must expect that even the most enthousiastic supporters may not be prepared to go the whole way but may wish to compromise at some point between the new schema* **and** *the old, however illogical that compromise may appear, and may well be. »*

« Il apparaît ainsi que les innovateurs doivent s'attendre à ce que même leurs plus fervents partisans ne soient pas disposés à les suivre jusqu'au bout, mais qu'ils préfèrent s'arrêter à un compromis entre l'ancien schéma et le nouveau, contre toute logique apparente ou réelle. »

John Bowlby, *Charles Darwin : une nouvelle biographie*, Paris, PUF, 1995, p. 395

« Man can no more survive psychologically in a psychological milieu that does not respond empathically to him, than he can survive physically in an atmosphere that contains no oxygen. »

« Il est impossible au psychisme de l'homme de survivre dans un environnement psychologique qui ne fait preuve d'aucune empathie à son égard, exactement comme il est impossible à cet homme de survivre physiquement dans une atmosphère dépourvue d'oxygène. »

Heinz Kohut, *The restoration of the self*, New York, International Universities Press, 1977, p. 253

Préface

Je suis très reconnaissant à Yvane Wiart de m'avoir demandé de rédiger la préface de ce livre, compte tenu de l'importance prise par le concept d'attachement, ainsi que de la qualité de sa démarche et de sa réflexion.

Yvane Wiart évoque, dès son titre, le concept d'« instinct oublié », et ce premier point m'apparaît comme essentiel : s'agit-il d'un instinct ou d'une pulsion, et se trouve-t-il véritablement oublié ? Oublié, l'attachement ne l'est en tout cas pas des réflexions actuelles qui lui accordent une place considérable, et d'ailleurs indéfiniment croissante, au niveau des publications et des recherches scientifiques dans le champ de la petite enfance !

Oublié, il ne l'est pas non plus, me semble-t-il, par l'évolution, puisqu'il représente, selon John Bowlby lui-même (qui a consacré son dernier ouvrage à l'œuvre de Darwin), un gain évolutif sélectionné par la phylogenèse afin de permettre aux petits des espèces mammifères d'échapper à l'hostilité des prédateurs.

En revanche, ce qui est peut-être oublié, quand nous parlons aujourd'hui d'attachement, c'est ce qu'il indique en matière de continuité entre l'humain et le non-humain, soit entre les animaux et nous. D'où, à mon sens, la dimension salutaire de cet ouvrage, qui repose utilement la question des différences entre la notion d'instinct et celle de pulsion.

J'aimerais donc commencer par faire un petit rappel sur les systèmes de motivation primaire que l'on décrit actuellement chez le bébé, parmi lesquels l'attachement revêt une importance fondamentale et fondatrice, avant de dire un mot de la comparaison entre instinct et pulsion, et de conclure sur l'importance de l'attachement comme chemin de la découverte de l'amour… tout simplement !

Les quatre grands systèmes de motivation primaire

On distingue désormais quatre grands systèmes de motivation primaire qui représentent les quatre grands chantiers du développement précoce permettant au bébé de se lancer dans la vie :

– Le système de l'autoconservation permet à l'individu de pourvoir à ses besoins corporels et vitaux.

– Le système de l'attachement permet de réguler la distance spatiale, physique, entre le sujet et l'objet, dans le registre interpersonnel.

– Le système de l'intersubjectivité permet de réguler la distance psychique entre le sujet et l'objet, soit sa différenciation extrapsychique (entre le soi et le non-soi) dans le registre interpsychique.

– Le système de régulation du plaisir et du déplaisir, enfin, se situe dans le registre intrapsychique ; la psychanalyse se trouve être, sans conteste, l'approche théorique qui en a le mieux parlé jusqu'à maintenant.

Ces quatre systèmes sont, à l'évidence, grandement interdépendants, ne serait-ce que parce que la distance spatiale conditionne, en grande partie, l'efficacité des trois autres systèmes, ce qui confère à l'attachement, on le sent bien, une place résolument centrale.

L'attachement : instinct ou pulsion ?

La notion d'instinct renvoie surtout à l'autoconservation (instinct d'autoconservation) et au règne animal, dans la mesure où la satisfaction des instincts y passe, en grande partie, par des montages comportementaux innés et stables, sans grande place pour une véritable variabilité de l'objet de satisfaction.

L'un des grands enjeux de la métapsychologie aura été, en revanche, de proposer la notion de pulsion dans le règne de l'humain afin, précisément, de prendre en compte la multiplicité des objets possibles de satisfaction, et d'étendre cette notion du registre de l'autoconservation au registre du sexuel.

Le travail d'Yvane Wiart nous incite donc à réfléchir à la question de savoir s'il existe un lien possible entre la théorie de l'attachement et nos repères métapsychologiques classiques, et c'est pourquoi, même si en matière d'attachement je préfère, personnellement, le concept de pulsion à celui d'instinct, je considère cependant son approche comme extrêmement précieuse.

L'idée d'une complémentarité entre les deux corpus théoriques de l'attachement et de la métapsychologie est une idée que je tente, pour ma part, de soutenir depuis maintenant plusieurs années et, à la suite de Didier Anzieu, je considère le concept de « pulsion d'attachement » comme éminemment fructueux.

Ce concept un peu hybride – puisque alliant dans un même terme la référence à la psychanalyse et celle à l'attachement ! – nous permet cependant de comprendre comment l'attachement peut être considéré comme un besoin primaire de l'enfant (au même titre que le besoin de manger, de boire ou de respirer) tout en se trouvant pris, dans un temps second mais sans doute très rapidement, dans la relation de plaisir et de déplaisir qui s'instaure entre le bébé et la mère (ou les adultes qui prennent soin de lui).

Pour autant, il ne s'agit pas de plaider, à tout prix, pour un point de vue œcuménique illusoire, mais tout simplement d'être honnête et d'analyser le plus finement possible ce que les uns et les autres – psychanalystes et attachementistes –, nous disons de véritablement différent sous des termes identiques et ce que, dans le même temps, nous disons de semblable avec des mots différents.

Dans cette perspective, l'attachement n'a peut-être pas encore fini de nous réunir et de nous diviser.

Rappelons ici que le clivage entre la théorie de l'attachement et la psychanalyse a, indubitablement, été très radical, au cours des dernières décennies, pour nos différentes modélisations théorico-cliniques dans le champ de la psychologie et de la psychopathologie de l'enfant, et que cela apparaît, en réalité, comme fort dommageable.

On sait, en effet, les trois grandes polémiques successives qui ont marqué l'histoire de la théorie de l'attachement :

– Le concept d'attachement évacue-t-il, ou non, la question de la représentation mentale ?

– Est-il incompatible avec ceux de sexuel ou de sexualité infantile ?

– Est-il entièrement lié à la question de la présence de l'objet ou, au contraire, entre absence et présence de l'objet, est-il possible de faire une place à l'écart, c'est-à-dire aux différences entre ce qui est attendu de l'objet, et ce qui en est effectivement reçu ?

Aujourd'hui, ces trois grandes questions se trouvent largement dépassées et résolues, et l'ouvrage d'Yvane Wiart nous aide efficacement, me semble-t-il, à prendre la mesure de ces faux débats.

L'attachement, un chemin vers l'amour

L'amour est-il un besoin, ou est-il un luxe ? La question peut sembler provocante. En fait elle ne l'est pas, et l'on sait d'ailleurs qu'il existe des superflus nécessaires ! Mais de quoi s'agit-il véritablement ?

L'amour renvoie à la question des liens qui doivent s'établir d'abord entre le petit d'homme et ses parents, et ensuite entre les individus adultes quand la vie le leur permet.

Pour la psychanalyse, les premiers liens d'amour (ou de haine) viennent s'établir à l'occasion de la satisfaction des grands besoins du corps. Autrement dit, dans le domaine de l'oralité par exemple, le bébé boit d'abord pour se nourrir, mais à l'occasion des tétées, il découvre alors toute une série de plaisirs en prime, de plaisirs de surcroît, tels que l'odeur de la mère, sa chaleur, sa voix, le rythme du portage... Ces plaisirs ajoutés à la dimension nutritive proprement dite des tétées, qu'il pourra ensuite rechercher pour eux-mêmes (indépendamment de la recherche de calories), forment ainsi le germe de ses liens avec sa mère, qui viennent donc se développer, secondairement, en s'étayant sur la satisfaction des besoins primaires de l'organisme.

Pour la théorie de l'attachement, au contraire, la création des liens fonctionne comme un besoin primaire au même titre que ceux que nous avons évoqués plus haut, et elle représente ainsi une exigence immédiate du développement précoce de l'enfant.

Le débat est à la fois essentiel et dérisoire. Il me fait parfois penser au dilemme de l'Avare de Molière : « Il faut manger pour vivre, et non pas vivre pour manger » !

Mais peut-on vivre sans amour ?

À l'évidence non, si l'on prend en compte les dégâts incommensurables des situations de carence qui font tant souffrir les bébés et les enfants, partout à travers le monde...

Yvane Wiart nous montre ainsi, à juste titre, que l'attachement, si primaire soit-il, nous ouvre activement les voies de l'amour dont nous avons tant besoin pour vivre, et pour exister, mais que cet attachement va venir s'inscrire, très rapidement, dans un système de relations au sein duquel le plaisir et le déplaisir vont devenir des éléments aussi essentiels à la vie psychique que les aliments, l'eau et l'air.

Il y a donc bel et bien un besoin de désirer, et pas seulement un plaisir à désirer, ce qu'il importe de rappeler sans relâche, et ce que le concept d'amour primaire a pu, en son temps, venir illustrer (M. Balint)[1].

1. M. Balint, *Amour primaire et technique psychanalytique*, Payot, Paris, 1972.

Je voudrais conclure en disant tout le plaisir que j'ai eu à la lecture de cet ouvrage si profond et si bien documenté. Merci à Yvane Wiart de nous donner ainsi accès à un travail aussi intelligent et nuancé dans un domaine que l'on sait, hélas, si souvent passionnel...

Les professionnels de la petite enfance y trouveront une source de réflexions inépuisable et qui leur permettra de bien se positionner quant au débat des idées et à l'histoire des connaissances.

G. Appell[1] fait souvent remarquer que la langue française ne dispose pas de très bons termes pour définir la relation qui unit les enfants aux professionnels qui en prennent soin : amour, attachement, intérêt...

Chacun comporte probablement sa part de vérité.

En tout état de cause, instinct ou pulsion, l'attachement nous rappelle la dimension animale de la nature humaine, dimension certes parfois oubliée, mais qui n'empêche en rien que l'attachement nous fournisse, en même temps, l'une des facettes de cet « amour qui nous façonne » et sans lequel la vie ne serait rien.

Pr Bernard Golse,
psychanalyste et pédopsychiatre,
chef de service à l'hôpital Necker-Enfants malades

---

1. G. Appell, postface, *in* : M. David et G. Appell, *Loczy ou le maternage insolite*, Érès, coll. « 1001 BB – Bébés au quotidien », Ramonville Saint-Agne, 2008 (préface de B. Golse).

INTRODUCTION

Cet amour qui nous façonne

En 1958, l'Américain Harry Harlow publie un article étonnant, sur un thème inhabituel sous la plume d'un scientifique, « The nature of love[1] ». Cette nature de l'amour, il la dévoile par l'étude des relations qu'entretiennent les bébés singes avec leur mère. Ses expériences d'éthologiste l'ont conduit à observer que ce qui lie un petit singe à sa mère n'est pas tant le fait qu'elle le nourrisse, mais plutôt le fait qu'elle le protège et qu'elle le rassure, et que le petit est prêt à tout pour faire en sorte de rester à ses côtés et qu'elle prenne soin de lui. Une telle approche de la relation mère/enfant vient à l'encontre de ce qui est tenu pour vérité à l'époque, en particulier chez les humains, par la psychanalyse, qui soutient que si l'enfant s'attache à sa mère, c'est uniquement parce qu'elle l'alimente, et qu'il ne s'intéresse à elle en tant que personne et potentiel relationnel que tout à fait secondairement. C'est ce que l'on a appelé l'« amour du buffet » (*cupboard love*).

1. Harlow, H. F. (1958). « The nature of love ». *American Psychologist.* Voir la bibliographie complète en fin d'ouvrage.

Dans les années qui ont précédé, le célèbre éthologiste allemand Konrad Lorenz avait aussi publié des révélations sur les bases de la relation à autrui et de l'amour filial, lorsqu'il a montré que des oisons ou des canetons suivent tout objet en mouvement dans leur champ visuel au moment de la naissance, et se comportent avec lui comme s'il s'agissait de leur mère, ce même si l'objet en question ne leur porte aucun intérêt et ne s'occupe d'eux en aucune façon. Les petits se montrent en outre très perturbés s'ils le perdent de vue ou sont empêchés de le suivre, et ils réclament sa présence à grands cris. Certains se souviendront peut-être des images étonnantes de cet homme qui se promenait suivi d'une file sagement alignée de canetons, se dandinant comme derrière leur mère, ou encore qui se baignait avec des oisons venant affectueusement lui lisser les « plumes » sur la tête, avec pour effet de lui assurer une coiffure inédite. Lorenz a reçu le prix Nobel pour ces travaux en 1973.

Un argument aisé consisterait à dire qu'il en est ainsi pour les animaux, mais pas pour les humains, ce qui aurait paradoxalement pour effet de rendre les bébés humains moins relationnels et plus bassement intéressés par leur seule nourriture que des animaux pourtant en apparence beaucoup moins évolués comme ces petits volatiles. Tout cela a retenu l'attention de John Bowlby qui, lui, ne s'intéressait au départ qu'au développement des enfants humains, et aux critères pouvant leur assurer une bonne santé psychique. Pédopsychiatre et psychanalyste anglais, il repère que ceux qui lui sont envoyés en consultation pour délinquance et en particulier pour vol ont pour point commun d'avoir vécu une séparation précoce d'avec leur mère, ce qui les a conduits à manquer sérieusement d'affection. La Seconde Guerre mondiale et le déplacement des enfants sans leurs parents, loin des grandes villes anglaises pour échapper aux bombardements, le sensibilisent encore davantage à l'impact de la séparation mère/enfant.

Enfin, son désaccord avec certaines positions théoriques, prévalentes à l'époque au sein de la Société britannique de psychanalyse, l'amène à étayer son point de vue de la manière la plus scientifique possible et à rechercher des preuves tangibles de ce qu'il avance. Melanie Klein, première spécialiste des analyses d'enfants, soutient en effet que les récits de ces derniers sur leur vécu et leurs relations avec leurs parents ne sont que purs fantasmes, et qu'il est absurde de considérer que cela puisse se rapporter à une quelconque réalité à traiter en tant que telle. Anna Freud, de son côté, ne partage pas totalement cette optique, mais pense tout de même qu'un petit enfant ne peut pas véritablement souffrir de la séparation d'avec ses proches, car ses structures psychiques ne sont pas suffisamment élaborées, et que le chagrin lié au deuil n'existe donc pas chez les enfants avant un certain âge.

Bowlby s'inscrit en faux contre ces conceptions. Sans doute sur la base de son vécu et des pertes qu'il a lui-même subies dans son enfance, il prétend que l'enfant est très sensible à tout ce qui peut mettre en danger une relation harmonieuse avec sa figure d'attachement, à savoir la personne qui s'occupe régulièrement de lui, généralement sa mère biologique. Les travaux des éthologistes cités plus haut lui permettent d'affirmer que, dès la naissance, le bébé humain est programmé pour rechercher la présence et la proximité de personnes plus fortes que lui, qui pourront lui assurer une protection, gage de survie. La séparation n'est alors pas la seule chose qui menace l'équilibre intérieur du petit, mais aussi tout ce qui est susceptible de contrarier ce besoin de confiance et de sécurité, par exemple si la figure d'attachement n'en tient pas compte, qu'elle se moque de l'enfant, voire qu'elle le rejette.

Bowlby met donc tout particulièrement l'accent sur le comportement de la mère et sur son équilibre psychique à elle, pour assurer celui de l'enfant. Il traduit cette approche théorique nouvelle par la mise en place d'entretiens thérapeutiques conjoints, où il constate que faire parler la mère permet rapidement de diminuer les symptômes de celui-ci. Il s'aperçoit même que les problèmes rencontrés par ce dernier sont en relation directe avec les difficultés rencontrées par sa mère au cours de sa propre enfance avec ses parents à elle, et que lorsqu'elle en prend conscience, il s'ensuit une amélioration spectaculaire de la situation de l'enfant.

Il faut reconnaître que l'approche clinique de Bowlby ainsi que ses conceptions théoriques ont soulevé une certaine opposition de son vivant, en particulier avec la publication des trois volumes principaux de son œuvre sur l'attachement. Mais elles sont aussi à l'origine d'une lignée fructueuse de recherches sur le développement de l'enfant et de sa personnalité, qui a finalement conduit aussi à une nouvelle approche des relations adultes, amoureuses comme il se doit. Car, bien que Bowlby n'utilise pas systématiquement ce mot, c'est bien d'amour qu'il s'agit dans tout cela, et c'est bien ce que Harlow avait compris, d'où le titre de son article. Il y explique avec humour qu'en tant qu'éthologiste parlant du comportement de bébés singes, il peut se permettre de parler d'amour, mais qu'en ce qui concerne les humains, la pudeur est de mise, le mot *amour* ne fait pas scientifique, et que Bowlby a eu raison de lui préférer le terme d'*attachement*.

La théorie de Bowlby continue à déranger de nos jours, quelque vingt ans après sa mort, en particulier en France semblerait-il. Outre sa mise en cause de certains principes psychanalytiques bien ancrés, elle vient aussi plus globalement remettre en question l'idée d'instinct maternel, et de mère fondamentalement bonne et dévouée, à l'image de la Vierge Marie, tenant avec amour l'Enfant Jésus. Cette image a été mise à mal en France, dans les années 1980, par l'ouvrage d'Élisabeth Badinter sur l'amour maternel[1], qui lui aussi a fait scandale. La philosophe explique que la notion d'instinct maternel est une construction de la société bourgeoise, afin de redorer l'image de la femme et de l'inciter à faire des enfants pour soutenir la démographie, source de puissance nationale. Sa rétrospective de l'histoire des relations des mères à leurs enfants en France montre que l'amour maternel est tout sauf instinctif, et que des générations de femmes de la haute société se sont débarrassées de leurs enfants sans états d'âme en les expédiant par tombereaux entiers vers des nourrices à la campagne, ne les récupérant ensuite que pour les confier à d'autres personnels de maison, s'ils n'étaient pas morts entre-temps.

D'une certaine façon, la théorie de Bowlby, ainsi que

1. Badinter, É. (1980). *L'amour en plus. Histoire de l'amour maternel, XVIIe-XXe siècle.*

des éthologistes sur lesquels il s'appuie, vient corroborer et expliquer ces comportements qui ne sont pas nécessairement aussi peu naturels qu'il y paraît. Il montre en effet que c'est l'enfant qui initie essentiellement la relation d'attachement, qu'il en est le partenaire le plus actif, pour des raisons de survie. Pour ce faire, il dispose de moyens d'alerte comme les cris et les pleurs, et de moyens de séduction comme le sourire, le regard, l'imitation, tendre les bras pour un rapprochement, qu'il effectuera ensuite seul dès qu'il avancera par ses propres moyens. Bowlby considère que tous ces comportements ont comme objectif pour l'enfant de rester proche et donc sous la protection d'un plus grand, de s'attacher sa présence, exactement comme les canetons suivent instinctivement leur mère pour échapper aux prédateurs. Si l'adulte n'y répond pas adéquatement, faisant passer ses propres besoins avant ceux de l'enfant, alors l'équilibre de celui-ci s'en trouve durablement perturbé, en particulier son sentiment de sécurité intérieure, sa confiance en lui-même et en autrui.

Ainsi, si l'enfant au cours de son développement ne se sent pas protégé et soutenu dans ses découvertes et ses apprentissages, il en conclut qu'il n'est pas capable de susciter l'intérêt d'autrui, qu'il ne mérite pas d'être aimé, et que les autres ne sont pas fiables, que l'on ne peut pas compter sur eux pour partager autant ses difficultés que ses joies. Ces conclusions tirées d'expériences répétées, tant dans l'enfance que dans l'adolescence, se fixent en schémas d'interprétation de la relation au monde et à autrui, qu'il devient très difficile de faire évoluer par la suite, et qui colorent la perception de ce que l'on est capable de faire et de ce que l'on est susceptible de recevoir d'autrui. Elles interviennent alors directement dans le type d'attente que l'on aura par la suite au sein des relations de couple, ainsi que dans l'approche que l'on aura de ses propres enfants et de leur éducation.

Bowlby n'est pas le seul à avoir mis l'accent sur les relations parent/enfant dans la construction de la personnalité de l'adulte, son collègue Winnicott y accordait aussi beaucoup d'importance, ainsi que l'Américain Kohut, pour ne citer qu'eux, et bien entendu Freud lui-même. Cependant, il est le seul à avoir cherché à prouver la réalité concrète d'une telle perspective, à en avoir étudié minutieusement les modalités en s'appuyant sur l'observation des enfants et les réactions des parents, dans une logique inspirée de l'éthologie qui, sans dénier à l'homme ses spécificités, le replace dans la lignée de l'évolution des espèces, à laquelle toute son intelligence ne lui permet pas d'échapper, quoi qu'on en dise. Les personnes qui ont travaillé avec lui ont aussi grandement contribué à ses élaborations théoriques, ainsi qu'à leur vérification sur le terrain. Mary Ainsworth et ses étudiants, dont Mary Main, figurent parmi les plus connus.

Pour revenir à l'amour maternel, il est clair qu'une telle approche fait porter une grande responsabilité aux proches de l'enfant dans le développement chez lui d'une personnalité saine et équilibrée, qui sera pour lui un atout la vie durant. Mais elle ne limite pas cette influence aux seules mères, bien au contraire, et Bowlby insiste sur l'aide indispensable à leur apporter, précisant aussi que les mères biologiques ne sont pas les seules figures d'attachement possibles. D'un autre côté, cette approche évite le poids de la culpabilité à celles qui ne se sentent pas l'instinct maternel, et qui se trouvent débordées par les demandes de leur enfant, effrayées à l'idée de ne pas savoir s'y prendre et de ne pas être normales. Car, ce qui ressort finalement et de manière concrète de cette théorie, c'est qu'être parent, cela s'apprend.

Cela s'apprend d'abord auprès de nos propres parents, dont nous répétons inconsciemment les comportements avec nos enfants, en l'absence de tout enseignement systématiquement organisé dans nos sociétés. Mais cela peut aussi s'apprendre auprès d'autres personnes, comme le montrent amplement les programmes de soutien aux parents en difficulté. Les recherches ont aujourd'hui suffisamment progressé pour que l'on ait maintenant une image précise de ce dont les enfants ont besoin pour devenir des adultes en harmonie avec eux-mêmes et avec les autres. On sait aussi ce qu'il est judicieux d'éviter de faire pour que tout se passe au mieux. On n'est donc plus contraint de reproduire avec nos enfants ce que nos parents ont fait avec nous, et qu'ils avaient eux-mêmes hérité de leurs propres parents, faute de connaissances et d'informations objectives sur le sujet.

Par ailleurs, les féministes ont attaqué avec virulence Bowlby qui, selon elles, prônait le grand retour de la femme au foyer et la fin de son émancipation durement acquise. Or, à partir du moment où l'on centre la perspective sur l'enfant, ce sont ses besoins à lui qui doivent être satisfaits, et rien n'exige que ce soit la mère biologique qui assume seule ce rôle, si elle ne le souhaite pas ou qu'elle ne se sent pas heureuse de s'y consacrer à plein temps. L'important pour l'enfant, c'est de pouvoir s'attacher à quelqu'un qui s'occupe de lui sur une base régulière, et qui y prend plaisir, ce peut être une garde d'enfants ou une autre personne de la famille, le père ou un grand-parent par exemple. L'enfant est alors susceptible d'avoir plusieurs figures d'attachement qui satisfont ses besoins à différents moments, l'essentiel restant la régularité, qui rend chaque changement prévisible et donc non angoissant pour lui. On peut penser que lorsque les enfants grandissent au sein de familles élargies, cela ne pose pas vraiment de problème, car il se trouve toujours quelqu'un pour veiller sur eux, sans que la charge repose exclusivement sur les épaules de la mère. En revanche, les foyers monoparentaux et l'éclatement des familles dans les sociétés occidentales changent considérablement la donne.

Cet extrait, non dénué d'ironie, d'une conférence donnée aux États-Unis en 1980, résume clairement la perspective de Bowlby sur la question de l'éducation des enfants, sur le rôle des mères et de leur entourage, et sur l'implication plus globale de la société : « Je veux aussi souligner, malgré les voix qui s'élèvent pour affirmer le contraire, que s'occuper de bébés et de jeunes enfants n'est pas une tâche pour une personne seule. Pour que le travail soit bien fait et que le *caregiver*[1] principal de l'enfant ne soit pas trop épuisé, cette personne a besoin d'être largement aidée. [...]

Dans la plupart des sociétés dans le monde, cela va de soi, aujourd'hui comme par le passé, et l'organisation sociale se fait en conséquence. Paradoxalement, il a fallu

1. Celui ou celle qui s'occupe de l'enfant, qui fait attention à lui, qui l'aime (voir note p. 280).

l'essor des sociétés les plus riches du monde pour en venir à négliger ces vérités. La main-d'œuvre féminine et masculine consacrée à la production de biens matériels constitue un atout dans tous nos indices économiques. Celle consacrée à la production dans leurs propres foyers d'enfants heureux, en bonne santé et autonomes ne compte absolument pas. Nous avons créé un monde qui marche sur la tête[1]. »

Dans la perspective de faire connaître précisément la théorie de l'attachement et de lui rendre justice, cet ouvrage se propose d'abord de s'intéresser à la vie de son fondateur, John Bowlby. L'élaboration de sa théorie a en effet eu lieu dans un contexte historique rassemblant autant des éléments de son histoire personnelle que des idées de l'époque, dont il s'est inspiré pour certaines ou qu'il a combattues pour d'autres. Dans un second temps sont abordées les différentes contributions d'autres chercheurs. Et en particulier

---

1. Bowlby J. (2011), *Le lien, la psychanalyse et l'art d'être parent*, p. 13. Texte original : Bowlby J. (1988). *A secure base : Clinical applications of attachment theory*, p. 2. « I want also to emphasize that, despite voices to the contrary, looking after babies and young children is no job for a single person. If the job is to be well done and the child's principal caregiver is not to be too exhausted, the caregiver herself (or himself) needs a great deal of assistance. [...] In most societies throughout the world these facts have been, and still are, taken for granted and the society organized accordingly. Paradoxically it has taken the world's richest societies to ignore these basic facts. Man and woman power devoted to the production of material goods counts a plus in all our economic indices. Man and woman power devoted to the production of happy, healthy, and self-reliant children in their own homes does not count at all. We have created a topsy-turvy world. »

celles de Mary Ainsworth et de ses étudiants, et les résultats d'études longitudinales qui permettent de vérifier au long cours les prédictions théoriques de Bowlby. Ces recherches fournissent une synthèse et une mise en perspective de ce qui a été vérifié par ailleurs dans les centaines de travaux menés à ce jour aux quatre coins du monde sur les relations parent/enfant.

Cependant, faute de recul suffisant dans le temps pour l'instant, ces études développementales s'arrêtent chez les jeunes adultes. Le relais est pris pour les périodes ultérieures par des travaux issus de la psychologie de la personnalité et de la psychologie sociale, avec les figures emblématiques de Phillip Shaver et de Mario Mikulincer, dont les recherches sont présentées ensuite.

Tout comme Bowlby a sans relâche cherché des explications scientifiques aux phénomènes humains qu'il observait, s'appuyant en son temps sur l'éthologie et la cybernétique, il est aujourd'hui possible de convoquer les neurosciences à l'appui de ses théories. L'étude du cerveau et de son évolution permet ainsi de comprendre comment les mécanismes de l'attachement se mettent en place, et ce qui les conduit à perdurer. Daniel Siegel fait partie de ceux qui se sont intéressés à cet aspect du problème. Il fournit des clés à la fois sur le maintien des stratégies précoces mobilisables la vie durant, et sur ce qui permet de les contrôler et de les faire évoluer pour une adaptation adéquate à la nouveauté, gage d'une meilleure santé tant psychique que physique.

Sont abordés enfin les aspects de la théorie de l'attachement qui semblent avoir été oubliés de nos jours, les enseignements qui ont été mis de côté, soit parce qu'ils continuent à déranger, soit parce que les perspectives de recherche ont orienté les travaux dans d'autres directions, pour des problèmes de méthodologie et de mesure, en particulier. Le propre fils de Bowlby s'est ému de cette situation ces dernières années. Aujourd'hui à la retraite, Richard Bowlby a décidé de se mobiliser comme porte-parole des théories de son père, et de leurs applications concrètes sur l'éducation des enfants qui engage directement le futur des sociétés.

Bowlby a pu élaborer une théorie complexe et originale en s'assurant le concours d'équipes pluridisciplinaires qui n'hésitaient pas à associer psychanalystes, éthologistes, spécialistes du comportement et de l'apprentissage conditionné, voire sociologues, qui appliquaient leurs connaissances et leur intelligence à des études de cas, donc à la réalité de patients qu'il s'agissait d'aider au mieux. Tout cela paraît bien loin aujourd'hui, où les recherches sur l'attachement sont éclatées entre différents champs de la psychologie avec des spécialistes qui, au lieu de joindre leurs forces, s'emploient souvent davantage à défendre leur chapelle et à se dénigrer mutuellement. Une grande partie de la recherche sur l'attachement semble aussi avoir perdu de vue qu'elle s'appuie avant tout sur une théorie du développement de la personnalité, ayant pour objectif de venir en aide à autrui en lui fournissant des clés pour aller mieux, que ce soit par rapport à lui-même, ou par rapport à autrui et à ses propres enfants. Cette recherche est devenue très abstraite, avec peu d'applications thérapeutiques réelles et une absence d'accent sur l'importance sociale de ses découvertes pour la mise en place d'une société plus pacifiée, constituée d'individus en harmonie avec eux-mêmes, avec autrui et avec le monde qui les entoure.

Oserais-je souhaiter que cet ouvrage permette de telles prises de conscience ?

1

Sir John Bowlby : éléments de biographie[1]

Le chemin vers l'étude de l'enfant

John Bowlby est né en 1907 au sein d'une famille londonienne de la haute bourgeoisie. En tant que chirurgien militaire privé du roi George V, son père est anobli en 1911. Sa mère a donné naissance à six enfants, trois garçons et trois filles. Elle a, semble-t-il, montré une préférence pour ses deux premiers fils, Tony et son frère John de treize mois son cadet, nés après deux filles, alors que son dernier fils a souffert d'un retard de développement lié à une déficience thyroïdienne. Comme il convenait dans ce milieu, les enfants n'étaient pas directement éduqués par leurs parents, mais pris en charge par des nurses. La mère de John passait ainsi brièvement le matin à la nursery pour prendre de leurs nouvelles, et John ne la voyait réellement qu'une heure par jour de 17 heures à 18 heures, au salon après le thé. Elle se

1. Ce chapitre, ainsi que le suivant, ont été rédigés principalement sur la base des éléments rapportés dans Van Dijken, S. (1998). *John Bowlby : His early life. A biographical journey into the roots of attachment theory* et dans Bowlby, R. (2004), *Fifty years of attachment theory.*

consacrait alors à la lecture, faisant partager à ses enfants sa passion pour la nature et assurant aussi leur éducation morale et religieuse. Contrairement à ce que l'on pourrait imaginer de la rigueur de ces entrevues où les enfants se présentaient pomponnés et apprêtés, l'atmosphère y était plutôt détendue, voire parfois chaotique, la mère de Bowlby laissant aux nurses l'exercice courant de l'autorité.

Les enfants Bowlby voyaient encore moins leur père dans la semaine, partagé entre les consultations privées de son cabinet le matin et sa charge à l'hôpital l'après-midi, sachant dans tous les cas qu'il n'était pas de mise à l'époque qu'un père de famille aisée s'occupe précisément de ses enfants. Le dimanche était néanmoins un jour particulier qui réunissait tous les membres de la famille, d'abord pour l'office le matin, où ils se rendaient en traversant Hyde Park en compagnie des membres influents de la bonne société londonienne, puis l'après-midi où, en fonction du temps, ils visitaient le zoo ou le muséum d'histoire naturelle.

John Bowlby et ses frères et sœurs passaient donc le plus clair de leur temps en compagnie de leurs nurses, puis une tutrice austère apprit à John et à Tony à lire et à écrire, avant qu'ils ne soient envoyés à l'école vers l'âge de 7 ans. La nursery était située au dernier étage de la maison, sorte d'appartements privés consacrés aux enfants, où ils prenaient en particulier leurs repas, à l'écart de leurs parents et du reste de la maisonnée. Elle était dirigée par une gouvernante, qui avait sous ses ordres deux nounous pour s'occuper des plus petits. Alors qu'il avait 4 ans, John vécut le choc de perdre sa nounou attitrée, qui a quitté la maison pour un autre emploi. Il n'a pas caché par la suite que cette expérience l'avait sensibilisé à la détresse réelle que peut ressentir un petit enfant en cas de perte d'un être cher. Il s'est aussi retrouvé à la garde de la seule gouvernante, femme dure et sarcastique, qui lui a fait réaliser ultérieurement l'impact dévastateur des sarcasmes sur le psychisme d'un enfant. Un autre deuil a marqué ses jeunes années, puisque à l'âge de 12 ans, il a perdu son parrain, terrassé sous ses yeux par une crise cardiaque lors d'un match de football auquel il participait.

Bien qu'ayant un père plutôt absent, John n'a pas manqué de figures masculines qui prenaient le temps de s'occuper de lui, comme son oncle, le frère de son père, chargé par ce dernier de veiller sur ses enfants pendant la guerre, son parrain à la fin prématurée, ou encore son grand-père maternel avec qui il partait souvent en vacances et qui lui a appris à chasser et à pêcher. Sa mère se livrait aussi à ces activités, en particulier la pêche au saumon qu'elle pratiquait avec son mari. Parallèlement, elle affectionnait l'observation de la nature, elle aimait dessiner, et ne manquait pas d'attirer l'attention de ses enfants sur l'harmonie de leur environnement, que ce soit à la mer ou à la campagne, au sud de l'Angleterre ou en Écosse. La bonne société londonienne avait en effet pour habitude de partir régulièrement se ressourcer loin de la ville, de sa laideur et de sa misère émotionnelle et spirituelle, considérant la nature comme source d'enseignement et d'inspiration, lieu de bonheur et de beauté.

Le déclenchement de la Première Guerre mondiale voit le départ du père de Bowlby pour le front en France, où il décide d'aller opérer les blessés au plus près des zones de combat. Il ne sera plus le même homme après son retour en 1919 : déçu et irascible, il cesse son activité médicale pour se consacrer à des charges plus honorifiques. Les bombardements sur Londres avaient conduit leurs parents à envoyer John et son frère en internat loin de la capitale. Le placement en internat était une pratique courante dans l'éducation des enfants de la bonne société de l'époque, qui concernait spécifiquement les garçons à qui l'on apprenait ainsi à se passer de la vie de famille dont ils étaient isolés pendant de longs mois. La coutume voulait que les garçons y soient inscrits beaucoup plus jeunes, dès 7 ou 8 ans, afin de les endurcir et de les préparer à leur future scolarité en école privée. Contrairement à son frère, John semble avoir mal vécu cet isolement dans une institution spartiate où s'associaient violence psychologique et châtiments corporels, et où l'accent était surtout mis sur l'enseignement du latin et des mathématiques, sans égard pour les sciences et les langues vivantes, jugées inutiles pour l'éducation d'un gentleman.

À 14 ans, John entre au Royal Naval College de Dartmouth, école navale de renom, semblant ainsi suivre la tradition militaire d'une partie de sa famille, qui comptait outre son père, chirurgien des armées, un arrière-grand-père ayant aussi occupé ce poste, un autre, qui avait été capitaine d'artillerie et un trisaïeul général. Il s'illustre par ses bonnes notes dans toutes les disciplines et apprécie particulièrement l'enseignement technique qu'il reçoit. C'est aussi un sportif accompli, que ce soit en course à pied, en voile ou au rugby, au hockey, au tennis ou au cricket. Il aime par ailleurs faire du théâtre, de la musique, et se passionne pour l'observation des oiseaux qu'un camarade lui fait découvrir et qu'ils prennent plaisir à photographier.

En 1924, il embarque sur un bateau de guerre pour continuer sa formation d'officier, mais la vie dans la marine en temps de paix lui apparaît plutôt ennuyeuse et les espoirs de promotion rapide compromis, il décide donc de changer d'orientation pour des études universitaires. Son père ne fait aucune difficulté à racheter ses frais de scolarité et conseille à son fils de faire médecine. John entre alors à Cambridge après avoir passé une année à rattraper les disciplines requises non enseignées à l'école navale. Il commence par y étudier les sciences naturelles, et en particulier la biologie de l'évolution. Un de ses professeurs lui fait découvrir la psychanalyse, très en vogue à l'époque autant dans les milieux intellectuels que dans la presse, pour ses applications aux victimes de la guerre, en particulier. Cette curiosité pour les idées de Freud conduit Bowlby à s'intéresser à la psychologie et à abandonner la médecine au bout de deux ans.

Il se consacre alors à la psychologie expérimentale, travaille sur la mémoire, utilisant des méthodes fondées sur l'observation, au sein d'un cadre théorique où son mentor soutient que les expériences passées s'organisent en schémas qui influencent le présent, donnant toute son importance à la réalité des situations vécues. Après avoir obtenu son diplôme en 1928, il souhaite élargir ses connaissances en psychologie du développement. Il refuse un poste d'enseignant en sciences dans un établissement classique pour intervenir dans une école progressiste. Celle-ci met l'accent sur les savoirs en relation avec le monde extérieur et cherche avant tout à mobiliser l'intérêt de l'enfant par l'expérimentation pour lui permettre de développer son potentiel naturel, selon les principes pédagogiques de Maria Montessori. Les châtiments corporels et autres violences à l'encontre des enfants y sont bannis. Bowlby y reste quelques mois, enseignant les sciences, la physique, la chimie et la biologie, ainsi que le jardinage, mais ne pouvant y occuper un poste fixe à plein temps, il la quitte pour Priority Gate. Il réalise aussi qu'il n'en sait pas assez sur les enfants et leur éducation pour se lancer dans une carrière d'enseignant sans commencer lui-même par apprendre en observant et en vivant avec les enfants.

Priority Gate était une institution pour enfants en difficulté qui hébergeait vingt-deux élèves entre 3 et 18 ans. Elle s'appuyait sur deux approches, l'une issue d'une dissidence du mouvement scout prônant un retour à la terre, au travail manuel et à une vie simple, en réaction à l'industrialisation qui aurait conduit à la guerre, l'autre inspirée de la psychanalyse appliquée à l'éducation. Le directeur estimait ainsi que l'école devait être une organisation apportant à la fois de la sécurité à l'enfant et une certaine liberté lui permettant d'exercer sa créativité, un endroit où il puisse se sentir heureux. Il est clair que les écoles traditionnelles anglaises de l'époque n'avaient pas ce genre de préoccupations et étaient loin de considérer l'enfant comme fondamentalement bon, d'où le recours impératif aux violences physiques ou psychiques, ce que Bowlby désapprouvait fortement.

Les six mois passés dans cet établissement s'avèrent déterminants pour la suite de la carrière de Bowlby. D'une part, il y rencontre John Alford qui lui fait découvrir les préceptes du psychanalyste américain Homer Lane. Celui-ci est convaincu que bon nombre de troubles trouvent leur origine dans les erreurs éducatives subies dans l'enfance. Il attribue en particulier la délinquance à un manque d'amour et de compréhension, lié à une éducation répressive et culpabilisante. D'autre part, deux enfants à sa charge marquent profondément Bowlby, l'un âgé de 7 ans le suit comme son ombre, l'autre âgé de 16 ans paraît insensible et s'isole totalement. Ce dernier, fils illégitime d'une famille aisée, a été renvoyé d'Eton pour des vols répétés, ce que cette prestigieuse école ne pouvait tolérer. À Priority Gate, il était tenu pour une évidence que cette délinquance était liée à son statut d'enfant illégitime, par la privation affective dont il avait fait l'objet. Le directeur estimait en effet que les problèmes actuels des enfants étaient la conséquence d'expériences familiales négatives, et insistait sur la réalité de ces traumatismes subis. Il affirmait encore qu'il était normal pour un adulte de s'attacher à un enfant, mais que cet attachement représentait un danger s'il servait à la satisfaction des seuls besoins de l'adulte, et non à la protection de l'enfant.

La situation de Bowlby étant à nouveau instable à Priority Gate, il décide de reprendre ses études de médecine pour devenir psychiatre pour enfants, sur les conseils d'Alford, qui par ailleurs au gré de longues conversations stimulantes lui a permis de déterminer quelle voie il voulait suivre, si peu orthodoxe fût-elle.

Ces éléments de la vie de Bowlby permettent de mieux saisir comment il en est venu à élaborer sa théorie de l'attachement, et à insister sur l'impact des situations négatives réelles vécues par les enfants. Il a dit de sa propre enfance qu'elle l'avait suffisamment blessé, même s'il n'en était pas sorti brisé. On pense alors aux effets de la perte de sa nounou et de son parrain, même s'il est resté plutôt discret à ce sujet, à son expérience de deuil précoce mal compensée par la relative absence de ses parents, à l'importance de pouvoir évoquer la réalité de telles situations dont on ne parlait pas ouvertement dans ce milieu, à tel point que sa sœur a cru un moment que c'était lui qui était mort et non son parrain. On peut encore évoquer la disparition dramatique de son grand-père paternel, mort alors que son père n'avait que 5 ans. Il parcourait le monde comme grand reporter, correspondant du *Times* : pris en otage en Chine, il a été assassiné avec deux collègues en 1860. Son corps n'a jamais été rendu à sa famille, restée dans le doute plusieurs semaines. Une fois plus âgé, le père de Bowlby a pris soin de sa mère, au point de ne se marier qu'au décès de celle-ci. Là encore, ce fut une histoire tragique dont on parlait sans doute peu chez les Bowlby, mais qui planait comme une ombre sur la famille, alimentée par le non-dit. Une telle situation a pu à la fois expliquer la distance du père de Bowlby envers ses propres enfants, et alimenter la sensibilisation du futur thérapeute au deuil précoce et à ses conséquences, auxquelles il a eu longuement le temps de réfléchir pendant ses sept années de psychanalyse, à raison de cinq séances par semaine, comme il se devait à l'époque.

On pense aussi à l'impact d'une éducation rigoriste assortie de violences physiques et psychiques, vécues tant auprès de sa gouvernante qu'au sein de l'internat où il a été envoyé bien trop jeune à son gré, là encore contraint de faire le deuil de sa famille et de devoir se débrouiller seul. On comprend mieux dès lors pourquoi il a été attiré par des méthodes éducatives progressistes visant à l'épanouissement personnel de l'enfant, conçu comme fondamentalement bon, et sur lequel il ne convenait d'exercer aucune violence. L'importance de la nature, de son observation et de sa compréhension, source d'enseignement hautement respectée autant dans sa famille que dans les deux écoles où il a enseigné, rend encore finalement très logique qu'il se soit tourné vers l'éthologie, naissante à l'époque, pour trouver un support théorique à ses conceptions du développement des enfants.

Certains ont souligné que l'absence de sa mère qui ne l'élevait pas comme on peut l'entendre aujourd'hui a été préjudiciable à Bowlby et lui a fait mettre l'accent ultérieurement sur le rôle fondamental de celle-ci pour l'enfant. Il ressort néanmoins des courriers cités par Van Dijken que Bowlby semblait très proche de sa mère, qui a soigneusement conservé sa correspondance, il partageait avec elle ses émotions et son vécu quotidien, ses espoirs et ses doutes, dans un style qui n'atteste nullement d'une distance affective avérée. Bowlby a insisté par la suite sur l'importance non pas tant de ce que les parents font, mais de ce qu'ils sont dans leur influence sur leurs enfants, et que la qualité relationnelle l'emporte sur la quantité. La mère de Bowlby apparaît ainsi comme une femme active, sportive, intelligente qui savait consacrer du temps à ses enfants, les respecter et discuter avec eux sans frivolité, même si, semble-t-il, sa relation à ses fils a été plus positive que celle qu'elle a eue avec ses filles.

Son père par ailleurs, pour peu présent qu'il ait été, ne s'est pas montré d'une rigueur outrancière avec ses fils, comme il était souvent de mise à l'époque et sans doute parfois encore aujourd'hui. Il n'a pas cherché à les obliger à suivre la formation qui était la sienne, et à poursuivre contre leur gré dans la voie militaire. Ainsi tout comme son frère, Tony n'est pas resté dans l'armée, mais s'est redirigé vers l'université où il a fait des études de chimie. On notera enfin que s'ils ont été envoyés en internat, c'était davantage pour fuir les bombardements sur Londres que pour être soumis à une éducation rigoureuse censée leur forger le caractère, ce qui explique pourquoi ils y ont été inscrits si tardivement.

D'un autre côté, si Bowlby a si mal vécu la séparation d'avec sa famille et l'austérité menaçante de l'internat, c'est bien parce qu'il n'était pas habitué à être traité de la sorte, et que pour que la chaleur de son foyer lui manque, il fallait que cette chaleur existe, même si tout n'y était pas rose tous les jours. Il apparaît enfin que pour qu'il ait pu théoriser sur l'attachement, le sien devait être un minimum sécure, car toutes les études récentes montrent que les personnes à l'attachement évitant, dont l'enfance a été marquée par un manque affectif, sont extrêmement déstabilisées dès qu'on leur parle d'attachement, justement. Elles sont incapables d'évoquer leur enfance de manière réaliste, elles ont très peu de souvenirs, et elles nient l'impact que cela a pu avoir sur leur personnalité et leurs réactions actuelles, configuration assez peu compatible avec le développement d'un intérêt profond pour la relation mère/enfant et son impact ultérieur.

Sa formation de psychiatre et psychanalyste

À 22 ans, Bowlby reprend donc ses études de médecine à Londres, et parallèlement il entreprend une psychanalyse. Même s'il ne se montre pas très enthousiaste à l'idée de se replonger dans ce cursus médical qu'il avait volontiers abandonné précédemment, il s'agissait pour lui d'un passage obligé pour devenir psychiatre et s'occuper d'enfants. Il choisit par ailleurs d'intégrer l'Institut de psychanalyse, centre de formation de la Société britannique de psychanalyse, dirigée à l'époque d'une main de fer par Ernest Jones, qui impose des règles strictes de conformité à la pensée et aux pratiques freudiennes. Bowlby n'est pas au départ officiellement accepté comme étudiant à cause de son jeune âge et du fait qu'il vient seulement de commencer médecine, néanmoins Joan Riviere est désignée pour être son analyste.

Joan Riviere était un membre fondateur de la Société britannique de psychanalyse, devenue amie et disciple de Melanie Klein, après l'arrivée à Londres de celle-ci en 1926. Melanie Klein avait travaillé en Hongrie avec Ferenczi qui s'était intéressé à la relation mère/enfant dès avant la Première Guerre mondiale. L'accent porté par Klein sur les analyses d'enfants lui valait des rebuffades à Berlin où elle exerçait aux côtés de Karl Abraham, et l'ouverture d'esprit des Britanniques sur la question, ainsi que la mort d'Abraham, la décidèrent à émigrer en Angleterre. Le soutien sans faille de Jones ainsi que les perspectives nouvelles qu'elle apportait ont rapidement fait d'elle un membre très influent de la Société britannique de psychanalyse.

Melanie Klein estimait possible d'analyser des enfants dès l'âge de 2 ans, par la technique du jeu qu'elle interprétait comme elle l'aurait fait des rêves ou des associations libres de patients adultes. Elle se dispensait de la coopération des parents dont elle estimait les récits biaisés par leurs propres conflits inconscients, et elle n'attachait que très peu d'importance à la réalité extérieure que pouvait vivre l'enfant. Pour elle, tout se jouait au niveau intrapsychique de l'agression destructrice, manifestation de la pulsion de mort, sadisme inné envers la mère qui causait anxiété et culpabilité chez l'enfant lorsqu'il en prenait conscience, lors de la position dépressive.

Dans ce contexte, l'attitude critique du jeune Bowlby que son caractère et sa formation universitaire ne disposent pas à accepter des dogmes sans discuter, lui vaut des difficultés grandissantes avec son analyste, Joan Riviere, qui se plaint de son manque de confiance et de son besoin de réfléchir et de vérifier par lui-même. Bowlby remet en particulier en cause le fait que le vécu réel de l'enfant soit ignoré et que tout soit considéré au niveau des fantasmes, donc de l'imaginaire, dans l'approche de Melanie Klein. Il n'en demeure pas moins que les débuts de Bowlby en tant que psychanalyste se font dans une optique kleinienne. Il lui a par la suite rendu hommage pour ce qu'il avait pu apprendre d'elle, en particulier par son insistance sur les capacités relationnelles du bébé et sur les notions de perte, de deuil et de dépression, même s'ils avaient un désaccord de fond sur la réalité des choses, ce qui ne lui était d'ailleurs pas immédiatement apparu comme rédhibitoire.

En 1933, Bowlby obtient son diplôme de médecine et entre au Maudsley Hospital de Londres pour travailler dans un service de psychiatrie pour adultes. Là encore, il s'agissait d'un passage obligé pour être autorisé à exercer en psychiatrie infantile, domaine nouveau et en plein développement à l'époque. Il se trouve confronté à des psychiatres hostiles à la psychanalyse, à laquelle ils reprochent son mode de fonctionnement sectaire. Il mène des recherches sur la personnalité et le vécu antérieur de patients souffrant de décompensations psychotiques ou névrotiques. Au travers d'études de cas précises et détaillées où il interroge autant le patient que sa famille, il découvre l'importance du deuil comme facteur déclenchant de ces décompensations, par la maladie ou la mort d'un proche. Il isole aussi certaines caractéristiques de personnalité prédisposant davantage à ce type de réactions pathologiques. Deux ans plus tard, il commence par ailleurs à traiter des enfants perturbés, dans le service spécialisé d'un second hôpital, dont le chef de service s'intéresse entre autres aux origines possibles de la délinquance et des comportements asociaux.

Parallèlement, une fois son diplôme en poche, Bowlby décide de poursuivre ses études universitaires en se lançant dans une thèse, sous la direction de Cyril Burt, éminent psychologue et statisticien, membre de la Société britannique de psychanalyse. Entre les deux guerres, celui-ci s'intéresse aux difficultés d'adaptation des enfants et en particulier à la délinquance, dont il commence à apparaître qu'elle pourrait être d'origine psychique et donc traitable par ce biais. Burt souligne l'importance d'un foyer stable pour un développement normal de la personnalité. Il insiste sur le rôle de la mère dans la qualité des relations devant conduire au bien-être de l'enfant. Il estime que souvent ce sont les parents qui devraient être traités plutôt que leurs enfants, et rapporte les crimes à des drames dans la vie familiale. Il pense encore que retirer l'enfant de son foyer ne doit être entrepris qu'en dernier recours, mais qu'il est important d'aider à l'amélioration des relations au sein de la famille d'origine, pour tenter de mettre un terme à la spirale négative. Au milieu des années 1930, il devient vice-président de l'Institut pour le traitement scientifique de la délinquance, que Bowlby rejoint en tant que membre honoraire de 1934 à 1938. C'est là que celui-ci rencontre Ronald Hargreaves, à l'origine de sa collaboration ultérieure avec l'Organisation mondiale de la santé (OMS), qui signe le début de sa notoriété, comme nous allons le voir. Bowlby ne terminera pas sa thèse, ce qui n'était pas rare à l'époque, thèse qui devait porter sur la culpabilité et l'anxiété sur la base d'études de cas, thèmes kleiniens par excellence.

En 1933 encore, Bowlby reçoit ses premiers patients en psychanalyse sous supervision, mais a la mauvaise idée, deux ans plus tard, d'utiliser des techniques analytiques à l'hôpital, ce qui lui vaut les foudres de la Société britannique de psychanalyse. On lui reproche de ne pas respecter le cadre analytique de cinq séances par semaine, ce qui pourrait s'avérer néfaste pour le patient, et de ne pas être suffisamment qualifié puisqu'il n'est pas membre associé. Au même moment, il souhaite changer d'analyste, ce qui n'était pas interdit par principe, mais qui lui fut cependant fortement déconseillé. Joan Riviere exerça en particulier de fortes pressions pour qu'il demeure en analyse avec elle, soulignant qu'il allait ruiner sa carrière et probablement se suicider, car il était peu probable qu'un autre analyste qu'elle soit en mesure d'analyser sa position dépressive. Bowlby dut céder.

En 1937, après plus de sept années d'analyse personnelle et quatre années d'analyse de patients sous supervision, il obtient enfin sa qualification, précédemment refusée à deux reprises, car il paraissait trop pressé d'en finir, ce qui était, pour le comité d'évaluation, un signe certain d'anxiété et donc d'analyse incomplète. Bowlby commentera les analyses de patients faites par lui à l'époque comme d'inspiration typiquement kleinienne, avec l'accent principal porté sur le transfert, en toute ignorance des événements de vie réels du patient, tant présents que passés.

La fin de sa formation analytique le voit intervenir aussi dans un centre de pédopsychiatrie créé pour prévenir de futurs problèmes graves par des consultations précoces auprès des enfants et de leurs familles. Ce centre de formation et d'intervention pluridisciplinaire regroupait des psychiatres, des psychologues et des travailleurs sociaux qui se rendaient au domicile des enfants pour obtenir une description détaillée de leur histoire et de leurs conditions de vie. Bowlby rapporte avoir beaucoup appris grâce aux travailleurs sociaux et à leur importante expérience de terrain, soutenant l'idée que les problèmes des enfants étaient directement liés à ceux des parents, que ceux-ci remontaient le plus souvent à leur propre enfance et que c'était donc à ce niveau qu'il était le plus efficace d'agir.

Il se montre encore particulièrement intéressé par le cas de deux enfants qui avaient tendance à voler et à faire l'école buissonnière. Le premier était un petit garçon de 8 ans que ni les compliments ni les critiques ne semblaient atteindre. Il avait été isolé à l'hôpital pendant neuf mois à l'âge de 1 an et demi, sans qu'aucune visite ne lui soit autorisée. Par la suite, il n'avait pu établir aucun lien affectif avec ses parents, Bowlby voyant là une conséquence de ce traumatisme de séparation précoce prolongée. L'autre cas était celui d'une petite fille dont l'histoire était très similaire et les symptômes identiques. Elle non plus ne parvenait pas à s'intégrer, préférant l'isolement au contact avec autrui. Ces deux enfants rappellent celui que Bowlby avait rencontré à Priority Gate, petit voleur lui aussi et ayant souffert de manque affectif lié à son statut d'enfant illégitime. Il n'est donc guère étonnant que Bowlby décide par la suite de s'intéresser de près aux jeunes délinquants et à leur histoire, pour constituer le sujet de sa première recherche.

En attendant, il commence à publier des articles sur l'agressivité et la jalousie des enfants, leurs antécédents et leurs conséquences, dans des revues sur l'éducation. Il publie aussi un article sur l'hystérie chez l'enfant, thème peu abordé par ses collègues, qu'il relie au choc émotionnel consécutif à la mort ou à la maladie d'un proche, ou à la séparation due à un séjour à l'hôpital, où les enfants n'avaient pas droit aux visites de leur famille. Il estime encore qu'outre ce facteur déclenchant, les symptômes se déclarent chez des enfants dont les relations familiales sont perturbées, soit par des disputes courantes entre les parents, soit *a contrario* par une atmosphère faussement paisible où l'expression de toute critique est en fait prohibée. Il souligne également certains traits de caractère des mères, hyperanxieuses, sans cesse inquiètes pour la sécurité et la santé de leur enfant, ou ne souhaitant pas voir celui-ci grandir et leur échapper, ou encore cherchant à acheter son amour par une affection exagérée, faisant en outre l'hypothèse d'une transmission transgénérationnelle de ces caractéristiques de personnalité. Il prône alors de traiter conjointement la mère et l'enfant, afin de modifier les bases de leur relation.

Dans ce contexte, ses premières analyses d'enfants dans le cadre de la Société britannique de psychanalyse, sous la supervision de Melanie Klein, s'avèrent quelque peu problématiques. Son premier cas concerne un enfant hyperactif et anxieux dont il remarque que la mère est extrêmement tendue, anxieuse et en pleine détresse lorsqu'il la croise dans la salle d'attente. Il communique cette information à Melanie Klein, qui lui interdit formellement de parler à cette dernière, car pour elle, la seule chose qui importe, c'est ce qui se passe dans la tête de l'enfant indépendamment de la réalité extérieure. Même si elle s'intéresse à la relation mère/enfant, c'est uniquement telle qu'elle est intériorisée dans le psychisme de celui-ci, et les troubles de l'enfant ne sauraient être la conséquence de la manière *réelle* dont il est traité. Après quelques mois d'analyse avec ce jeune patient, Bowlby apprend que la mère a été internée pour dépression grave, ce qui ne retient l'attention de Melanie Klein que pour la contrariété d'une intervention prématurément interrompue. La guerre viendra opportunément mettre un terme à leur collaboration, qui ne sera jamais reprise par la suite.

En 1939, pour sa qualification en tant que membre à part entière, il réalise un coup d'éclat en présentant à la Société britannique de psychanalyse un article sur l'influence de l'environnement précoce à l'origine des névroses et des traits de caractère névrotiques. Il s'appuie sur son expérience du traitement des enfants délinquants au centre de pédopsychiatrie pour développer l'idée qu'obtenir des renseignements sur le vécu réel de l'enfant dans sa famille est souvent plus déterminant pour le traitement que ce qui se passe en séance. Il concentre son attention sur les éléments d'ordre psychique, à l'exclusion des conditions socio-économiques ou religieuses de l'éducation de l'enfant. Il remarque que les séparations précoces sont particulièrement fréquentes dans le passé des jeunes voleurs, et qu'elles conduisent à l'absence de développement ultérieur de liens affectifs avec autrui. Il souligne aussi l'ambivalence de certains parents et de certaines mères qui aiment leur enfant tout en le haïssant inconsciemment, se montrant alors hostiles envers lui, hostilité et ambivalence retrouvées chez l'enfant, associées à la répression et à une profonde culpabilité pouvant se transformer en agressivité et en passage à l'acte.

Une telle présentation, peu orthodoxe aux yeux des membres de la Société britannique de psychanalyse, divise ceux-ci, opposant les partisans convaincus de Melanie Klein à ceux qui acceptent de remettre en cause ses idées. Cette fois, Bowlby obtient gain de cause et est élu membre à part entière, ce qui lui permet d'avoir accès aux instances dirigeantes de la Société.

Cette partie de la vie de Bowlby, avant la Seconde Guerre mondiale, alors qu'il s'établit en tant que spécialiste du traitement des enfants et en particulier des jeunes délinquants, montre que les futurs développements de la théorie de l'attachement sont déjà en germe dans l'intérêt qu'il porte à la fois à la séparation précoce et aux dysfonctionnements émotionnels de la relation mère/enfant, dysfonctionnements repérés dans une dynamique intergénérationnelle. Ces idées ne sont pas uniquement de lui, en revanche sa formation dans la lignée de Melanie Klein et sa dissidence par rapport à elle vont le conduire à rechercher des preuves solides et tangibles de ce qu'il avance, de la réalité des traumas et non de leur caractère purement fantasmatique, démarche déterminante pour la suite, comme nous le verrons plus loin.

Par ailleurs, 1937 aura marqué un tournant dans sa vie personnelle puisqu'il rencontre Ursula, celle qui deviendra bientôt sa femme, mettant un terme à un parcours amoureux quelque peu chaotique. Ursula est elle-même issue d'une famille aisée et a reçu le même type d'éducation que Bowlby. Elle a aussi subi la perte de sa nounou alors qu'elle avait 5 ans, et affirme s'en être très difficilement remise. Quant à l'autorité de sa mère, qui n'était nullement contestée par ses sept enfants, elle s'exerçait par des méthodes non violentes, sa mère estimant que punir les enfants ne les rendait en aucun cas meilleurs. Ursula en est donc rapidement venue à partager les idées de son mari, et elle s'est lancée dans la publication d'articles sur l'éducation des enfants dans des magazines grand public. Elle a même écrit un ouvrage sur le sujet où elle insistait sur les conséquences néfastes pour l'enfant d'un manque d'amour et de gentillesse, d'une discipline trop rigoureuse, et des séparations précoces avec la figure maternelle, manuscrit finalement jugé pas assez sérieux et trop admiratif de son mari pour être publié.

Puis, la guerre éclate et vient bouleverser la vie des Britanniques, même si l'Angleterre parvient à résister à l'invasion allemande grâce à son statut insulaire privilégié. Dans un premier temps, Bowlby s'engage à essayer d'empêcher la guerre par une action politique aux côtés de ses amis du Parti travailliste. Puis, il se mobilise face au plan de déplacement des enfants envisagé par le gouvernement, et signe avec Winnicott un article avertissant des conséquences désastreuses à séparer les enfants de leurs familles par une évacuation loin des bombardements. Ils évoquent en particulier le risque d'une recrudescence de la délinquance juvénile, sur la base des recherches précédentes de Bowlby. Le plan d'évacuation est néanmoins mis en œuvre, et de nombreux enfants en bas âge sont placés dans des familles d'accueil à la campagne, perdant tout contact avec leurs parents et leurs frères et sœurs pendant de longs mois.

Bowlby est mobilisé en tant que psychiatre des armées où il intervient essentiellement dans la sélection de nouveaux officiers après la débâcle des forces alliées et les nombreuses pertes enregistrées. Il met en place de nouvelles procédures de sélection associées à un suivi d'efficacité, qui le conduisent à acquérir des connaissances méthodologiques et statistiques inhabituelles chez un psychiatre et psychanalyste. Il les met immédiatement à profit par ailleurs lorsque l'éditeur de l'*International Journal of Psycho-Analysis* lui demande une étude à publier. Ses obligations militaires à Londres lui laissent en effet le temps d'assister aux réunions de la Société britannique de psychanalyse où il rencontre l'éditeur. Il lui soumet un article sur quarante-quatre délinquants juvéniles avec étude de cas et analyses statistiques de comparaison avec un groupe contrôle, article qui lui vaudra le surnom d'« Ali Bowlby et les quarante voleurs ».

Dans cette recherche, il concentre tout particulièrement son attention sur les enfants qui semblent émotionnellement détachés, ne montrant aucune affection pour quiconque, indifférents autant aux punitions qu'aux récompenses. Il ne trouve des personnalités de ce type que dans le groupe des voleurs et pas chez les autres enfants perturbés. Il en conclut qu'il existe un lien important entre ces caractéristiques de détachement psychique et la délinquance, avec un très grand risque de récidive. Il remarque aussi que la quasi-totalité de ces voleurs « désaffectés » ont subi une séparation importante d'avec leurs mères avant l'âge de 5 ans. Ces chiffres viennent directement et concrètement alimenter ses théories sur l'impact catastrophique pour le développement de l'enfant d'une séparation précoce, surtout lorsque celle-ci est brutale, que l'enfant est confié à la garde de personnes inconnues, ou qu'il fait le va-et-vient entre son foyer et une famille d'accueil. Selon lui, les enfants essayent alors de compenser la perte de l'affection maternelle ou de celle d'un substitut stable par le vol d'objets, comme s'ils tentaient de voler de l'amour. Et leurs victimes sont souvent leurs propres mères, ce que Bowlby interprète à l'époque comme l'expression de l'absence de surmoi qui n'a pu se développer par un lien positif à la mère, et qui ne vient pas contrôler les pulsions agressives de l'enfant. Cette étude est saluée par nombre de ses collègues, autant pour sa méthodologie que pour ses conclusions.

Par ailleurs, l'arrivée de Freud et de sa fille à la Société britannique de psychanalyse finit de semer le trouble dans l'institution. Les idées de Melanie Klein sont de plus en plus controversées, on lui reproche finalement son manque d'orthodoxie par rapport à l'approche freudienne. Après la mort de Freud, un virulent débat s'engage entre les disciples de cette dernière et ceux d'Anna Freud, les deux femmes étant toutes deux engagées dans les thérapies pour enfant et ne dégageant pas les mêmes conclusions de leur expérience clinique. Anna Freud accorde par exemple de l'importance aux relations réelles de l'enfant avec sa famille, et soutient qu'il n'est pas possible de réussir une intervention thérapeutique sans la participation active de celle-ci, idée que Bowlby partage comme nous l'avons vu.

Au milieu de cette querelle qui menace de conduire à l'éclatement de la Société, celui-ci joue un rôle pacificateur, refusant de prendre parti pour l'une ou l'autre des protagonistes dans ce qui s'avère être autant un enjeu théorique qu'un enjeu de pouvoir personnel. Il est nommé à la tête du programme de formation, poste clé, puisqu'il s'agit de déterminer quelle approche sera enseignée aux futurs analystes. Il opte pour offrir le choix entre les deux approches, préservant ainsi l'unité de la Société, alors que le débat entre Melanie Klein et Anna Freud se dilue dans une ignorance réciproque.

Le succès après guerre

L'immédiat après-guerre offre à Bowlby l'occasion d'appliquer ses approches théoriques et cliniques personnelles à grande échelle, en prenant la direction du service pédiatrique de la Tavistock Clinic de Londres, en pleine réorganisation. Peu de temps après, il en devient directeur adjoint. Des fonds américains viennent soutenir une nouvelle approche de prévention des troubles psychiatriques, sur la base des réflexions psychosociales d'un groupe d'experts, qui s'étaient connus pendant la guerre, associant d'anciens membres de la clinique à des nouveaux venus, dont Bowlby. La clinique inaugure alors une manière de travailler alliant recherche, thérapie et formation. Sur le plan thérapeutique, Bowlby met de plus en plus l'accent sur la participation de la mère, mais aussi de la famille, au point de créer des séances où tous les membres sont réunis pour débattre de leurs conflits. Cette technique originale est à la source du courant de thérapie familiale que Bowlby soutiendra, mais sans s'y engager exclusivement. Il déclare ainsi : « Nous insistons en particulier sur l'importance de la relation de l'enfant à sa mère et aux membres de sa famille avec qui il doit la partager pendant les premières années de sa vie. Si ces relations sont heureuses, nous pensons qu'il y a toutes les chances pour que l'enfant soit à même d'entretenir plus tard des relations tout aussi satisfaisantes avec des personnes extérieures au cercle de sa famille rapprochée ; à l'opposé, si ces liens ne s'établissent pas sur de bonnes bases, nous estimons qu'il souffrira sans doute de troubles émotionnels plus ou moins graves, et qu'il est probable qu'il éprouve des difficultés relationnelles tout au long de sa vie[1]. »

En ce qui concerne plus spécifiquement la relation à la mère, il précise encore qu'il est judicieux d'intervenir auprès d'elle individuellement, afin qu'elle prenne conscience et qu'elle comprenne à la fois les relations qu'elle entretient avec son enfant et les liens qui peuvent exister avec son propre passé par la mise en œuvre de conflits qui « résument souvent de manière surprenante les conflits mêmes qu'elle a elle-même rencontrés dans son enfance en relation avec sa propre mère et sa propre famille[2] ».

Dans cette constellation d'influences familiales, Bowlby décide de concentrer plus spécifiquement son attention sur la relation à la mère, car cette relation complexe et fortement chargée en émotions lui paraît le point d'entrée idéal pour débuter l'étude de l'impact environnemental sur le développement psychique de l'enfant, dont on ne savait quasiment

1. Bowlby, J. *et al.* (1948). *Diagnosis and treatment of psychological disorders in childhood*, p. 1-2 : « We stress in particular the importance of the relationship of the child to his mother and the members of the family with whom he has to share her during the early years of life. If these are happy relationships, we believe that there is every likelihood that the child will be able to develop similar satisfactory relationships in later life with people outside the immediate circle of his own family, conversely, if this relationship develops adversely, we believe that he will probably become disturbed emotionally to a greater or lesser degree, and may be confronted throughout his life by difficulties in his personal relationships. »

2. *Ibid.*, p. 9 : « frequently recapitulate to a surprising extent the very conflicts which she herself encountered in early life in association with her own mother and family ».

rien à l'époque. Parallèlement à la perspective clinique, il se consacre en effet aussi à la recherche, et choisit encore plus précisément un aspect de la relation qu'il pourra étudier avec une méthodologie scientifique, à savoir la séparation. La séparation de l'enfant d'avec la mère constitue un événement facilement identifiable de l'extérieur, plus facile à repérer que la teneur exacte des relations familiales et le type d'éducation reçue. L'étude faite sur les quarante-quatre voleurs a montré par ailleurs qu'elle semble avoir un impact déterminant sur le développement ultérieur de la personnalité de l'enfant. Enfin, c'est une situation sur laquelle il est sans doute possible d'appliquer des mesures préventives. Toutes ces raisons en font un choix tout trouvé, outre le fait que c'est un problème auquel personne ne s'intéresse.

Pour ses recherches, Bowlby engage James Robertson comme assistant. Objecteur de conscience, celui-ci a travaillé pendant la guerre à la Hampstead Clinic, aux côtés d'Anna Freud, qui exigeait de tous les membres de son personnel qu'ils observent le comportement des enfants et prennent systématiquement des notes. Juste avant cela, il avait aussi aidé au débarquement des enfants des trains d'évacuation de Londres, et il avait été marqué par la détresse des plus jeunes. C'était donc un homme particulièrement sensibilisé à la fois au problème de séparation mère/enfant, dont Anna Freud faisait aussi grand cas, et à une méthodologie d'observation rigoureuse indispensable à la conduite de protocoles de recherche sérieux et fiables.

Robertson et Bowlby ont au départ été confrontés au problème du choix des participants à leur recherche. Ils ont d'abord pensé à s'intéresser à des séparations mère/enfant brèves, comme à la naissance d'un autre enfant ou lors d'une hospitalisation pour fièvre. Mais ces variables manquaient de pureté pour être pleinement satisfaisantes. Ils se sont alors tournés vers des séparations de plus longue durée, comme un séjour de l'enfant dans un sanatorium, où cette fois les effets de la séparation devaient être tellement massifs qu'ils se dégagent nettement d'autres caractéristiques perturbatrices. Cela étant, certains traumatismes liés à la maladie étaient parfois tels qu'ils n'ont pu poursuivre. Ils ont cependant gardé contact avec certains petits patients, et se sont finalement livrés à une étude d'enfants une fois sortis du sanatorium. Leurs enseignants ont été interrogés, et les réponses comparées à celles fournies sur un groupe contrôle dont les enfants n'avaient pas subi de séparation précoce. Il a été rapporté que les anciens malades avaient tendance à rêvasser davantage, à avoir des problèmes de travail et de concentration et à avoir des difficultés relationnelles tant avec leurs camarades qu'avec leur professeur. Cela était particulièrement marqué chez les enfants qui avaient été séparés de leur famille avant l'âge de 2 ans, qui avaient été absents pendant plus de six mois et qui avaient été hospitalisés plus d'une fois.

Parallèlement, les autorités britanniques commençaient à être sensibilisées au problème des visites aux enfants dans les hôpitaux, et réclamaient des études pour savoir si elles devaient ou non les autoriser. Bowlby a donc demandé à Robertson de se livrer à une observation fine d'enfants hospitalisés recevant la visite de leurs parents, afin de déterminer quel était le comportement de l'enfant avant la visite, pendant celle-ci et après le départ de ses proches. Robertson s'est alors trouvé confronté à un tel déni de la part des personnels soignants de la détresse, pourtant patente, des enfants, qu'il a décidé d'en faire un film, *A two-year old goes to hospital*[1]. Celui-ci a connu un grand succès, en particulier aux États-Unis sous l'égide de l'OMS, et il a été à l'origine de changements dans les pratiques hospitalières de plusieurs pays.

Fin 1949, Ronald Hargreaves, rencontré par Bowlby à l'Institut pour le traitement scientifique de la délinquance et désormais à la tête du département de santé mentale de l'Organisation mondiale de la santé, lui demande une grande enquête sur l'impact d'être « sans foyer » (*homelessness*). Bowlby accepte, alors qu'il avait précédemment refusé une étude sur la délinquance, ne désirant pas en faire sa spécialité. Il y voit une manière d'étudier la séparation mère/enfant, et d'attirer l'attention du public et des autorités sur ce sujet fondamental à ses yeux, par les conséquences sur le développement du psychisme, qui ont plus largement un impact social et donc politique. Il passe plusieurs mois à sillonner l'Europe et les États-Unis, à s'entretenir avec les meilleurs spécialistes du sort des enfants placés et de leur prise en charge, et à se documenter sur le sujet. Il rend un rapport d'une centaine de pages, *Maternal care and mental health*[2] qui est publié en 1951, et devient un véritable best-seller dans le monde entier, traduit dans plus d'une dizaine de langues. Avec la version vulgarisée *Child care and the growth of love*[3], Bowlby atteint la notoriété, y compris dans le grand public.

1. « Une enfant de deux ans est hospitalisée » (1952).

2. Bowlby, J. (1951). *Maternal care and mental health.* Traduction française : *Soins maternels et santé mentale.*

3. Bowlby, J. (1953). *Child care and the growth of love.*

Dans le rapport, il explique qu'une relation chaleureuse et continue avec une mère ou un substitut maternel stable qui prend lui aussi plaisir à ses rapports avec l'enfant est indispensable à la santé mentale de celui-ci. Il décrit les enfants privés d'un tel soutien affectif comme des dangers potentiels pour la société, au même titre que s'ils étaient porteurs de la diphtérie ou de la typhoïde. Ses conclusions sont fondées sur des observations directes en institution ou en famille d'accueil, sur des études rétrospectives de patients psychiatriques adultes et sur des études longitudinales concernant le devenir d'enfants victimes de séparation précoce. Il souligne aussi que les personnes qui ont souffert de tels manques affectifs ont tendance à devenir des parents qui reproduisent ce même type d'interactions avec leurs propres enfants, dans un cercle vicieux qu'il souhaite briser par des interventions appropriées.

Il étend ainsi la problématique, au-delà des enfants qui ont effectivement perdu leurs parents, à ceux qui n'ont pas de vraie famille du fait d'une naissance illégitime, à ceux dont la famille existe mais souffre de dysfonctionnements, et à ceux dont la cellule familiale est disloquée par un divorce difficile par exemple. Il insiste sur le fait que c'est l'état affectif du parent qui a le plus d'impact sur l'enfant, et que cet impact négatif peut être grandement atténué par les réactions adéquates de l'autre parent, ou par le recours à des personnes extérieures comme substituts et soutien affectif à l'enfant qui se sait alors important aux yeux de quelqu'un, même si ce n'est pas sa mère ou son père biologiques.

Il est intéressant de remarquer que dans ce texte, Bowlby fait déjà référence à des travaux chez l'animal, qui permettent des expérimentations contrôlées. Il rapporte l'étude de chevreaux jumeaux, dont l'un est séparé de sa mère pendant quarante minutes chaque jour. Lorsque ces chevreaux sont soumis à un stress – la privation de lumière étant connue pour engendrer chez eux une grande anxiété – celui qui n'a pas vécu de séparation continue à gambader librement près de sa mère, alors que celui qui a été isolé se montre « psychologiquement gelé », blotti dans un coin dont il refuse de bouger. Un des animaux en est même mort, car ayant cessé de téter sa mère pendant l'expérimentation, il n'a pu récupérer de cette déshydratation passée inaperçue auprès des expérimentateurs.

On s'aperçoit donc, à la lumière de ces faits, que la théorie de l'attachement telle qu'on la connaît aujourd'hui est prête à cette époque à sortir de l'ombre sous la plume de Bowlby. Il a déjà rassemblé une bonne partie des éléments d'information dont il a besoin pour ce faire, que ce soit par son expérience clinique directe ou par ses recherches, tant sur les jeunes voleurs que sur les enfants privés de foyer. Il est déjà sorti du cadre strict des univers psychiatrique et psychanalytique, pas toujours compatibles entre eux d'ailleurs, en intervenant auprès de toutes sortes de professionnels et en écrivant des articles grand public. Il a aussi abordé les problèmes quotidiens liés à l'éducation et aux situations de séparation dans un programme radio à la BBC, avec des exemples comme le retour de l'armée du père qui n'est pas reconnu et se voit rejeté par ses enfants. Il a participé pendant plusieurs années à des groupes hebdomadaires de jeunes mères qui l'ont mis en contact direct avec le développement de relations mère/bébé normales et harmonieuses. Il y explique le développement de l'enfant, ses compétences relationnelles, l'importance de sa vie affective, permettant aussi aux jeunes mamans d'exprimer leur ressenti face à leur enfant.

Bref, il s'est éloigné de l'orthodoxie psychanalytique, autant dans ses concepts que dans ses pratiques : il ne lui reste qu'à concevoir un nouveau support théorique lui permettant de rendre compte de son expérience et d'approfondir ses recherches. C'est alors qu'il se tourne vers l'éthologie et la cybernétique, sciences de son temps, qui lui ouvrent des perspectives explicatives concrètes que la psychanalyse ne peut lui offrir, toujours trop persuadée que tout se passe dans la tête du patient en dehors de toute influence réelle de l'environnement. C'est aussi à ce moment qu'un financement pour ses recherches, plus facile à obtenir désormais grâce à sa notoriété, lui permet d'engager une jeune chercheuse canadienne du nom de Mary Ainsworth, dont la contribution au développement de la théorie de l'attachement et à sa vérification empirique va se révéler fondamentale.

2

Bowlby et la théorie de l'attachement

Bowlby et l'éthologie

Dans sa recherche sur les quarante-quatre voleurs, et ses observations cliniques quotidiennes, Bowlby a repéré des constantes liant le comportement des enfants à leur histoire passée, soulignant en particulier les perturbations des liens affectifs à la figure maternelle, voire leur rupture en cas de séparation précoce. Cependant, il lui manque des explications sur la manière dont de telles conséquences peuvent se mettre en place, sur les mécanismes et l'enjeu réel de la relation à la mère. Il a aussi besoin de preuves solides pour réussir à faire passer son message et à convaincre les spécialistes de l'enfance, afin que des mesures préventives puissent voir le jour. Il ne désespère pas non plus de convaincre ses collègues psychanalystes, malgré le scepticisme, voire l'hostilité, de nombre d'entre eux. L'éthologie lui fournit un support théorique majeur et des possibilités de manipulations expérimentales pour vérifier ses hypothèses.

En 1951, deux amis de Bowlby lui parlent séparément des travaux de Lorenz sur l'empreinte, débutés dans les années 1930, phénomène à l'origine de la formation de liens affectifs chez les animaux. Bowlby se plonge alors assidûment dans des ouvrages d'éthologie, et rencontre Lorenz en personne peu de temps après. Ils participent en effet tous deux aux réunions d'études sur la psychobiologie de l'enfant, organisées entre 1953 et 1956 par l'OMS, à l'initiative de Hargreaves, où se retrouvent d'éminents spécialistes, dont Zazzo et Piaget. Puis Bowlby rend visite à Lorenz qui vient aussi à la Tavistock Clinic. Rapidement, Lorenz lui parle d'un jeune éthologiste anglais prometteur, Robert Hinde, dont les travaux l'ont beaucoup impressionné.

Un an plus tard, Bowlby et Hinde se rencontrent par hasard à une conférence, et c'est le début d'une longue et fructueuse collaboration. Bowlby invite Hinde au séminaire hebdomadaire de la Tavistock Clinic, où des scientifiques d'horizons variés viennent partager leur point de vue sur des études de cas. Les approches psychanalytiques, éthologiques, de la théorie de l'apprentissage ou des stades de Piaget se trouvent ainsi confrontées à l'expérience des cliniciens, à la recherche du meilleur cadre théorique possible permettant de rendre compte des observations de terrain.

Hinde travaillait à l'époque sur les stratégies comportementales des oiseaux et sur l'empreinte entre autres. Sa collaboration avec Bowlby le conduit à s'intéresser aux primates, et à approfondir les travaux que Harlow menait depuis quelques années de son côté aux États-Unis. Il rencontre Harlow en 1957 outre-Atlantique et le met en contact avec Bowlby dont les recherches sur le rôle de la mère ont attiré son attention.

Dans son élevage de singes rhésus utilisés dans diverses expériences, Harlow a en effet été amené à faire une bien curieuse découverte. Pour éviter la contamination et la mort des petits, il avait pris l'habitude d'isoler de leurs mères les bébés singes, lorsqu'il venait de les importer. Ces petits singes étaient placés dans des cages dont le sol était couvert d'une sorte de serviette de gaze pour faciliter le nettoyage et pour que ce soit plus confortable pour eux. Harlow et son équipe se sont rendu compte que chaque fois qu'ils retiraient cette serviette pour la nettoyer ou la remplacer, les bébés singes se trouvaient dans un état d'agitation incroyable que les chercheurs avaient peine à justifier. Ils ont alors eu l'idée de se dire que cette serviette servait peut-être à rassurer les petits qui jouaient volontiers à s'en envelopper, comportement qu'ils n'observaient pas chez les singes enfermés avec leur mère.

Ils ont conçu plusieurs dispositifs expérimentaux afin de vérifier cette hypothèse, et ils ont pu montrer le phénomène suivant. Lorsque l'on place deux mannequins en fil de fer aux formes d'une mère singe, l'un muni d'un biberon et l'autre simplement couvert d'un tissu doux et poilu, les bébés singes passent le plus clair de leur temps agrippés au mannequin recouvert plutôt qu'à celui qui leur permet de s'alimenter, même lorsque celui-ci a été réchauffé à température du corps. En fait, ils ne gagnent le mannequin avec le biberon que lorsqu'ils ont faim, et le quittent dès qu'ils sont rassasiés pour revenir s'agripper à l'autre. De même, si l'on introduit dans leur cage un objet inattendu, ils l'explorent tout en cherchant refuge, à la moindre alerte, auprès du mannequin recouvert, exactement comme ils le feraient avec leur propre mère. Harlow montre ainsi que l'instinct qui conduit le petit à rechercher sa mère n'est pas celui de l'alimentation, dite pulsion orale chez les freudiens instaurant la mère comme objet primaire, mais bien plutôt un instinct de protection satisfaisant un besoin de sécurité à travers la relation à autrui.

On comprend mieux comment Bowlby s'est trouvé passionné par les travaux de l'éthologie, autant pour leurs méthodes d'observation et d'expérimentation que pour leurs conceptions théoriques, rapportant les comportements à leur utilité pour la survie de l'individu et de l'espèce, dans la lignée des principes de Darwin. Il apprend de Hinde par exemple, au détour d'une de leurs nombreuses conversations, que si les canetons restent au plus près de leur mère, c'est avant tout pour ne pas être la proie d'un prédateur. Et il finit par conclure que les peurs des enfants (et souvent celles des adultes), jugées irraisonnées par les psychiatres, ne le sont sans doute pas tant que cela, mais sont des vestiges de l'instinct de survie qui conduit à avoir peur du noir, des bêtes féroces (du loup notamment), et à se méfier de ce que l'on ne connaît pas, surtout lorsqu'on est seul pour y faire face.

En 1957, lors d'une conférence de la Société britannique de psychanalyse sur les théories permettant d'éclairer la compréhension du développement infantile, Bowlby résume les apports, selon lui, de l'éthologie. Il commence par opposer les conceptions de la psychanalyse et de la théorie de l'apprentissage, la première mettant l'accent sur des instincts immuables, alors que la seconde se prononce pour des comportements entièrement appris par conditionnement ou par imitation. Il prend l'exemple du sourire qui apparaît dès les premières semaines de la vie du nourrisson. Les théoriciens de l'apprentissage, qui se sont intéressés au phénomène et l'ont manipulé expérimentalement, se sont rendu compte que ce sourire était déclenché par la voix et surtout par le visage humain qui pouvait se résumer à une paire d'yeux en mouvement.

René Spitz, à l'origine de ces travaux, en conclut que c'est par apprentissage des soins de la mère que cette réponse se trouve conditionnée chez le bébé. Il n'envisage pas qu'elle puisse faire partie des compétences innées de celui-ci, apparaissant au moment où la maturation cérébrale le permet, avec pour objectif de renforcer le lien à la mère en donnant à celle-ci encore davantage envie de s'occuper de son enfant. Une telle perspective issue d'une approche de type éthologique se heurte, selon les partisans de l'apprentissage, au fait que si l'on renforce ce comportement en s'occupant de l'enfant, on observe qu'il se produit plus souvent. Mais, selon Bowlby, l'un n'empêche pas l'autre, et un comportement inné peut se trouver renforcé par l'expérience ou se voir au contraire restreint, voire abandonné, si le résultat n'est pas probant pour l'enfant. C'est une affaire d'adaptation de mécanismes innés à la niche écologique spécifique dans laquelle on se trouve, à savoir ici un contexte particulier de relation mère/bébé.

Bowlby évoque encore ce que l'éthologie lui a appris concernant l'extinction des comportements : que cette fin peut être appelée par des stimuli extérieurs ou par des processus internes associés au comportement lui-même, comme des boucles de contrôle et de rétroaction, notion qui le rapproche par ailleurs de la cybernétique. Il ne s'agit plus d'imaginer qu'un comportement cesse parce que l'énergie qui lui était dévolue est épuisée, comme dans le modèle hydraulique freudien de la théorie des pulsions, modèle qu'il estime désormais totalement dépassé. Il reproche aussi à la psychanalyse d'émettre des hypothèses obscures et invérifiables, voire que ses partisans s'opposent à toute tentative de vérification scientifique de ses présupposés et de ses résultats.

Il retient en outre de l'éthologie la notion d'empreinte et celle de phase critique, en dehors de laquelle le comportement ne pourra plus se mettre en place ou se fixera de manière spécifique. Ainsi, il rapporte des travaux de Lorenz qu'à sa naissance un oison suit tout objet en mouvement passant dans son champ visuel, dans des limites de taille assez larges. Mais, au bout de quelques jours, il ne suit plus que l'objet auquel il s'est habitué, oie, humain ou autre, indépendamment du fait que cet objet se soit ou non occupé de lui d'une quelconque manière. Cependant, si l'animal n'a aucun objet à suivre pendant les quarante premières heures de sa vie, ce comportement ne se mettra plus en place par la suite, ce qui a été vérifié chez les canetons, cette fois. Enfin, autre exemple d'un comportement inné se développant naturellement dans un environnement normal, mais restreint, voire éliminé, si l'environnement ne le permet pas : un poussin ne picorera jamais s'il est maintenu dans l'obscurité pendant les quatorze premiers jours de sa vie.

Les éthologistes ont encore observé que lorsqu'un rat a été soumis à des frustrations alimentaires étant jeune lors d'une période précise, une fois adulte, il mettra systématiquement en réserve davantage de nourriture que ses congénères non soumis à ce traitement dans leur enfance. En ce qui concerne le chant des oiseaux, très étudié par les éthologistes, il apparaît que s'il est globalement inné et que ses caractéristiques principales se développent, y compris lorsque l'oiseau est maintenu isolé, le chant précis répété ultérieurement sera celui entendu pendant des périodes spécifiques de la première année de vie et qu'il ne sera plus modifié par la suite.

Bowlby termine son intervention en soulignant l'importance de l'enseignement de ces différentes approches dans la formation des futurs cliniciens et chercheurs en psychologie. Loin de s'exclure à ses yeux, psychanalyse, éthologie et théorie de l'apprentissage ou des stades de Piaget se complètent, autant dans leurs principes que dans leurs méthodologies, et la connaissance de chacune permet une approche ouverte du développement de l'enfant, dont il ne faut pas oublier les répercussions sociales à long terme.

En 1958, 1959 et 1960, Bowlby décide d'exposer sa nouvelle approche à ses collègues psychanalystes de la Société britannique de psychanalyse. Sa première présentation concerne la nature du lien de l'enfant à la mère (*the nature of the child's tie to his mother*). Il y explique que, selon lui, les comportements d'agrippement et de suite (visuel, puis moteur), ainsi que les pleurs, le sourire et le babil, sont des réactions innées du bébé visant à assurer la proximité de la mère. Ils se développent de manière relativement indépendante au cours des premiers mois, pour devenir de plus en plus intégrés et plus spécifiquement dirigés vers la mère biologique ou la figure maternelle qui s'occupe régulièrement de l'enfant, au deuxième semestre de la première année. Bowlby évoque les principes de l'éthologie à l'appui de ces arguments, qui viennent à l'encontre des principes freudiens de relation primaire à la mère sur la base de la satisfaction orale liée à la nourriture, l'amour pour la mère n'étant que secondaire à cet apport alimentaire. Il dresse aussi une distinction importante entre le concept de dépendance issu de la théorie de l'apprentissage social et sa nouvelle notion d'attachement, qui ne signale en aucun cas une régression, mais un rapport sain et naturel à autrui, et ce même à l'âge adulte. Cette première présentation suscite un tollé chez ses collègues, rencontrant des commentaires peu enthousiastes autant de la part d'Anna Freud que de Winnicott, sans parler des partisans de Melanie Klein. On lui reproche en particulier son recours aux principes de l'éthologie.

La seconde présentation s'intéresse à l'angoisse de séparation (*separation anxiety*). Elle s'appuie sur les observations faites par Robertson sur les enfants séparés de leur mère, soit parce que celle-ci se rend à l'hôpital, soit parce qu'ils se trouvent eux-mêmes hospitalisés. Trois phases ont ainsi été repérées lors de la séparation, une première phase de protestation colérique, suivie d'une phase de désespoir plus ou moins silencieux, puis d'une phase de détachement où l'enfant semble devenu indifférent à la situation. Les personnes de l'entourage concluent généralement à ce stade que la séparation ne pose plus de problèmes à l'enfant, mais le rejet de l'adulte lors des retrouvailles montre justement qu'il n'en est rien, et que l'enfant a été profondément affecté par la situation, au point de n'avoir comme solution de survie que de s'en détacher émotionnellement et de faire comme si tout cela ne le concernait pas. À cette phase d'indifférence, voire de rejet apparent lors des retrouvailles, succède généralement une phase de poursuite anxieuse, où l'enfant colle à sa mère, il ne la lâche plus, comme s'il voulait s'assurer qu'elle ne l'abandonne pas à nouveau. Ces deux types de comportements ont chacun le don d'agacer, voire d'affecter profondément l'adulte, qui n'y réagit pas favorablement s'il n'en comprend pas la signification profonde, pouvant être à l'origine d'un cercle vicieux de réactions émotionnelles perturbées entre les protagonistes.

Sur la base de ces conclusions, des travaux des éthologistes sur la carence maternelle chez les singes rhésus et de leurs principes explicatifs en termes de contrôle du comportement, Bowlby estime que l'angoisse de séparation se déclenche chez l'humain lorsqu'une situation requiert à la fois une fuite et un rapprochement d'une figure d'attachement, mais qu'aucune ne se trouve disponible. Il s'élève aussi contre l'idée couramment admise en psychanalyse que répondre systématiquement aux besoins d'un enfant constitue un danger pour lui. Il souligne que derrière les attitudes surprotectrices d'une mère se cache souvent une hostilité larvée et qu'une affection débordante constitue un mécanisme de compensation venant camoufler des menaces de rejet et d'abandon, directement à l'origine de l'angoisse de séparation.

Bowlby remarque encore que dans certains cas, l'angoisse de séparation peut être notablement absente, dès le plus jeune âge, donnant une impression d'étonnante maturité. Il attribue alors ce qu'il qualifie de pseudo-indépendance à des mécanismes défensifs, soutenant qu'un enfant bénéficiant de l'amour normal de ses parents proteste légitimement dans ses jeunes années lors des séparations, pour développer graduellement une confiance en lui suffisante pour faire face aux situations les moins dramatiques de l'existence. On retrouvera ces trois catégories de réactions à la séparation dans les observations de Mary Ainsworth, et en particulier dans les résultats issus du paradigme expérimental de la « situation étrange », que nous présenterons plus loin.

La troisième présentation concerne le chagrin et le deuil chez le nourrisson et le jeune enfant (*grief and mourning in infancy and early childhood*). Bowlby s'attaque cette fois à l'idée soutenue par Anna Freud qu'un bébé ne dispose pas des compétences le conduisant à souffrir véritablement et durablement en cas de deuil de sa figure maternelle, son moi n'étant pas suffisamment développé. Bowlby prétend le contraire, et que chagrin et deuil interviennent autant chez l'enfant que chez l'adulte, chaque fois qu'un comportement d'attachement est activé mais que la figure d'attachement s'avère indisponible à long terme. Il conclut aussi que l'incapacité à établir des relations affectives profondes avec autrui est la conséquence de séparations trop fréquentes, en particulier lors de changements réguliers de figures de substitution en cas de perte de la mère.

Ce dernier article fait l'objet d'une attaque concertée de la part de ses collègues, à la suite de quoi Bowlby renonce à présenter ses idées à la Société britannique de psychanalyse, dont il restera cependant membre jusqu'à son décès. Ainsi, deux autres articles issus des recherches de son groupe à la Tavistock Clinic ne seront jamais publiés, concernant les mécanismes défensifs liés au deuil. Ces travaux controversés ont néanmoins eu le mérite d'attirer l'attention de Colin Parkes, spécialiste du deuil chez l'adulte. Celui-ci rejoint l'équipe de Bowlby pour mener des recherches sur un groupe de veuves et étudier les étapes de leur deuil, donnant lieu à la toute première application de la théorie de l'attachement à une population adulte. Ses résultats, qui retrouvent les phases de deuil repérées chez l'enfant par Robertson, inspireront Elisabeth Kübler-Ross, spécialiste mondialement reconnue de l'approche de la mort.

Plusieurs personnes regretteront ultérieurement l'ambiance prévalant à la Société britannique de psychanalyse de l'époque, dont l'ancienne secrétaire Pearl King devenue ensuite présidente. Au second symposium à la mémoire de Winnicott, elle rapporte combien elle a trouvé dommage que de si brillants esprits, à savoir Anna Freud, Melanie Klein, Winnicott et Bowlby, n'aient pu en synergie faire progresser la psychanalyse, préférant, pour la plupart, travailler chacun dans leur univers, et n'ayant souvent entre eux que des rapports de pure politesse.

Cet historique et ces quelques exemples montrent donc à quel point l'éthologie s'est révélée déterminante comme support conceptuel à la théorie de l'attachement, et à quel point cela n'a pas valu que des amitiés à Bowlby. Les cinq articles préparés, dont seulement trois ont été présentés à la Société britannique de psychanalyse, sont à la source de sa trilogie bien connue (*Attachement et perte*) qui en développera plus longuement les aspects et les implications, tant théoriques que cliniques. En attendant, les prémices de cette nouvelle théorie étant jetées sur la base, rappelons-le, des observations et intuitions cliniques de Bowlby et de certains de ses proches, il restait à vérifier *a posteriori* que cette théorie était fiable. Pour ce faire, elle devait permettre de prédire certains comportements, voire faire l'objet d'un traitement expérimental en tant que telle, auprès des humains. C'est l'importante contribution qu'a apportée Mary Ainsworth, et que nous allons aborder maintenant.

Bowlby et Ainsworth

Mary Ainsworth est de la même génération que Bowlby, puisqu'elle n'a que six ans de moins que lui. Canadienne, elle finit ses études à Toronto, juste avant la Seconde Guerre mondiale, par une thèse portant sur la théorie de la sécurité développée par William Blatz. Cette théorie soutient que les enfants ont besoin de développer une dépendance sécure envers leurs parents avant de se sentir à même de se lancer dans l'exploration de leur environnement. Lorsqu'une telle sécurité fait défaut, l'enfant se trouve handicapé dans l'acquisition de nouvelles compétences et l'exercice de sa curiosité, il lui manque une « base sécure ». Cette notion de sécurité familiale et de base sécure figure donc dès le départ dans les recherches de Mary Ainsworth, bien avant sa rencontre avec Bowlby, et elle préconise déjà de s'en servir pour évaluer le degré d'ajustement des enfants. Par ailleurs, elle se spécialise dans les techniques d'évaluation de la personnalité, en particulier avec le test de Rorschach sur lequel elle cosigne un ouvrage de référence.

En 1950, elle se marie, et décide de suivre son époux à Londres où il finit son doctorat. Elle tombe alors sur une annonce dans un journal, le *London Times*, passée par un certain Bowlby, qui cherche quelqu'un pour travailler sur les effets de la séparation précoce d'avec la mère sur le développement de la personnalité. Elle est engagée pour travailler sur les observations faites par Robertson, qui l'impressionnent beaucoup par leur netteté et leur précision. Fin 1953, elle part en Ouganda avec son mari qui a obtenu un poste là-bas. Avec l'aide de celui-ci, elle obtient des fonds pour mener une enquête sur les réactions à la séparation des bébés au moment du sevrage. Mais, l'ancienne tradition consistant à envoyer l'enfant loin de sa mère pour qu'il oublie le sein n'étant plus guère respectée, elle décide à la place d'observer le développement de l'attachement mère/enfant. Elle souhaite au départ utiliser la technique d'observation et de prise de notes de Robertson, peu convaincue par ailleurs que l'éthologie soit une approche utile à ce type de recherche sur les humains. Cependant, ses premières observations la conduisent à revoir rapidement son point de vue sur la question, et à découvrir concrètement combien les intuitions théoriques de Bowlby pouvaient s'avérer justes sur le terrain.

Elle recrute ainsi vingt-six familles avec des nourrissons non sevrés qu'elle rencontre tous les quinze jours pendant deux heures, sur des périodes pouvant aller jusqu'à neuf mois pour certaines. Accompagnée d'une interprète, Ainsworth est reçue dans le salon familial où elle observe et mène des entretiens. Elle s'attache en particulier à repérer les déclencheurs de recherche de proximité, ainsi que le moment où cette recherche devient préférentiellement centrée sur la mère. Elle remarque des différences individuelles dans la qualité de l'interaction mère/enfant, thème dont Bowlby croyait l'étude trop difficile à mener et qu'il avait abandonné. Elle met en évidence la sensibilité des mères aux signaux de leur bébé, à partir du contenu des entretiens avec des mères qui donnent beaucoup de détails sur le comportement de leur enfant, contrairement à d'autres qui semblent peu sensibles aux nuances d'attitudes de celui-ci.

Elle observe trois types de comportement d'attachement des bébés. D'une part, des bébés à l'attachement sécure, qui pleurent peu et apprécient d'explorer leur environnement en présence de leur mère, d'autre part des bébés à l'attachement insécure qui pleurent beaucoup, même dans les bras de leur mère et qui explorent peu, et enfin des enfants qu'elle estime pas encore attachés et qui ne manifestent pas de comportements différenciés envers leur mère spécifiquement. L'attachement sécure est corrélé à la sensibilité maternelle, ainsi qu'avec le plaisir pris par la mère à nourrir l'enfant.

Ainsworth doit attendre quelques années avant d'interpréter ainsi ses résultats, car en 1955, elle quitte l'Ouganda pour Baltimore où elle travaille à la fois comme clinicienne à l'hôpital et comme enseignante à l'université. Elle n'a donc pas le temps de se pencher précisément sur ses données ougandaises. Elle renoue par ailleurs un contact étroit avec Bowlby qui permet, par de fructueux échanges, d'œuvrer à la finalisation de la théorie de l'attachement, qu'il prévoit de diffuser sous forme d'ouvrage cette fois.

En 1963, Ainsworth décide de lancer à Baltimore un projet de recherche du même type qu'en Ouganda, devant lui permettre à la fois d'analyser complètement ses premières données et de les comparer à ce qu'elle pourra observer dans des familles américaines. Elle recrute à nouveau vingt-six familles, avant même la naissance de l'enfant, dont elle suit les bébés jusqu'à l'âge de 1 an environ, à raison de dix-huit visites de quatre heures. La longueur des visites permet à la mère de s'habituer à la présence des chercheurs chez elle, et de se sentir suffisamment à l'aise pour vaquer normalement à ses occupations. Ainsworth cherche à repérer des séquences comportementales qui ont un sens dans le contexte, plutôt qu'à obtenir un décompte des différentes réactions, dans une optique de classification directement issue de ses travaux de thèse sur la sécurité et la dépendance.

À nouveau, elle observe des différences dans la sensibilité des mères aux signaux de leurs bébés, ainsi que dans la vitesse et le caractère plus ou moins approprié de leurs réactions. Des analyses séparées sont menées sur la situation de nourrissage, l'interaction en face à face, les pleurs, l'accueil par l'enfant et ses réactions de suite, le ratio comportements d'attachement/comportements exploratoires, l'obéissance, les contacts physiques et les manifestations affectueuses.

Ainsi, pour certaines mères, l'allaitement donne lieu à une coopération sans heurt, alors que d'autres s'ajustent difficilement aux signaux et au tempo de leur enfant, conduisant celui-ci à gigoter, à s'étrangler et à régurgiter, dans une expérience totalement dénuée de la sensualité rapportée par Freud. Les interactions en face à face peuvent être, d'un côté, l'occasion d'un jeu mutuel dans lequel l'enfant répond à sa mère par des sourires et des vocalisations. D'un autre côté, lorsqu'elles sont initiées dans le silence avec une absence de sourire de la part de la mère, le bébé y réagit brièvement et sans bruit. Mêmes types de constat dans le cas des contacts physiques et lorsque l'enfant pleure : il existe des variations importantes entre les mères, dans le nombre de fois où elles ignorent les pleurs de leur enfant, et dans la durée pendant laquelle elles le laissent pleurer sans intervenir.

La sensibilité maternelle aux signaux de l'enfant pendant les trois premiers mois a des répercussions directes par la suite. Au quatrième trimestre, les bébés dont les mères se sont montrées les plus attentives au départ pleurent moins facilement, ayant davantage recours à des expressions faciales, vocales et gestuelles pour se faire comprendre. De même, lorsque les mères ont souvent pris leur enfant tendrement dans les bras pendant les premiers mois, les enfants recherchent moins fréquemment le contact par la suite, mais ils semblent en retirer une plus grande satisfaction et se montrent plus affectueux, Ainsworth expliquant ce fait par les attentes de l'enfant, fondées sur l'expérience de plaisir ou de rejet préalablement enregistrée. Tout cela tend à montrer que d'être attentif aux besoins d'un enfant ne conduit pas à faire de lui un enfant gâté, ne laissant plus ensuite sa famille en paix par ses pleurs et ses caprices, bien au contraire.

Par ailleurs, toutes ces observations faites au domicile de l'enfant ont pu être aussi corrélées aux résultats du paradigme de la situation étrange, mis en place à l'époque par Ainsworth pour essayer d'obtenir une mesure expérimentale en laboratoire des phénomènes d'attachement et d'exploration. Ce paradigme, tellement connu qu'il en est devenu synonyme d'attachement et qu'il a parfois pris le pas sur les autres aspects de la théorie et de ses applications, se déroule sur une vingtaine de minutes en huit épisodes avec l'introduction. Il place le bébé dans une situation étrange, déjà utilisée par Harlow pour tester ses bébés singes, par un contexte rassemblant des éléments d'alerte, comparables à des situations de danger potentiel, comme de se retrouver seul ou face à un inconnu. Bowlby part en effet du principe, issu de l'éthologie, que ce type de situation sert de déclencheur au comportement d'attachement, mettant fin à l'exploration, et que la présence ou le retour de la mère constitue le signal d'extinction de ce comportement qui cesse alors. Le paradigme permet donc d'évaluer les réactions du bébé au stress, ici la séparation brève d'avec sa mère et la confrontation avec une personne étrangère, d'observer son comportement lors des retrouvailles, ainsi que ses capacités d'exploration de l'environnement en fonction du contexte.

Après l'entrée dans la pièce du bébé et de sa mère en compagnie d'une assistante de recherche, mère et bébé sont laissés seuls dans un environnement comptant de nombreux jouets. Cet environnement non familier reproduit un contexte alarmant, mais la présence de la mère est censée rassurer suffisamment le bébé pour lui permettre d'explorer et de jouer. Puis, un deuxième élément insécurisant est introduit sous la forme de la présence d'une personne inconnue, à la suite de quoi la mère quitte la pièce. Cela conduit le plus souvent l'enfant à s'alarmer, et à commencer à pleurer et à rechercher sa mère. La mère revient, après avoir prévenu l'enfant de son retour, histoire de lui laisser le temps de réagir, et l'étrangère s'en va. À ce moment, la plupart des bébés se rapprochent de leur mère, mais rapidement rassurés sur sa proximité, ils recommencent à jouer.

Au sixième épisode de ce drame miniature, la mère repart, non sans avoir assuré l'enfant de son retour, et celui-ci se retrouve seul dans cet environnement inconnu. La détresse de certains bébés à cet instant peut être telle que les trois minutes de séparation prévues doivent être écourtées. Ensuite l'inconnue revient, pour mettre en évidence si la détresse observée chez l'enfant est liée au fait d'être séparé de sa figure d'attachement ou simplement de se retrouver tout seul. Et finalement, la mère réapparaît pour ce deuxième épisode de retrouvailles, où on lui demande cette fois spécifiquement de prendre l'enfant dans ses bras. Les chercheurs s'attendent alors à ce que celui-ci ait besoin de quelques minutes de câlins pour se calmer, puis reprenne son exploration et son jeu.

Globalement, les résultats ont montré que l'enfant explore plus nettement son environnement lorsque sa mère est à ses côtés que lorsqu'il se retrouve seul ou en présence d'une personne inconnue. Cela n'a pas constitué une surprise pour Ainsworth par rapport à ce qu'elle avait pu observer à domicile. En revanche, ce qui a davantage retenu son attention, c'est ce qui s'est passé au retour de la mère, malgré la brièveté de la séparation, quelques minutes seulement. Et cela était d'autant plus surprenant que les réactions rappelaient celles observées par Robertson pour des séparations bien plus prolongées, dont Bowlby avait fourni une interprétation théorique dans son article sur le sujet.

Ainsi, certains des bébés de 1 an se montrent très en colère après cette séparation de trois minutes, voire moins. Ils pleurent et recherchent le contact avec leur mère, mais ils ne se laissent pas câliner lorsqu'ils sont pris dans les bras, gesticulant vivement voire frappant leur mère. Un autre groupe d'enfants au contraire semble indifférent à son retour, même lorsqu'ils l'ont activement cherchée après son départ. Ces deux groupes d'enfants ont des mères parmi les moins sensibles à leurs signaux lors des observations faites à domicile, et ils ont avec elles des relations moins harmonieuses que ceux qui recherchent sans difficulté la proximité, l'interaction et le réconfort après la séparation.

C'est ainsi qu'est née la classification de bébés à l'attachement insécure ambivalent pour les premiers, insécures évitants pour les seconds et sécures pour les troisièmes. Ces trois grandes catégories peuvent être encore davantage détaillées, avec des observations typiques d'interactions mère/enfant isolant des sous-catégories, qui illustrent le fait que des comportements comparables chez les enfants peuvent intervenir en réponse à des comportements différents de leurs mères. Ainsi, les comportements d'évitement de l'enfant, qui ont pour objectif global de contenir ses affects négatifs, peuvent avoir pour origine un cadre où la mère, soit insiste sur ce qu'elle enseigne à l'enfant, soit ignore ses demandes affectives.

Dans le premier cas, les interactions mère/bébé se passent sans heurt, construites autour de tâches d'éveil et d'apprentissage, sans véritable partage affectif. L'enfant est clairement félicité lorsqu'il réussit, mais sans effusion, ni réelle proximité physique, un baiser sur le front suffit comme démonstration d'affection. La mère est jugée intrusive en ce sens qu'elle impose un programme d'activités à son bébé qui ne tient pas compte de ce qu'il pourrait lui-même proposer, voire de son envie d'être laissé tranquille. Cette volonté de projet éducatif ne respecte pas nécessairement les capacités de l'enfant, et conduit celui-ci à ne se sentir aimé que lorsqu'il réussit. Il apparaît néanmoins comme un bébé aimable, sociable et éveillé.

Dans le deuxième cas, l'enfant s'illustre par la maîtrise de ses émotions, il est très indépendant, avec peu d'interactions avec sa mère et surtout pas affectives. Il peut ainsi se montrer plus enjoué et affectueux avec un visiteur qu'avec elle. Lorsqu'il exprime sa détresse, sa mère détourne son attention en lui présentant de la nourriture ou un jouet. Leurs interactions ressemblent davantage à des relations entre adultes indépendants sans rapports affectifs, la mère se montrant elle aussi souvent davantage intéressée par ses visiteurs que par son enfant.

Ces deux catégories d'attachement évitant se distinguent d'une troisième dans laquelle les interactions sont nettement plus chaotiques. Cette fois, l'enfant ne parvient pas à contrôler sa détresse et recherche le contact, mais soit sa mère n'est pas disponible à ce moment-là, soit lorsqu'elle l'est, c'est lui qui ne réagit plus. C'est une relation faite de rendez-vous manqués avec une agitation manifeste chez l'enfant qui la rapproche de la catégorie d'attachement anxieux, à ceci près que la détresse est ici causée par des éléments extérieurs (chute, difficulté avec un jouet) plutôt que par la relation elle-même.

De la même façon, l'attachement anxieux peut se décomposer en deux sous-catégories, l'une où règne une grande confusion et beaucoup d'expressions de colère tant chez la mère que chez l'enfant, et l'autre qui frappe par la passivité du bébé. Dans la première, l'enfant se montre ouvertement en colère, ce qui contraste avec les cas d'attachement évitant ; la mère aussi a des réactions vives, comme si hostilité et colère constituaient le ciment de la relation, indépendamment de causes objectives de déclenchement. Un tel univers relationnel marqué par une affectivité exacerbée, avec d'intenses moments de complicité aussi, interfère avec les capacités d'exploration de l'enfant. Dans le second cas, les bébés semblent avoir abandonné tout espoir de voir leurs besoins d'attachement reconnus et satisfaits, et ils se montrent impuissants et désespérés, avec un manque d'organisation dans leurs activités exploratoires. Leurs mères font preuve d'incohérence dans leurs comportements, parfois elles réagissent à leur enfant, parfois elles semblent totalement l'oublier, présentant une sorte d'hostilité latente associée à une très forte acceptation qui laisse perplexe.

Enfin, l'attachement sécure n'est pas non plus monolithique. Les trois grands types d'attachement se placent en fait dans une sorte de continuum avec l'attachement sécure au milieu, certaines sous-catégories en son sein comportant une proximité avec les styles évitants d'un côté, anxieux de l'autre. Ainsi, certains bébés sécures se montrent indépendants et recherchent peu la proximité, si ce n'est qu'ils ont d'importants échanges affectifs avec leur mère (sourires, regards, vocalises), la préférant au visiteur en cas de stress, ce qui les distingue des évitants. D'autres au contraire ont besoin de beaucoup de contacts physiques et s'agitent lorsqu'ils ne peuvent les obtenir, mais ils ne montrent ni colère intense ni passivité exagérée, à la différence des bébés à l'attachement anxieux. Leurs mères semblent apprécier cette dépendance et encouragent ouvertement les câlins, sans interférence ni entrave notables dans les activités d'exploration de leur enfant, cependant. La troisième sous-catégorie, la plus typiquement sécure, est celle où mère et enfant prennent manifestement plaisir à leur compagnie mutuelle, partageant situations de stress et situations de jeu. En cas de stress, l'enfant recherche sa mère qui le réconforte sans difficulté ; en situation d'exploration, soit à distance, soit à proximité, le partage affectif est important, à l'initiative et de l'enfant et de la mère qui exprime, elle aussi, ouvertement ses émotions. La relation est fluide et les réactions cohérentes et appropriées de part et d'autre, sans indépendance, ni dépendance marquée.

Cette approche détaillée des trois principales catégories d'attachement montre bien que ce qui fait la différence réside chez l'enfant par l'effet qu'ont sur lui divers types de comportements parentaux. Un attachement évitant est ainsi marqué par un évitement par l'enfant de ces états émotionnels qui ne sont pas reconnus et traités en tant que tels, par des adultes pouvant adopter des stratégies éducatives complètement différentes. À l'inverse, l'attachement anxieux s'illustre par un fonctionnement quasi exclusif sur un mode émotionnel chez l'enfant, là encore engendré par des réactions parentales qui peuvent être opposées, telles que l'hypervigilance anxieuse ou au contraire le désintérêt et la négligence.

Ces découvertes concrètes de caractéristiques spécifiques d'ensembles de dyades mère/enfant viennent ainsi corroborer les hypothèses de Bowlby, soulignant l'impact de la relation d'attachement qui ne se limite pas au stress de séparations précoces. Intervenues alors qu'il était en pleine rédaction de sa trilogie entre la fin des années 1960 et la fin des années 1970, elles lui ont permis d'en étayer les arguments avec des données expérimentales scientifiquement contrôlées, non exclusivement issues du domaine animal. Bowlby est malheureusement décédé avant d'avoir pu mesurer l'ampleur des recherches qu'il a suscitées, et de recueillir le fruit de ses hypothèses validées à toutes sortes de niveaux, comme nous allons le voir maintenant.

3

Les études de psychologie développementale[1]

Ainsworth et ses étudiantes

En dehors de ses contributions théoriques et méthodologiques majeures, avec la notion de base sécure, son lien à la sensibilité maternelle, sa méthode d'évaluation de l'attachement et la découverte de trois catégories distinctes, Ainsworth a aussi fait considérablement progresser les recherches sur l'attachement par les étudiants qu'elle a formés, et dont elle a favorisé l'ouverture d'esprit et l'inventivité.

Mary Main : une approche de linguiste

Mary Main fait partie des étudiantes les plus connues d'Ainsworth, qui a permis de faire évoluer les méthodes de recherche au-delà de la première année de vie, et jusqu'à l'âge adulte. Sans l'avoir vraiment cherché, elle se trouve

1. Sauf mention spécifique, les éléments de ce chapitre sont inspirés de l'ouvrage Grossmann, K. E., Grossmann, K. et Waters, E. (éds.) (2005). *Attachment from infancy to adulthood : The major longitudinal studies.*

recrutée par Ainsworth comme doctorante, alors qu'elle souhaitait s'engager dans des recherches de psycholinguistique, après avoir lu les œuvres de Chomsky, qui lui avaient fait forte impression en écho avec son intérêt de toujours pour la langue et ses métaphores. Elle se plaint auprès de son mari, professeur de philosophie des langues, de ne trouver aucun lien entre les bébés, les relations parent/enfant et la linguistique. Il lui répond alors qu'un champ de recherche peut être abordé sous divers angles, et que d'apprendre à reconnaître les variations dans les communications émotionnelles d'enfants qui ne parlent pas encore peut tout à fait s'avérer prometteur pour une approche linguistique ultérieure. Il n'aurait pu si bien dire, puisque dix ans plus tard, Main avait développé un outil pour étudier le langage des entretiens d'adultes évoquant l'attachement, le fameux Adult Attachment Interview (AAI), qui a ouvert un champ d'exploration inédit aux chercheurs sur l'attachement.

Elle a été une des premières à être formée par Ainsworth au codage des résultats du paradigme de la situation étrange, qui venait d'être mis au point, et elle a basé sa thèse sur l'observation de cinquante enfants de 21 mois, lors d'épisodes de jeu libre ou structuré. Elle a ainsi découvert que les enfants dont l'attachement à la mère est sécure (évalué à 12 mois) se montrent les plus actifs et les plus enthousiastes dans leurs activités d'exploration, s'avérant aussi particulièrement disposés à jouer avec l'expérimentatrice. Elle met aussi en place des amorces de situations où un chien en peluche fait semblant d'attaquer une poupée, observant qu'une fois placé dans les mains d'un enfant sécure, le chien protège la poupée, alors que dans les mains de certains enfants évitants, il attaque. Ces résultats n'ont pas été publiés, car ils ne lui ont pas paru suffisamment importants à l'époque.

Par ailleurs, elle ne découvre aucun lien entre catégorie d'attachement et développement du langage ou du jeu symbolique, et tous les enfants lui paraissent aussi intéressants et attachants les uns que les autres. Par contre, elle remarque que cinq des enfants qu'elle observe peuvent vraiment difficilement entrer dans les trois catégories d'attachement pressenties jusqu'alors. Ils donnent d'autant plus l'impression d'appartenir à un ensemble à part que leurs mères avaient fait preuve d'un comportement inhabituel envers eux, lorsque Main s'était rendue au domicile pour expliquer les conditions de déroulement de l'étude. L'une d'entre elles, par exemple, avait traité son enfant comme s'il s'agissait d'un animal, d'une manière tout à fait effrayante pour Main. Elle nommera cette catégorie « attachement désorganisé/désorienté » lors de protocoles ultérieurs, portant à quatre les catégories d'attachement, même si l'attribution d'une des trois premières catégories reste préservée, par rapport à celle dont l'enfant se rapproche le plus lorsqu'il n'est pas totalement désorganisé. Il peut donc y avoir des enfants « désorientés/sécures ».

À l'issue de sa thèse, elle se rend en Allemagne pour présenter ses résultats, à l'invitation des Grossmann, dont nous aborderons ultérieurement la contribution. Puis elle obtient un poste à Berkeley, où elle s'emploie à dupliquer ses résultats, pour en assurer la fiabilité scientifique. Elle s'appuie sur ses connaissances en linguistique pour mettre au point le codage des entretiens qu'elle a effectués avec les parents des enfants dont elle connaît les modalités d'attachement. Elle se demande en effet s'il serait possible de repérer des différences dans la manière dont les parents parlent de leur enfance, de leurs relations avec leurs propres parents et ce que représentent pour eux l'attachement et la proximité à autrui, en relation avec les divers comportements d'attachement observés chez leurs enfants dans la situation étrange.

Elle s'aperçoit que de telles différences existent et qu'elles concernent, non pas tant le contenu du discours des parents et les expériences qu'ils racontent, que la manière dont ils en parlent et dont ils interagissent avec la personne qui mène l'entretien, ce qu'elle appelle globalement l'état d'esprit par rapport à l'attachement. Lorsque cet état d'esprit n'est pas défensif ou perturbé par des affects non régulés, il s'illustre par la capacité à parler ouvertement de son passé, à pouvoir examiner les tenants et les aboutissants de relations spécifiques, qu'elles soient anciennes ou actuelles, et à valoriser les liens avec autrui, dans le respect et la réciprocité. Inspirée par Chomsky, Main s'intéresse aussi aux différences de créativité dont font preuve les interviewés. Ainsi naît l'Adult Attachment Interview (AAI), avec un système de codage final très proche des maximes du linguiste Paul Grice sur les caractéristiques du discours rationnel et coopératif, qu'elle découvrira plus tard. Cet entretien structuré sera largement validé à l'aveugle par la suite, c'est-à-dire sans connaissance préalable du comportement d'attachement de l'enfant des parents interrogés, et il permettra de prédire avec une justesse d'environ 80 % le style d'attachement de l'enfant, y compris dans le cas où celui-ci n'est pas encore né.

Elle se spécialise par ailleurs dans le repérage et les caractéristiques des enfants à l'attachement désorganisé, établissant que le comportement effrayant de la mère, tel qu'elle avait pu en observer un exemple à Baltimore, fait bien partie des éléments relationnels spécifiques de ces dyades mère/enfant. Elle poursuit aussi son idée méthodologique d'amorces de situation ou de récit en participant au projet de recherche de Nancy Kaplan, qui élabore la tâche de complétion d'images pour évaluer l'attachement des enfants de 6 ans, trop âgés pour participer à la situation étrange.

Au début des années 1980, elle lance une étude longitudinale sur l'attachement, ses caractéristiques et son évolution, auprès d'une population exempte de risques majeurs, à savoir des familles aisées de la région de San Francisco, dont la mère ne travaille pas plus de vingt-quatre heures par semaine et dont les bébés sont nés sans problème de santé. À 1 an, l'attachement des enfants est évalué par le paradigme de la situation étrange, et une majorité d'entre eux sont classés sécures. Cinq ans plus tard, elle extrait de l'échantillon d'origine de cent quatre-vingt-neuf enfants un sous-ensemble de quarante enfants âgés de 6 ans, dont un tiers sécure, un tiers évitant et un tiers désorienté/désorganisé environ. La quasi-absence d'enfants à l'attachement d'origine ouvertement anxieux/ambivalent a empêché d'en constituer un groupe à part entière, la plupart d'entre eux ayant finalement été reclassés « désorganisés ».

Main effectue deux séries d'évaluations sur cet échantillon, l'une à 6 ans avec un outil de complétion d'histoires et une séparation informelle d'une heure environ, l'autre à 19 ans avec l'AAI. Les histoires à compléter à 6 ans montrent plusieurs images d'un enfant séparé de ses parents, et l'enfant interrogé doit dire ce que ressent l'enfant de l'histoire et ce qu'il peut faire dans un tel cas. La séparation informelle consiste à observer les réactions de l'enfant au retour de chacun de ses parents, après qu'ils se sont absentés pour répondre à l'AAI. Les résultats de cette étude longitudinale peuvent se résumer comme suit, en regroupant par catégories d'attachement ce qui a été observé âge par âge, car, sauf traumatisme majeur, les enfants ont conservé leur catégorie d'attachement de départ, pourtant réévaluée indépendamment à chaque étape et avec chaque outil.

Les enfants *sécures* ont été jugés tels à 12 mois, car ils jouent avec plaisir et explorent l'environnement avant la séparation, ils manifestent le manque de leur mère en pleurant et en l'appelant, ils recherchent activement sa proximité à son retour avec un désir d'être pris dans les bras, et finalement retournent tranquillement à leur jeu une fois rassurés. À 6 ans, ces enfants se montrent peu affectés par la séparation d'une heure d'avec leurs parents. À leur retour, ils les accueillent calmement, mais avec plaisir, les associant volontiers à leur activité en cours. En ce qui concerne les histoires de séparation, ils attribuent à l'enfant de l'image des émotions de détresse, tout en fournissant des solutions constructives par lesquelles il pourrait faire évoluer positivement la situation. À 19 ans, ils présentent des récits structurés et cohérents de leur enfance et de leurs relations avec leurs parents, reconnaissant les enjeux et l'importance de l'attachement. Ce schéma sécure se maintenant au long des années est alors associé à une certaine flexibilité attentionnelle et cognitive alternant les points de vue et les centres d'intérêt, sans intrusion de préoccupations défensives.

Les enfants *évitants*, quant à eux, se remarquent dans la situation étrange par leur apparente indifférence à l'absence de leur figure d'attachement puis à son retour, continuant à jouer et à explorer comme avant la séparation, même lorsqu'ils sont laissés tout seuls. Lorsque leur mère tente de les prendre dans ses bras, ils manifestent l'envie d'être reposés à terre et lorsqu'elle les appelle, il y a de fortes chances pour qu'ils se détournent vers un jouet et s'éloignent davantage. Étrangement, ces enfants n'avaient pas du tout manifesté ce comportement lors des visites de Main au domicile, où ils semblaient mal supporter que leur mère quitte la pièce, se montrant à la fois effrayés et en colère, contrairement aux bébés sécures qui géraient aisément une telle situation. Tout se passe comme si le surcroît d'insécurité créé par l'environnement étranger du laboratoire les conduisait à supprimer tout comportement d'attachement, ayant compris que pour ne courir aucun risque de rejet par leur mère, une attitude de nonchalance attentive leur assure une proximité minimale en cas de danger extérieur.

À 6 ans, ces enfants continuent à se montrer évitants lors des retrouvailles avec leur mère, préférant concentrer leur attention sur les jouets, voire sur l'expérimentatrice. Ils évitent subtilement la conversation, non par un blocage complet, mais par des silences et des absences de développement. Ce comportement plus socialement approprié reste minimaliste dans les tentatives de contact avec autrui, parents y compris. Lorsqu'on leur demande de compléter les histoires, ils attribuent sans difficulté des émotions de détresse à l'enfant, tout comme les sujets sécures. Par contre, ils se montrent incapables d'imaginer des solutions constructives pour une issue positive : lorsqu'on leur demande ce que peut faire l'enfant, ils répondent « je ne sais pas », « rien » ou même « fuir ».

À 19 ans, leur participation à l'AAI offre les caractéristiques typiques des entretiens détachés. Ils présentent leurs expériences d'enfance globalement sous un jour positif, mais ils sont incapables de fournir des détails précis pour alimenter cette image idyllique, voire les expériences qu'ils rapportent sont en contradiction avec elle. On s'aperçoit ainsi qu'ils idéalisent leurs parents et leur enfance, tout en insistant sur leurs difficultés à se souvenir. Ils n'établissent généralement pas de lien entre ce qu'ils ont vécu et leur expérience actuelle, minimisant, niant même, l'intérêt et l'impact de l'attachement.

Pour finir, les enfants *désorganisés/désorientés* sont classés comme tels à 1 an, car des ruptures apparaissent dans leurs stratégies d'attachement lors du paradigme de la situation étrange, leurs comportements semblent incohérents par instants. Ainsi, ils sont susceptibles de s'immobiliser, comme pétrifiés de peur au moment de rejoindre leur mère, qu'ils tentent parfois d'approcher de biais, ne parvenant pas à maintenir leur attention au point de paraître absents, confus et désorientés.

À l'âge de 6 ans, leur comportement de retrouvailles semble beaucoup plus structuré que précédemment, mais par une prise de contrôle de la relation au parent. Certains se montrent très directifs, voire punitifs, d'autres excessivement attentifs et pleins de sollicitude, d'autres encore font le clown pour maîtriser la situation et égayer leur mère. Leurs réponses aux histoires de séparation les montrent facilement terrifiés ; il y a des silences, des chuchotements, des suites confuses, voire des conséquences imaginaires catastrophiques comme la mort du parent ou celle de l'enfant.

À 19 ans, les récits d'attachement de certains d'entre eux sont aussi marqués par une grande désorganisation, avec des sentiments extrêmes associés à des blancs, voire une désorientation dans le temps qui leur fait vivre leur passé comme s'il était toujours présent.

Il est cependant important de remarquer à ce niveau que plus de la moitié des bébés jugés désorganisés/désorientés à 1 an se trouvent ensuite classés comme évitants (détachés), soit dès l'âge de 6 ans, soit à 19 ans. Une des solutions que l'enfant peut adopter pour faire face à une situation d'attachement effrayante consiste sans doute ultérieurement à passer outre et à l'oublier purement et simplement, en l'absence d'alternatives. Quant aux sept bébés à l'attachement désorganisé/sécure, on observe que c'est la désorganisation qui l'emporte par rapport à l'aspect sécure du reste des comportements, car ils sont tous évalués insécures ultérieurement, donc soit évitants, soit désorganisés/désorientés.

Au final, ce qui retient l'attention de Main, c'est l'étrange ressemblance entre les réactions des bébés à la situation étrange, et le type de discours qu'ils adoptent en grandissant, en particulier lors de l'AAI. Elle fait l'hypothèse que les caractéristiques linguistiques des entretiens sont en relation avec les comportements par l'intermédiaire de processus attentionnels, mnésiques et émotionnels. Ainsi, les individus insécures seraient contraints de faire appel à des réflexes de protection précoces par l'attention qu'on leur demande de porter à leur expérience infantile, sans avoir le temps de réfléchir et de préparer leurs réponses. Ils doivent ainsi faire des choix rapides de réactions qui encouragent un discours automatique dénué de flexibilité.

Les évitants, par exemple, font preuve dès le départ d'une restriction d'attention sur le thème de l'attachement, qu'ils évitent exactement comme ils évitent leur mère dans la situation étrange, stratégie illustrée par des réponses laconiques, voire le refus de répondre. Les individus à l'attachement désorganisé font, eux, preuve d'un même principe de désorganisation autant dans leurs comportements que dans leurs réponses à l'entretien, marqué par des ruptures dans le discours, une incohérence qui fait penser à une certaine forme de sidération liée à un traumatisme non digéré. Quant aux personnes sécures, elles font preuve d'une certaine aisance lors de l'entretien, explorant sans difficulté le sujet, exactement comme, enfants, elles exploraient l'environnement sans s'effrayer de ce qu'elles allaient pouvoir découvrir.

Le recours à ces stratégies automatiques adoptées dès les premiers mois de la vie est sans doute lié à des modalités de réaction au stress physiologique, tel qu'il peut être mesuré par le niveau de cortisol. Les bébés sécures peuvent se montrer très inquiets lors de la situation étrange et pleurer beaucoup, mais leur niveau de cette hormone augmente peu pendant l'expérience, comme si les pleurs fonctionnaient seulement comme un signal devant assurer le retour de leur mère, et non comme l'expression d'un désespoir profond. En revanche, les bébés évitants, qui semblent peu affectés par la séparation, ont des niveaux de cortisol très élevés, signe d'un stress majeur, tout autant, voire davantage que celui des autres bébés insécures dont l'état de stress est, lui, manifeste.

Main s'interroge aussi sur la manière dont se transmettent les types d'attachement parentaux aux enfants, avec cette étonnante correspondance de plus de 80 %, en particulier entre sécure et insécure, sauf accident de la vie. Elle émet l'hypothèse que les parents encouragent inconsciemment chez leurs enfants les comportements, et plus tard les discours, qui ne remettent pas en cause leurs représentations d'attachement à leurs propres parents, et qu'ils découragent les autres à cause de l'anxiété déclenchée chez eux lorsqu'ils s'y trouvent confrontés. Ainsi, les parents évitants découragent les tentatives de rapprochement de leur enfant, alors que les parents anxieux découragent ses tentatives d'exploration, exactement comme ces comportements ont été découragés chez eux par leurs propres parents, ce qui leur a cependant permis de s'assurer leur proximité.

La sécurité affective se dégage donc pour eux de ce type de relation à autrui, et toute autre forme de comportement est pour eux un signal de danger, tout comme ils l'ont vécu dans leur enfance. Par ailleurs, cela est rationalisé et validé par un discours présentant ce type de relations comme idéal, issu à la fois de son efficacité vécue avec leurs propres parents, et du discours même de ces parents venant justifier ainsi leur comportement. Il s'agit alors de l'expression d'une sécurité ressentie à défaut d'être effective, c'est une représentation de l'attachement et des relations à entretenir avec soi-même, avec autrui et avec le monde qui fonctionne à terme comme une prédiction autoréalisatrice. Ainsi, le comportement et son efficacité avérée créent la représentation qui alimente les comportements suivants qui viennent à leur tour vérifier la représentation. C'est ce qui assure la solidité de l'ensemble, et permet de comprendre sa stabilité dans le temps. Inge Bretherton, collègue et amie de Main, s'est particulièrement intéressée à ces mécanismes.

Inge Bretherton : représentation et « modèles de travail »

Les résultats rapportés par la recherche de Main corroborent ceux de plusieurs autres études fondées sur le même principe. Ils établissent l'AAI comme une évaluation fiable d'un certain mode de fonctionnement, et d'une certaine représentation de soi, d'autrui et du monde, même si ces aspects ne sont pas directement évalués en tant que tels. Ce qui permet de passer des comportements d'attachement qui peuvent être observés lors de la situation étrange à l'expression verbale recueillie par entretiens, voire par questionnaires, ce sont en effet les représentations, ce que Bowlby a appelé les *inner working models*[1], ou « modèles de travail » (MT), dont Bretherton s'est faite la spécialiste.

Inge Bretherton est une autre des étudiantes d'Ainsworth, amie de Main avec qui elle a souvent participé à des paradigmes de situation étrange, se glissant dans la position parfois difficile de l'inconnue venant stresser l'enfant par sa présence. Étudier la psychologie des enfants a été chez elle un choix délibéré, et elle a été immédiatement attirée par les théories de Bowlby, les observations d'Ainsworth, et les travaux de Piaget, qui lui ont parlé d'autant plus qu'elle était à l'époque mère de trois jeunes enfants. Dès le début des années 1970, elle s'intéresse à la transition entre communication gestuelle et verbale, se spécialisant dans la

1. Ces *inner working models* sont habituellement – et peu élégamment – traduits par « modèles internes opérants ». Dans l'esprit de l'auteur, il s'agit de modèles de travail, encore appelés modèles ou schémas de représentation (voir p. 255).

compréhension de l'intersubjectivité et la capacité des enfants à parler de leurs émotions et de celles des autres. Elle commence par interpréter les jeux comme des ébauches de manipulation des situations sociales, y voyant l'émergence de représentations mentales et de mises en œuvre d'hypothèses relationnelles.

Ce n'est qu'au milieu des années 1980, cependant, que la notion de représentation retient vraiment l'attention des autres chercheurs sur l'attachement, malgré le soutien que Bretherton avait reçu avant cela de Bowlby lui-même. Entre-temps, elle s'emploie à la création et à l'amélioration de nouveaux outils d'évaluation de l'attachement chez des enfants plus âgés, au-delà de la situation étrange, ce qui lui permet aussi d'étoffer ses réflexions sur le fonctionnement des représentations. Pour ce faire, à l'instar de Bowlby, elle s'appuie sur les apports d'autres approches, comme celle des cognitions sociales et du soi social, les travaux sur la mémoire, le traumatisme et les schémas événementiels ou encore la psychanalyse de la relation d'objet.

Comme l'explique Bowlby, dont Bretherton reprend les concepts, les MT sont des schémas élaborés au fur et à mesure de l'existence, qui généralisent les expériences individuelles et permettent de savoir à quoi s'attendre et comment réagir, sans avoir chaque fois à retraiter intégralement toute l'information. Ce sont en quelque sorte des mécanismes de pensée automatiques qui aboutissent à la création de réflexes conditionnés faisant gagner le cerveau en rapidité. Leur mise en place est donc particulièrement active pendant les premières années de la vie, où la phase de découverte et d'apprentissage est la plus importante, mais ils doivent normalement rester flexibles et ouverts à modification pour accommoder de nouvelles circonstances, tout au long de la vie.

Or, c'est justement cette flexibilité qui semble être mise en question chez les personnes dont l'attachement est insécure. Leurs relations particulières à leurs parents les conduisent à mettre en place des schémas qui ne sont pas aisément évolutifs, les bloquant dans une vision d'eux-mêmes, des autres et du monde qu'elles ont les plus grandes difficultés à modifier par la suite. C'est là que s'opère le rapprochement entre les comportements d'attachement et ceux d'exploration, et l'équilibre qu'Ainsworth cherchait au départ à repérer. Pour qu'un enfant puisse explorer son environnement et faire de nouveaux apprentissages, il faut en effet qu'il se sente suffisamment en confiance et que rien ne vienne directement le menacer. Il a donc besoin d'une base sécure vers laquelle il pourra se replier à tout moment, dès qu'il le souhaite.

Si le parent ne fournit pas cette base sécure, en rejetant les comportements de rapprochement de l'enfant, en se moquant de lui, en ne lui prêtant aucune attention, ou simplement en n'étant pas présent et disponible, l'enfant est limité dans ses explorations qui s'avèrent bien trop dangereuses dans ces conditions. Or ce qui se joue avec le bébé ou le petit enfant risque fort de se reproduire ultérieurement, car il est peu fréquent que l'on change d'environnement familial et lorsque les conditions changent, c'est souvent dans des circonstances dramatiques qui améliorent rarement les choses. Donc, un schéma de ce type aura tendance à se trouver renforcé jour après jour, aboutissant à la construction d'une représentation du monde comme un lieu plein d'inconnu et de menaces potentielles, où l'enfant devenu adolescent, puis adulte, se sentira incapable d'affronter seul toute nouveauté, où il se dira que les autres ne sont pas fiables, qu'ils ne sont pas disponibles en cas de problème et que de toute façon, il ne mérite pas d'être aidé.

En outre, ce qui vaut pour les situations d'exploration de l'environnement physique vaut aussi pour ce qui est de l'environnement psychique, à savoir la connaissance et la compréhension de soi et d'autrui, le droit de poser à ses parents des questions « personnelles », d'avoir une réponse authentique, de pouvoir exprimer ses émotions, donner son point de vue. C'est ce que Grossmann a nommé la sécurité psychique, qui est probablement encore plus menacée que la sécurité physique chez l'enfant, hormis cas de violence et de négligence avérées. C'est justement aussi ce dont Bowlby parlait, comme on l'a vu plus haut, avant que certains ne réduisent et n'assimilent sa théorie à une étude sur les effets de la séparation précoce exclusivement ou presque.

Le parent peut également perturber l'équilibre entre les comportements d'attachement et ceux d'exploration en intervenant de manière intrusive auprès de l'enfant. Sous prétexte de s'occuper de lui, et de lui venir en aide, le parent ne permet pas à l'enfant d'explorer à son rythme et à sa guise, de se confronter à des difficultés et de trouver des solutions par lui-même. De la même façon, sur le plan psychique, il peut y avoir aussi intrusion dans son espace psychique : on lui dit quoi penser, ce qui est bien pour lui, il n'est pas censé discuter, se faire son opinion. Et s'il tente de ne pas être d'accord, cela crée un drame où le statut de sa mère en tant que bonne mère devient vite l'enjeu, chantage affectif qui dépasse l'enfant et auquel il n'a pas d'autre choix que de se soumettre.

Des situations de cet ordre sont exactement celles qu'ont été à même de repérer certaines études longitudinales sur les interactions parent/enfant, d'abord auprès des tout-petits par une observation directe, puis plus tard lors de mises en scène particulières comme des situations de conflit ou de résolution de problèmes.

Ainsi, Jay Belsky rapporte dans plusieurs études menées au domicile familial avec des bébés suivis à 1, 3 et 9 mois, puis évalués par le paradigme de la situation étrange à 12 mois, que ce qui permet de prédire nettement les trois styles d'attachement est bien la sensibilité de la mère aux signaux de son bébé, comme l'avait trouvé Ainsworth sur un échantillon restreint. Mais cette sensibilité est surtout marquée par une réciprocité et une capacité de synchronisation des interactions mère/bébé, où c'est la capacité de la mère à répondre adéquatement et au bon moment à l'enfant qui détermine les interactions sécures. À l'inverse, les interactions insécures sont marquées par des défauts de synchronisation de la mère qui répond soit de manière exagérée en surstimulant l'enfant dans le cas d'attachement évitant, soit en ne le stimulant pas suffisamment par des délais ou une absence de réponse trop fréquents pour l'attachement préoccupé (anxieux).

Par ailleurs, il existe un débat important sur l'impact du tempérament de l'enfant sur les interactions mère/bébé, certains bébés étant plus « faciles » que d'autres dès la naissance, ce qui pourrait influencer la relation de la mère à l'enfant et donc contribuer directement à l'établissement d'attachements sécure ou insécure. Belsky, qui au départ n'était pas franchement partisan de la théorie de l'attachement, a aussi cherché à vérifier cette hypothèse. Il a montré que, dans les trois catégories d'attachement, il existe des bébés qui pleurent plus que d'autres et se montrent plus rapidement en détresse que d'autres. Par contre, ce qui rend le bébé sécure, c'est qu'il recherche sa mère pour la régulation de ses affects et que l'interaction s'avère efficace pour le calmer et le rassurer, contrairement aux autres. Belsky a même montré plus spécifiquement que ce ne sont pas tant les manifestations d'affects négatifs qui sont typiques des bébés sécures, même si ceux-ci ont tendance à se calmer au fil des jours, là encore contrairement aux autres, mais surtout leur expression d'affects positifs qui, soit est élevée et le demeure, soit s'accroît au cours des premiers mois, comme si l'enfant éprouvait de plus en plus de plaisir aux interactions avec sa mère et ses proches. Et ces schémas d'évolution des affects positifs et négatifs, stables, en augmentation ou en décroissance, ont pu être prédits par les chercheurs sur la base d'évaluation des relations familiales et parentales avant même la naissance du bébé.

Par ailleurs, Belsky a aussi montré qu'un attachement sécure favorise la compréhension du langage à 3 ans, mais pas les compétences cognitives plus générales, ni directement les capacités à s'exprimer. De tels résultats en évoquent d'autres sur le type d'interaction mère/enfant, verbale cette fois, et touchant plus particulièrement la construction des souvenirs communs. Bretherton rappelle la différence entre les mères « élaboratives » et les mères « répétitives ». Les premières évoquent volontiers les souvenirs communs avec leur enfant, elles produisent un récit cohérent et détaillé auquel il est invité à participer par ses propres ajouts et ses questions, construisant ensemble une même histoire. Les secondes, par contre, ne sollicitent guère la collaboration de l'enfant, elles insistent sur leur version du souvenir et font en sorte qu'il s'en remémore les mêmes détails qu'elles, évitant le plus souvent d'évoquer le ressenti, que ce soit le leur ou celui de l'enfant. Une telle différence de mode de communication peut se repérer avant même que l'enfant ne soit en âge de parler correctement, et constitue une autre illustration de la sensibilité maternelle et du type de relation que la mère entretient avec son enfant. La sensibilité dans ce domaine a d'ailleurs été reliée à la sensibilité associée à la sécurité d'attachement évaluée dans la situation étrange à la fin de la première année. Il semble donc bien s'agir d'un état d'esprit global entretenu vis-à-vis de l'enfant, dont on reconnaît ou non l'individualité en lui accordant ou non une place dans l'interaction quel que soit son âge. Cette perspective globale permet de comprendre comment elle peut perdurer au fil des interactions spécifiques et de la diversité des situations d'apprentissage rencontrées par l'enfant.

Une plus grande facilité de compréhension de la langue chez l'enfant telle que rapportée par Belsky peut ainsi être associée à un discours plus riche de la mère par rapport à des choses importantes pour l'enfant, ou tout simplement des interactions verbales plus fréquentes et plus élaborées de la mère envers l'enfant dont l'intérêt et la curiosité se trouvent stimulés. Il paraît d'ailleurs étonnant que Belsky n'ait pas trouvé d'effets des catégories d'attachement sur l'expression des enfants, sans doute en raison d'un problème d'évaluation, alors que d'autres ont montré que les enfants sécures produisent un discours davantage affectif avec des éléments évaluatifs, qui aboutissent à des énoncés de plus en plus élaborés entre 19 et 51 mois. La cohérence et la richesse du discours des mères sécures se retrouvent ainsi dans celui de leurs enfants, alors qu'une certaine rigidité peut déjà s'observer dans les dyades insécures, où l'accent est surtout mis sur l'exactitude aux dépens de la créativité.

Cette exactitude est dans ces cas exclusivement celle définie par la mère, qui peut, par ses propres processus défensifs, réécrire l'histoire et créer de faux souvenirs à l'enfant. Cela aboutit au décalage souligné par Bowlby, sur lequel nous reviendrons en détail plus loin, entre mémoire sémantique et mémoire épisodique, et à des représentations conflictuelles, sources de perturbations émotionnelles importantes par la suite. Bowlby pense en effet que lorsque l'enfant voit ou entend des choses qu'il n'aurait pas dû voir ou entendre selon l'opinion de ses parents, car cela ne donne pas d'eux une image flatteuse ou parce qu'il est trop douloureux pour eux d'en parler, la mémoire sémantique enregistrant la version des parents n'est pas en cohérence avec la mémoire épisodique ayant enregistré ce dont l'enfant a véritablement été témoin. Or, les recherches rapportées par Bretherton montrent qu'il est assez aisé de créer de toutes pièces des vrais faux souvenirs épisodiques chez les enfants dès l'âge de 3 ans, en leur demandant de s'imaginer à plusieurs reprises une même scène, que la moitié d'entre eux sont ensuite persuadés avoir réellement vécue. Bretherton regrette que des mesures d'attachement n'aient pas été effectuées chez ces enfants lors de ces expériences, de manière à déterminer si le type de relation à la mère est en lien avec cette capacité, soit à accepter de faux souvenirs, soit à refuser ce type de manipulation, ce qui requiert une bonne dose de confiance en soi.

Tous ces éléments permettent de comprendre comment et pourquoi la cohérence et la précision des récits observées dans les dyades sécures, aussi bien au niveau des parents, et en particulier des mères, qu'à celui des enfants, se retrouvent chez ces mêmes enfants aussi à l'âge adulte. Grâce à des parents dont les processus défensifs ne sont pas systématiquement engagés dès qu'il s'agit de choses « émotionnelles », les enfants apprennent à parler ouvertement et de manière cohérente de leur vécu personnel et des émotions qu'ils ressentent, qu'elles soient positives ou négatives. Ni les parents ni les enfants ne se trouvent ainsi déstabilisés lorsqu'il s'agit de parler de soi, d'autrui et des relations entre les deux, autrement dit d'attachement. Les souvenirs des enfants devenus adultes ne sont pas encombrés d'incohérences, de zones d'ombre, de comportements incompréhensibles et inexpliqués de la part d'autrui, qui viennent contrarier aussi bien la mémorisation en elle-même que la cohérence de son rendu.

En outre, ces enfants ont appris qu'ils peuvent se confier à leurs proches en cas de difficultés psychiques, que raconter ce qui s'est passé permet de réguler le débordement affectif lié à des situations difficiles, qu'il est important de donner un sens à ce qui arrive, tout autant qu'il est important d'avoir accès à ses propres pensées et émotions, ainsi qu'à celles des autres. En d'autres termes, les enfants sécures ont acquis une base sécure vers laquelle se tourner en cas de dangers psychiques, comme un choc émotionnel même minime. Cette base leur permet aussi l'exploration par le discours et le partage des difficultés rencontrées, et leur offre un soutien et une compréhension, à défaut d'une résolution effective du problème.

Bref, ils ont appris ce que Fonagy appelle la mentalisation, ou la capacité à réfléchir sur soi-même, à se comprendre et à s'accepter, qui a pour corollaire la capacité à comprendre et à entrer en empathie avec autrui. Cette mentalisation implique la possibilité d'avoir conscience d'états émotionnels et de motivations riches et parfois contradictoires, et d'être capable de les hiérarchiser de façon à parvenir à des solutions réfléchies et constructives. Dès lors, il n'est guère étonnant que les enfants sécures devenus adultes soient à la recherche d'un ou d'une partenaire qui leur offre ce type de relation auquel ils ont été habitués, comme le montrent les études à l'âge adulte que nous exposerons plus loin.

Patricia Crittenden et le modèle dynamique de développement[1]

Avant d'aborder directement d'autres études longitudinales mettant cette fois davantage l'accent sur les représentations d'attachement adultes, il est intéressant de s'arrêter sur la synthèse effectuée par Crittenden et son modèle dynamique de développement. Patricia Crittenden est une autre des étudiantes d'Ainsworth qui a fait progresser la recherche sur l'attachement en modélisant l'évolution des différents types d'attachement et des stratégies relationnelles qui les sous-tendent de la naissance à l'âge adulte. Elle définit ainsi plusieurs étapes dans le développement de ces stratégies correspondant aux différentes périodes de la vie.

On rappelle que ces stratégies sont à l'œuvre chez l'enfant en réponse au comportement de la figure d'attachement, afin de s'assurer une proximité maximale et une réassurance

1. Voir Crittenden, P. (2008). *Raising parents : Attachment, parenting and child safety.*

dans toute situation difficile. La principale caractéristique qui différencie un attachement sécure d'un attachement insécure est alors liée au fait que dans le premier cas, le parent répond adéquatement aux signaux et aux besoins de l'enfant, et ce dernier n'a pas d'effort particulier à fournir pour être entendu. Dans le second cas, la réponse est soit inadaptée, soit incohérente, ce qui conduit l'enfant à devoir mettre en place des stratégies particulières d'adaptation, soit de type évitant, soit de type anxieux.

Les stratégies relationnelles signes d'un attachement sécure se caractérisent globalement par l'intégration des cognitions et des affects, et consistent en une communication ouverte, directe et réciproque des attentes et des émotions. Autrement dit, la relation à la figure d'attachement par ses aspects prévisibles et contingents, c'est-à-dire en réponse adéquate à la demande, a permis à terme de penser la relation et d'y associer toute la gamme des affects qui s'y rapportent, qu'ils soient positifs ou négatifs. Par ailleurs, une communication authentique des besoins affectifs et relationnels s'est engagée de la part des deux parties qui ne cherchent pas à se manipuler par le mensonge ou le non-dit. Les problèmes sont discutés et font l'objet de négociations sur la base d'informations à la fois cognitives et émotionnelles. Tout cela permet d'accéder à un équilibre psychologique qui évite d'exclure certains types d'informations, mais en assure la synthèse, offrant les réactions les plus adaptées en fonction des circonstances.

Les personnes utilisant des stratégies sécures font preuve d'un panel varié de réactions qui les fait apparaître plus différentes les unes des autres que les personnes ayant recours à des stratégies évitantes ou anxieuses, automatiques et rigides. Elles sont capables de faire face aux différentes situations de la vie avec souplesse, même si certaines d'entre elles tendent à privilégier des réactions plutôt cognitives les rapprochant des évitants, alors que d'autres sont davantage centrées sur leurs affects comme les anxieux. Néanmoins, aucune approche n'est réellement exclue de leur mode de fonctionnement dont elles parlent volontiers avec autrui, et dont elles sont capables d'avoir clairement conscience si besoin est.

Chez le bébé, les réactions stables de la figure d'attachement et sa bonne sensibilité aux signaux de l'enfant rendent la relation prévisible en établissant des schémas de cause à effet entre besoin exprimé par le bébé et la réponse qui y est apportée. Parallèlement, une régulation affective correcte est réalisée par le parent qui veille à maintenir l'enfant dans un état émotionnel gérable, sans excès ni manque, dans une proximité relationnelle de plaisir partagé et de réparation du déplaisir, lorsque d'inévitables frustrations se font jour.

En période préscolaire, cette régulation émotionnelle se poursuit par une communication efficace des émotions authentiques, des besoins et des attentes de chacun. Le parent n'interdit pas certaines expressions émotionnelles qu'il pourrait juger peu agréables, comme la colère, mais apprend à l'enfant que bien qu'il comprenne son ressentiment, tout ne se fait pas forcément selon ses désirs. L'enfant vit dans un univers cohérent de règles et de limites, de punitions parfois, mais aussi de joies et de plaisirs partagés. Une communication non biaisée sur la réalité permet une planification conjointe des activités, et favorise l'exploration de l'enfant tout en assurant sa sécurité autant physique qu'affective. L'accès au langage permet la construction de récits encouragée par la participation du parent. L'enfant peut ainsi organiser les informations sur son vécu et celui de ses proches, leur accorder un sens, intégrant aux données factuelles les aspects affectifs et relationnels. Il alimente son empathie, sa compréhension de lui-même et d'autrui, sans qu'une attitude défensive du parent vienne biaiser ses conclusions et lui offrir une image faussée de la réalité tant interne qu'externe.

Une fois scolarisé, il étend ce mode de relation fait de réalisme et d'authenticité au nouvel univers de ses camarades et des adultes de référence qui entrent dans sa vie. Il s'attend à avoir une communication loyale avec autrui, et des relations de symétrie et de réciprocité avec ses pairs. Il se montre confiant et extraverti, mais sans excès. Au moment de l'adolescence, il recherche l'intimité et le partage affectif, il sait faire confiance et se laisser aller dans la relation. D'un autre côté, il a appris à anticiper correctement les intentions d'autrui et ne se montre pas facilement manipulable. Il tire les conséquences de ses actes et de ceux des autres, il apprend autant de ses succès que de ses erreurs, et sait tirer parti de l'expérience d'autrui.

À l'âge adulte, les stratégies sécures aboutissent à une communication authentique et intégrée, avec soi-même et avec les autres, illustrée par une recherche de partage et d'harmonie dans le couple et la famille. Patricia Crittenden fait cependant une différence entre deux types d'adultes à l'attachement sécure, ceux qui ont eu la chance de vivre une enfance sans grands bouleversements qu'elle appelle les sécures naïfs, et ceux qui ont été confrontés à des difficultés relationnelles et qui ont dû réfléchir à leur parcours afin de parvenir à l'équilibre psychique.

Les premiers ne sont pas nécessairement très préparés à la survenue de problèmes dans leur vie, et se trouvent souvent démunis lorsque cela leur arrive. Ils peuvent être plus facilement trahis par un manipulateur par exemple, dont ils n'auront pas mesuré la duplicité, faute d'apprentissage en ce sens. Les autres sécures, ceux qui ont mûri ou dont on dit encore que la sécurité d'attachement a été acquise, ont fait un effort particulier de réflexion sur eux-mêmes et sur leur histoire. Ils se sont approprié l'intégration des différentes composantes de leur vécu, et cette introspection associée à l'observation et à la compréhension du comportement et des motivations d'autrui leur confère une certaine lucidité et une grande souplesse d'adaptation en toutes circonstances.

L'attachement évitant, par contraste, est caractérisé par la rigidité des comportements et des stratégies relationnelles. Il intervient en réponse à des réactions parentales faites de négligence affective, c'est-à-dire de manque d'attention face à la détresse de l'enfant, des réactions de colère ou d'irritation, ou encore une façade faussement positive semblant se moquer de l'enfant en difficulté. Globalement, il se résume par l'accent porté sur les cognitions au détriment des affects, sur la rationalisation donc et un certain détachement émotionnel, ainsi que sur l'idée de se contraindre en cherchant à plaire à autrui, tout en maintenant ses distances.

Chez le bébé, il s'exprime par une inhibition des manifestations affectives pour en éviter les conséquences indésirables, à savoir les réactions négatives de la figure d'attachement. C'est une démarche que l'on peut qualifier de recherche/évitement, avec évitement chez l'enfant des comportements qui ne sont pas valorisés, et adoption de ceux qui conduisent à une relation appréciée par la mère. En période préscolaire, le jeune enfant intègre que ses émotions négatives authentiques ne peuvent être exprimées verbalement à ses parents, c'est-à-dire que ce ne sont pas des émotions appropriées de leur point de vue. Il apprend alors à utiliser le langage pour plaire à ses auditeurs plutôt que pour exprimer ce qu'il est, ce qu'il pense et ce qu'il ressent. Et il commence à offrir une façade d'affects positifs et de faux comportements charmeurs et charmants qui lui valent une popularité qui ira grandissant, par la constitution d'un faux self au sens de Winnicott, masque venant empêcher l'émergence de toute véritable personnalité.

La période scolaire lui montre encore que le prix à payer s'il n'est pas gentil et obéissant est si élevé, à cause des colères ou des menaces du parent par exemple, qu'il est plus sage d'agir en conformité avec ses exigences et celles des adultes en général, enseignants ou autres. Il devient très vigilant par rapport aux réactions d'autrui, prompt à anticiper ses désirs et à y répondre adéquatement. Ou alors, il découvre qu'il lui appartient de soutenir et d'égayer une figure d'attachement triste, vulnérable et repliée sur elle-même, opérant ainsi un renversement de rôles. Se mettent donc en place des stratégies de soins compulsifs et/ou d'obéissance compulsive, dont la personne se défait difficilement à l'âge adulte.

À l'adolescence, l'attachement évitant est caractérisé soit par une proximité compulsive, soit par une autosuffisance, ces deux stratégies permettant d'éviter une intimité affective authentique, qui protège du rejet et de l'abandon. On assiste dans le premier cas à une recherche intense ou à une acceptation de partenaires avec lesquels sont entretenues des relations superficielles, positives en apparence, et permettant de satisfaire la sexualité et le besoin de contact. Dans le second cas, les personnes décident de prendre seules soin d'elles-mêmes, estimant qu'elles ne peuvent compter que sur elles-mêmes pour s'en sortir. Elles peuvent apparaître très sociables avec des comportements parfaitement adaptés dans les contextes relationnels courants, en particulier dans le cadre du travail, mais elles se montrent distantes dès qu'il s'agit d'intimité. Ce type de retrait affectif peut aller jusqu'à l'isolement, avec malaise et fuite face à toute relation interpersonnelle.

Globalement, les personnes qui ont recours à ces stratégies d'évitement des affects s'acquittent de leurs tâches d'adultes, telles que gagner leur vie, trouver un(e) partenaire ou avoir des enfants, en cherchant avant tout à satisfaire autrui, sans prendre véritablement d'initiatives et sans en tirer de réelles satisfactions, ce qui les conduit à terme à des échecs autant relationnels que professionnels. L'accent placé sur le raisonnement au détriment des affects en fait des personnes calmes, responsables et prévisibles, en apparence agréables à vivre par la transformation de leurs affects négatifs en façade positive. Néanmoins, ces stratégies résistent plus ou moins bien au stress, et l'effondrement peut être aussi brutal que spectaculaire, par des colères, des sarcasmes et une prise de distance, lorsque les affects négatifs ne peuvent plus être contenus ou encore par une décompensation dans la dépression.

Par ailleurs, une autre caractéristique de ces stratégies uniquement fondées sur la cognition par protection contre des affects négatifs et des besoins d'attachement non reconnus et interdits d'expression est la distorsion de plus en plus grande que les individus font subir aux informations, autant reçues que produites. En conformité aux requêtes explicites et implicites de parents qui tiennent à être vus sous un jour positif, et qui rejettent sur l'enfant la responsabilité de tout affect négatif, la relation à ceux-ci est souvent idéalisée. La mémoire adulte de ces enfants à l'attachement carencé ne garde trace d'aucune situation pouvant trahir le manque et la douleur qui y est associée.

Avec le temps, la soumission à la pensée d'autrui peut devenir telle qu'elle est assimilable au syndrome de Stockholm où le discours de l'agresseur est entièrement repris à son compte et justifié par la victime. Le recours exclusif à des relations de cause à effet perçues sur une base temporelle, en l'absence de toute analyse des motivations des uns et des autres et de possibles interventions cachées, conduit par ailleurs la personne à se croire responsable de situations qu'elle n'a pas causées et sur lesquelles elle n'a aucun moyen d'action. Cette illusion de contrôle, qui n'intègre pas de nouvelles données susceptibles de montrer que la stratégie d'adaptation utilisée est en fait un échec, conduit à cet aspect compulsif des réactions qui ne sont pas actualisées et interviennent de manière automatique et autonome.

Les stratégies d'attachement anxieux sont marquées, quant à elles, par une impossibilité d'établir des liens de cause à effet entre un comportement donné de la part de l'enfant et la réaction qui va en résulter de la part de l'adulte. Celui-ci est perçu comme imprévisible, car il ne réagit pas deux fois de la même façon, et l'enfant ne peut s'appuyer que sur ses émotions pour guider ses actions et gérer la relation. Ces émotions sont alors essentiellement fortes et négatives car l'irrégularité des réactions parentales engendre d'importants sentiments de frustration, de colère et de peur, liés au fait de ne pas être pris en compte, de ne pas être entendu, de risquer d'être abandonné. Le parent semble ne réagir que lorsque l'escalade émotionnelle est telle qu'il est contraint d'y répondre. Cependant, contrairement à ce qui conduit à des stratégies évitantes, le parent finit par répondre, plus désemparé par la conduite à tenir face à un tel débordement affectif qu'ouvertement hostile et rejetant.

Se mettent alors en place chez l'enfant des stratégies coercitives de maintien du lien sur la base d'une agressivité ou d'une impuissance désarmante, qui se synchronisent sur les oscillations parentales entre attendrissement et menace. Les stratégies de ce type consistent globalement à dissocier, exagérer et alterner une panoplie d'affects négatifs pour attirer l'attention et manipuler les émotions et les réactions d'autrui. On se retrouve en présence, soit d'un soi invulnérable, fort et en colère, qui fait porter la responsabilité aux autres, soit d'un soi vulnérable, faible et peureux, qui persuade autrui de lui porter secours. À l'inverse des stratégies évitantes centrées sur l'indépendance et la distance interpersonnelle, ici l'autre est activement recherché. La personne se sent dépendante, elle a besoin du partenaire pour exister, même si les relations sont chaotiques, associant agressivité et soumission extrême, dans le registre purement affectif cette fois. Comme la communication se fait sur la seule base émotionnelle, les problèmes sont difficiles à résoudre, car ils sont posés de manière peu claire, voire totalement implicite.

Chez le bébé, ces stratégies s'expriment par une grande

agitation, des pleurs intenses et fréquents que la figure d'attachement ne parvient pas à calmer. À l'âge préscolaire, avec l'accès au langage, elles sont relayées par une alternance d'opposition et d'agressivité avec une impuissance conduisant l'adulte à intervenir car l'enfant fait celui qui ne peut pas s'en sortir seul. À l'âge scolaire, ces stratégies s'accentuent avec un usage conscient désormais possible, visant à manipuler volontairement l'autre, particulièrement en feignant des émotions qui ne sont pas réelles ou en exagérant grandement celles qui le sont. On observe encore un recours fréquent au mensonge et aux fausses excuses qui leurrent autrui sur les intentions et les affects véritables, ainsi qu'un recours au charme et à la séduction afin d'éviter la punition, réelle ou imaginée.

À l'adolescence, les relations à autrui sont caractérisées par une exagération de tout ce qui est négatif, les critiques, les plaintes. Les relations sont exclusives, empreintes de jalousie, mais aussi de tromperie dans l'anticipation d'être abandonné. La séduction alterne avec la violence par manque de confiance en soi et manque de confiance en l'autre. La protection du groupe est particulièrement recherchée, l'action prime, basée sur l'impulsivité, pouvant aboutir à toutes les dérives des bandes. L'individu rejette sur autrui la responsabilité de ce qui lui arrive, ce qui exacerbe ses sentiments d'impuissance et de colère puisqu'il ne se pense pas en mesure de faire quoi que ce soit pour améliorer durablement sa situation et trouver des solutions constructives. On observe en outre une totale indifférence aux conséquences de ses actes et une confiance excessive en son propre ressenti qui, à l'extrême, conduit à la paranoïa. L'âge adulte est marqué par des situations relationnelles chaotiques, de type agresseur/victime, et un fréquent recours à des substances induisant une dépendance, dans une fuite en avant par rapport à une réalité vécue comme ingérable.

À côté des personnes qui présentent un recours relativement pur aux stratégies soit de type évitant, soit de type anxieux, il en existe bon nombre qui associent ces réactions en fonction des interlocuteurs, selon les circonstances. Face à des situations chaotiques avec forte charge affective, lorsqu'une approche évitante, rationnelle et froide ne convient pas et que se soumettre aux désirs d'autrui et lui faire plaisir en permanence n'est plus tenable, un basculement dans l'agressivité, la manipulation et une vision paranoïaque d'autrui et du monde environnant peut être la solution pour éviter de sombrer dans le désespoir et la dépression. Il s'agit là d'un débordement par des affects qui ne peuvent plus être contenus par les stratégies habituelles de répression, de déplacement et de rationalisation.

La logique de ce mécanisme tend à rendre la démarche inverse improbable, à savoir que des personnes ayant habituellement recours à des stratégies centrées sur l'affect en viennent brutalement à ne s'appuyer que sur leurs ressources cognitives, celles-ci ayant été quasi éradiquées de leur répertoire dès l'origine, comme on l'a vu. Ainsi s'expliquent les brusques sautes d'humeur de certains, si aimables et posés à l'accoutumée, comme on l'a déjà évoqué. Ces sautes d'humeur sont bien souvent dissociées et isolées du reste de la personnalité au point d'en être rapidement et sincèrement oubliées, à la stupeur de l'entourage qui crie à la mauvaise foi. Une telle réaction ne fait qu'alimenter le débordement affectif et la paranoïa de l'intéressé qui ne voit pas du tout pourquoi on lui en veut, l'isolant encore davantage des autres. Systématisées et poussées à l'extrême, de telles stratégies aboutissent à la sociopathie.

Les recherches des Steele

Les recherches et la synthèse présentées ci-dessus sont judicieusement illustrées et complétées par les travaux du couple Steele, qui s'est en particulier intéressé à la transmission intergénérationnelle de l'attachement. Ils ont ainsi montré que le style d'attachement des parents permettait de prédire celui de leur enfant, et ce avant même sa naissance. Ils se sont aussi penchés sur la manière dont s'effectue cette transmission.

À la différence des autres chercheurs présentés dans ce chapitre, Howard et Myriam Steele sont un couple de psychanalystes formés par Joseph Sandler, disciple d'Anna Freud. Celui-ci a développé une démarche théorique et clinique mêlant des éléments de l'approche structurale freudienne classique aux théories de la relation d'objet. Cette seconde approche considère que le développement du psychisme se fait sous l'influence des relations aux proches dont les représentations sont intériorisées, contrairement à l'approche structurale qui donne aux conflits intérieurs le rôle majeur. En 1986, les Steele sont invités à faire une thèse et à poursuivre leur formation à la Hampstead Clinic d'Anna Freud, par Sandler et son épouse qui les ont rencontrés à l'université de Jérusalem. Les recherches de Howard sont supervisées par Joseph Sandler et portent sur le conflit et les mécanismes de défense, alors que Myriam travaille sous la direction de Peter Fonagy à l'étude de la transition vers la parentalité.

Les Steele sont intéressés par la théorie de l'attachement tout à fait compatible avec les conceptions de Sandler, mais ils émettent de sérieuses réserves quant à la validité du classement des enfants en trois catégories, réalisé par Ainsworth, qui leur paraît nier l'individualité de chaque enfant, respectée par les approches plus traditionnelles d'Anna Freud ou de Winnicott. Ils sont cependant particulièrement attirés par les travaux de Main sur la représentation et le lien intergénérationnel, qu'ils décident d'étudier ensemble par une recherche sur de futurs parents, leurs conflits psychiques, leurs angoisses et leurs stratégies défensives issues de leurs expériences infantiles.

Ils se lancent ainsi dans une étude longitudinale pour laquelle ils ont, au départ, la chance de bénéficier du soutien et des conseils de Bowlby lui-même qui, jusqu'à sa mort, a continué à avoir sa place à la Tavistock Clinic. Celui-ci leur conseille en particulier de se rendre en Allemagne auprès des Grossmann, que nous présenterons ensuite, pour se former au codage de la situation étrange. Ils sont alors les premiers à publier, avec Fonagy, des résultats illustrant le lien prospectif entre les réponses à l'AAI de femmes enceintes et l'attachement ultérieur de leur enfant à 1 an, lien qu'ils repèrent aussi séparément au niveau des pères. Il faut en effet préciser que le style d'attachement d'un enfant s'évalue spécifiquement en relation avec une personne, le plus souvent sa mère ou son père, et que le type d'attachement qu'il entretient avec l'un ne préjuge pas de celui qu'il a avec l'autre, il peut être insécure avec sa mère et sécure avec son père, par exemple. On pense qu'au cours du développement, ces représentations différentes se synthétisent ou se hiérarchisent pour aboutir à un seul type d'attachement à l'âge adulte.

Une fois cette transmission du type d'attachement entre parent et enfant établie, attachement évalué avant même que l'enfant ne soit né, il reste à établir ce qui est transmis et de quelle manière. Comment, par exemple, le fait d'être capable de produire un récit cohérent de son expérience passée et de valoriser les relations à autrui conduit à se montrer attentif envers son enfant et à respecter ses besoins. Comme il a été montré qu'un AAI sécure n'est pas lié à l'intelligence, les Steele se sont demandé si cela pouvait être lié à l'humeur des personnes interrogées. Ils ont découvert qu'il n'existait pas de relation entre l'humeur des personnes avant l'entretien et le résultat de celui-ci, mais ont constaté en revanche qu'il y en avait une avec l'humeur enregistrée à la suite de la conversation sur l'attachement.

Ainsi, les sécures qui évoquent leur passé de manière cohérente, même s'il s'agit d'expériences désagréables et frustrantes, se sentent bien après l'entretien, illustrant le fait que pouvoir réfléchir et discuter ouvertement de la manière dont on a été capable de surmonter ses difficultés est source de bien-être. À l'inverse, ceux qui fournissent des entretiens détachés (évitants), rapportant des expériences positives mais qui manquent de crédibilité, ou au contraire excessivement et uniquement négatives, assorties d'une absence d'implication émotionnelle, se montrent épuisés et de mauvaise humeur après l'entretien. Leur recours massif à des stratégies défensives telles que le déni, l'isolation des affects, la projection et l'intellectualisation les conduit à un profond stress émotionnel dont ils sont incapables de retracer l'origine. Ils ont été contraints de réfléchir et de parler de choses qu'ils fuient habituellement, car ils ne savent pas y faire face et réguler les émotions qui en résultent, d'où un malaise profond. Quant aux anxieux-ambivalents, ils ont eux recours à des stratégies, soit d'escalade des affects négatifs, soit de désespoir muet. Pour différentes qu'elles soient de celles des évitants, ces stratégies défensives aboutissent au même résultat négatif sur leur humeur, par l'accent porté sur tout ce qui leur est arrivé de négatif et leur impuissance à s'en sortir.

Il n'en demeure pas moins que cet entretien dure à peu près une heure, et qu'il ne dit rien directement des relations réelles entretenues par le parent avec son enfant actuel. La suite de l'étude, et des mesures effectuées auprès des enfants à l'âge de 6 ans par l'intermédiaire d'histoires à compléter, a révélé que l'exercice de l'autorité en situation de conflit, par la pose de limites claires énoncées verbalement, constitue la caractéristique principale des mères dont l'AAI est sécure avant la naissance de leur enfant. Les enfants de mères sécures résolvent ainsi leurs problèmes relationnels et émotionnels en faisant appel à elles en tant que figures d'autorité, alors que les mères insécures ne sont pas dépeintes comme telles par leurs enfants.

Cet impact positif de l'autorité dans l'éducation n'a guère attiré l'attention des chercheurs sur l'attachement, ou seulement récemment, alors qu'il est pourtant largement établi dans la littérature sur l'éducation et la socialisation des enfants. Sont ainsi généralement distingués trois styles éducatifs, le premier qui s'appuie sur l'autorité et fixe des limites, mais en se préoccupant des besoins de l'enfant et en sachant négocier, le deuxième qui s'appuie aussi sur l'autorité, mais une autorité de principe, indiscutable et sans appel, alors que le troisième refuse cette autorité, laissant l'enfant se débrouiller en fixant des limites floues, voire inexistantes.

Les parents sécures ont ainsi tendance à se montrer fermes et sûrs d'eux, tout en étant attentifs à leurs enfants, et ils ne se laissent ni manipuler ni contraindre, s'érigeant alors en guides fiables et stables. C'est une autre forme de sécurité psychique et affective, qui permet de faire face à la frustration et de contrôler l'impulsivité, conduisant à une socialisation plus épanouie de l'enfant, mieux apprécié en retour. C'est ce que l'on peut appeler un cercle vertueux, où chacun sort gagnant, à court comme à long terme.

Une autre des découvertes de l'étude longitudinale des Steele concerne la capacité des enfants à comprendre les émotions contradictoires ou leur variation possible au sein d'une même situation. Les recherches classiques sur le sujet montrent que cette compétence s'acquiert assez tardivement, guère avant 11 ans. Or, 40 % des enfants de 6 ans interrogés par eux se sont montrés capables de ce type de subtilité, et ils se classaient plutôt parmi les sécures à 1 an, ou parmi ceux dont la mère avait un AAI sécure avant leur naissance. Les Steele en ont conclu que cet AAI, ainsi que la situation étrange, constituent deux manières d'évaluer un type relationnel caractérisé par des conversations ouvertes et flexibles entre parent et enfant sur les émotions des uns et des autres, dès les premières années de l'enfant.

Ce lien est particulièrement net en ce qui concerne les mères, et s'est trouvé corroboré par des évaluations avec les mêmes outils à 11 ans, ainsi que par d'autres portant sur les compétences sociales, la reconnaissance des émotions d'autrui et la capacité de proposer des solutions constructives. Ainsi, c'est l'AAI des mères avant la naissance qui permet de prédire le mieux le ressenti et les réactions de ces pré-ados en cas de conflit, avec leurs pairs ou leurs frères et sœurs par exemple.

Cependant, le rôle des pères et l'influence de leur type d'attachement sur l'attitude de leur enfant se font aussi sentir sur ces compétences sociales, plus spécifiquement sur les capacités de négociation et la créativité des solutions trouvées aux conflits, lorsqu'il s'agit d'autrui. Les mères auraient ainsi plutôt une influence sur la perception et la compréhension de soi-même dans les situations émotionnelles, alors que l'influence des pères s'exercerait plus nettement sur les compétences à gérer les conflits relationnels externes. Cela étant, une telle dichotomie est un peu artificielle, en dehors des résultats statistiques de cette étude, car pour être capable de gérer correctement ses conflits avec autrui, il faut être capable de gérer ses propres affects, et l'influence de chacun des parents pour ce faire est difficile à distinguer dans la réalité, sachant qu'il existe aussi l'influence de leurs relations de couple, que nous évoquerons plus loin.

Par ailleurs, l'étude a révélé un lien unique chez les garçons lorsqu'on leur demande de parler d'eux-mêmes ou de leurs relations à leur famille et à leurs meilleurs amis. Ainsi, les garçons qui fournissent des réponses cohérentes et convaincantes d'authenticité, avec des visions aussi bien positives que négatives d'eux-mêmes et d'autrui, ont certes des mères à l'AAI sécure avant la naissance, mais l'aspect sécure de l'AAI de leur père joue aussi un rôle majeur. Les auteurs interprètent cette différence comme liée à l'importance du père comme modèle masculin dans la construction de l'identité des garçons, alors que les filles s'appuient plutôt sur leur mère pour se définir et comprendre leurs propres réactions.

Ils ont également découvert que les enfants qui, à cet âge, présentent des troubles de conduite, de l'hyperactivité ou des difficultés relationnelles avec leurs camarades, ont des pères dont l'AAI a été jugé insécure, dès avant leur naissance. Ils ont aussi pu établir un lien entre ces situations compliquées pour l'enfant, et la qualité de la relation de couple évaluée par leurs mères alors qu'elles étaient enceintes. Cela semble indiquer l'impact des relations de couple sur les représentations de l'enfant, et en particulier sur sa capacité à gérer ses émotions et les conflits avec autrui. Là, ce sont les interactions entre adultes qui servent de modèle, interactions souvent négligées dans les recherches sur l'attachement, malgré ce que Bowlby a pu écrire sur la violence dans les familles.

Les Steele se sont aussi intéressés aux cas de ces parents d'enfants sécures qui, bien qu'ayant des AAI sécures, ont souffert de traumatismes et de séparations dans leur enfance, se demandant comment on se relevait de ce type d'expériences. Ils se sont alors rendu compte que ce qui caractérise ces entretiens est la manière dont ces personnes utilisent le langage pour donner un sens à leur expérience. Elles se montrent capables d'attribuer des croyances et des motivations à leurs figures d'attachement pour des actes qu'elles ne comprenaient pas, enfants, et qui les menaçaient, leur trouvant aujourd'hui une signification rendant éventuellement le pardon possible. Elles parviennent à se mettre à la place de leurs parents maltraitants ou maladroits, ce qui, sans pour autant forcément les excuser, leur permet d'échapper elles-mêmes au poids de la culpabilité, de la colère et de l'impuissance, qu'elles ne transmettent donc pas à leurs propres enfants.

Les Steele en concluent même que ce type d'expériences négatives peut être un avantage pour ces personnes sécures, par rapport à d'autres qui ont eu une enfance sans nuages. S'appuyant sur la constatation que certaines mères à l'AAI sécure se montrent incapables de transmettre cette sécurité à leur enfant, ils en viennent à penser que d'avoir eu la possibilité, voire la nécessité, de réfléchir à ce qui est arrivé de négatif dans l'enfance forge une compétence extrêmement utile en cas de coup dur par la suite. Cela rend davantage à même de faire face aux difficultés que peut représenter la maternité, par exemple, et confère une force et une confiance en ses capacités, dont ne bénéficient pas celles qui ont été trop protégées, qui n'imaginent pas que les choses puissent mal se passer et que les autres puissent se montrer hostiles.

Une telle conclusion présuppose que les mères dont l'AAI a été jugé sécure, mais dont les bébés montrent un attachement insécure, ont bien été correctement évaluées, et ignore le fait qu'elles puissent avoir une forme particulière d'attachement évitant non repéré en tant que tel, ce qui rendrait la suite plus logique. Cela ne dit rien non plus pour l'instant de la manière dont les personnes à l'enfance difficile ont été à même de trouver un sens à ce qui leur arrivait, contrairement à celles qui, ayant vécu le même genre de situation, sont devenues insécures et le sont restées. Cette catégorie spécifique d'attachement sécure, appelée « sécure acquis » (*earned secure*) force l'admiration des chercheurs, qui semblent cependant avoir quelques difficultés à en retracer l'origine.

On peut alors se tourner vers les explications de la psychanalyste Alice Miller[1] qui, bien que ne se réclamant pas de la théorie de l'attachement, s'est beaucoup intéressée aux conséquences de la maltraitance infantile à l'âge adulte. Celle-ci évoque la présence d'un « témoin bienveillant » qui, dans le cas de ceux qui s'en sortent en étant capables de donner un sens à leur histoire, a été à l'origine de la validation de l'expérience de l'enfant. Il s'agit d'un proche, d'un ami de l'enfant, adulte le plus souvent, d'un enseignant par exemple, auquel l'enfant a la possibilité de raconter ce qui lui arrive, et qui l'écoute sans le juger, prenant ses souffrances au sérieux, et lui apportant soutien et réconfort, même s'il ne peut rien faire directement pour que la situation cesse.

Il peut s'agir de l'autre parent, qui tente éventuellement de s'interposer, mais qui dans tous les cas n'approuve pas l'attitude de son conjoint, et le dit à l'enfant. Celui-ci sait alors qu'il ressent bien ce qu'il ressent, qu'il n'est pas en train d'imaginer qu'on lui fait du mal ou qu'on ne le respecte pas, il peut mettre des mots sur ce qui lui arrive, évitant de sombrer dans l'impuissance et le désespoir, et de se dire que tout est sa faute. On retrouve là les caractéristiques de la fonction réflexive, avec cette capacité à analyser autant son propre ressenti que les réactions émotionnelles d'autrui.

Cette capacité à percevoir clairement ce qui se passe, et à pouvoir prédire ce qui va arriver, est repérable dès l'âge de 5 ans chez les enfants sécures, qui savent deviner correcte-

1. *La Souffrance muette de l'enfant*, Aubier, 1990.

ment ce que ressent une marionnette que l'on a trompée en lui fournissant de fausses informations. Ces enfants se montrent donc très perspicaces en ce qui concerne les émotions d'autrui, ce qui semble signaler que leurs parents ne leur mentent pas sur leur propre ressenti, une des caractéristiques d'authenticité d'une relation sécure. En revanche, ce qui est plus étonnant, c'est que cette même compétence se retrouve chez des enfants dont l'attachement a été jugé désorienté/désorganisé à 1 an. Rappelons qu'il a été montré que cette désorganisation des comportements d'attachement est liée aux réactions effrayantes ou effrayées de la mère qui, au lieu de rassurer son enfant lorsqu'il fait appel à elle, ne lui communique que de la peur.

Cet extrême opposé d'un attachement sécure apprend cependant, lui aussi, à l'enfant à se focaliser sur les émotions d'autrui, mais cette fois pour lui permettre de préparer sa propre réaction visant à tenter de mettre fin au danger. Ces réactions d'apaisement, qui peuvent être de plusieurs types selon ce qui s'est avéré efficace par le passé, sont sans doute à l'origine du classement secondaire possible des comportements d'attachement de ces enfants en sécure, évitant ou anxieux. C'est aussi ce qui a conduit d'autres chercheurs à conclure que loin d'être réellement désorganisés, ces comportements d'arrêt sur image repérés pendant la situation étrange sont en fait ce qui permet à l'enfant d'observer le parent, de jauger son état sans en avoir l'air, afin de savoir quoi faire ensuite : se rapprocher, se montrer conciliant ou hostile, ou fuir toute interaction, pour éviter que cela ne dégénère. Il s'agit typiquement d'un renversement de rôles, où c'est l'enfant qui développe sa sensibilité au parent, afin de gérer les états affectifs de l'adulte. C'est lui qui prend le contrôle de la situation, et l'on retrouve là les observations de Main sur l'évolution de ce type d'attachement.

Les recherches des Grossmann

Karin et Klaus Grossmann ont décidé très tôt de dupliquer les recherches de Mary Ainsworth et d'essayer d'en étendre les conclusions dans le temps, avec des familles allemandes de classes moyennes suivies pendant plus de vingt ans sur deux sites, à Bielefeld et à Ratisbonne (Regensburg). Ces deux études longitudinales leur ont permis de montrer que les pensées et les sentiments des jeunes adultes vis-à-vis de leur partenaire amoureux sont fortement influencés par le type de relations qu'ils ont entretenu avec leur mère comme avec leur père, tout au long de l'enfance et de l'adolescence.

Au début des années 1960, Klaus se rend aux États-Unis pour poursuivre ses études dans le champ behavioriste dominant, qui le conduit à devenir un spécialiste de l'étude des rats et de leur course dans les labyrinthes. Parallèlement, sa jeune épouse entreprend des études de mathématiques. La théorie du conditionnement commence à être battue en brèche, à la fois par certains résultats expérimentaux et par les démonstrations de Lorenz et de son collègue Tinbergen. Ainsi, pour sa thèse, Klaus montre que, confrontés à une même situation, où des lapins et des chats doivent appuyer sur un levier pour obtenir de la nourriture qui leur est fournie à quelque distance de là, les deux catégories d'animaux réagissent de manière très différente. Les chats se montrent très réticents à quitter des yeux leur pitance pour retourner appuyer sur le levier et ils reviennent ventre à terre, alors que les lapins font l'aller-retour à la même vitesse, comme si les premiers étaient mus par un mécanisme inné les empêchant de quitter leur proie des yeux de crainte qu'elle ne s'échappe, alors que les seconds n'ont jamais été menacés de perdre leur herbe qui ne risque pas de partir en courant. Il faut préciser que les chats en question avaient toujours été nourris de croquettes qui, elles non plus, n'étaient pas susceptibles de prendre la fuite, donc il ne pouvait s'agir chez eux d'un apprentissage.

Puis, le couple rentre en Allemagne où Klaus trouve un emploi dans un laboratoire universitaire de zoologie où il se forme à l'éthologie. Karin, quant à elle, change d'orientation pour s'intéresser à la psychologie et aux comportements d'adaptation. Tous deux ont l'occasion de travailler avec Lorenz, qui les initie à l'observation minutieuse des comportements. Karin se voit également confier la tâche de rassembler des articles sur le développement social en éthologie qui lui fait connaître les travaux de Bowlby et d'Ainsworth, en marge des investigations éthologiques habituelles. Au début des années 1970, les Grossmann disposent d'un laboratoire à l'université de Bielefeld, où ils sont libres de choisir leur champ de recherche. Ils préfèrent alors se consacrer à l'étude des enfants qu'à celle des animaux, et décident de retourner aux États-Unis se former auprès d'Ainsworth, la perspective d'observation et d'expérimentation de celle-ci leur rappelant directement celle de Lorenz. Ils rencontrent aussi Mary Main et Inge Bretherton, alors étudiantes d'Ainsworth, qui viendront ultérieurement travailler quelque temps chez eux en Allemagne, sachant que leur collaboration avec

Ainsworth restera aussi très active. Ils seront encore en contact direct avec Bowlby, qui suivra avec attention la progression de leurs travaux.

Lorsqu'ils se lancent dans leur propre étude, l'objectif premier est de dupliquer les résultats d'Ainsworth obtenus avec des familles américaines, pour tester leur solidité interculturelle. Ils s'appuient donc sur de nombreuses heures d'observation au foyer des jeunes enfants, ainsi que sur des entretiens avec les parents. Puis, au fur et à mesure que les enfants grandissent, ils en viennent à créer leurs propres méthodes d'évaluation des interactions parent/enfant, s'intéressant aussi au rôle des pères, aux relations avec les frères et sœurs et avec les amis. Ils portent attention à la manière dont les enfants parlent de leur expérience, et observent encore comment ils s'adaptent dans des situations stressantes à forte charge émotionnelle, cherchant à vérifier si l'expérience du soutien ou du rejet des figures d'attachement a un impact sur ces stratégies et les récits qui sont produits.

Spécifiquement, leur recherche a pour objectif de répondre à la question fondamentale de la théorie de l'attachement, à savoir, comment se développe la capacité à former des liens affectifs, développement censé être en relation directe avec la qualité des interactions précoces mère/enfant. Trois mécanismes sont pressentis pour expliquer cette influence qui perdure au fil des années.

Le premier concerne les schémas d'attachement et de communication précoces, qui sont conçus comme organisant les perceptions, les pensées, les émotions et les comportements ultérieurs de l'enfant puis de l'adulte, en particulier en cas de stress. Une stratégie saine consiste, dans ces circonstances, à exprimer ses émotions et à rechercher le soutien et l'aide d'autrui.

Le deuxième mécanisme se rapporte aux représentations élaborées par rapport aux relations intimes, et qui viennent affecter la capacité à se lier à autrui. Ces représentations sont des abstractions construites à partir des expériences réelles vécues avec les parents, et elles conduisent à s'attendre à être accepté et aimé ou non, et à pouvoir compter ou non sur autrui. Comme on l'a déjà vu, elles sont à la base autant de la confiance en soi que de la confiance en autrui.

Le troisième mécanisme implique le respect par les parents autant des besoins d'attachement de l'enfant que de ses besoins d'exploration, car c'est cette capacité à explorer sans entrave et sans peurs inutiles qui permet d'entrer en contact avec de nouvelles personnes, de se faire des copains, des amis et d'entretenir plus tard des relations amoureuses équilibrées. Cette capacité d'exploration tant physique que psychique permet aussi d'affronter de nouvelles situations, de s'adapter et de mettre à jour ses schémas relationnels lors de nouvelles rencontres. Sinon, on reste prisonnier d'une ancienne réalité, et d'anciens modes de perception et de réaction qui ne sont plus nécessairement appropriés.

Les résultats des deux études vérifient globalement ces hypothèses, et permettent de détailler les modalités selon lesquelles les relations réelles aux parents prédisent les représentations des jeunes adultes par rapport à leurs relations de couple. Ainsi, une représentation sécure, évaluée de manière générale par l'AAI ou de manière spécifique par rapport au partenaire actuel à l'âge de 22 ans, peut être déduite des stratégies utilisées pendant l'enfance et l'adolescence lors de situations difficiles. Ces stratégies consistent à communiquer ses émotions et ses envies en cas de détresse, à rechercher activement l'aide d'autrui, à savoir gérer ses émotions dans les conflits relationnels, à accorder de l'importance aux liens affectifs et à avoir un discours cohérent sur ce qui se rapporte à l'attachement. Les résultats montrent que la capacité à aborder les relations affectives autant de son point de vue que de celui d'autrui est une compétence acquise par la pratique au sein de la famille. Lorsque ce n'a pas été le cas, cette compétence à se servir de la relation comme base de soutien et de réconfort n'émerge pas spontanément, même si le ou la partenaire fonctionne sans difficulté en ce sens. Cela rend les relations partenaires secure/insécure problématiques, comme le précisent les résultats des recherches de Crowell et Waters, que nous détaillerons plus loin, et diminue d'autant les probabilités de voir évoluer les schémas insécures vers davantage de sécurité, sans intervention thérapeutique appropriée.

Par ailleurs, l'influence paternelle, tout autant que maternelle, s'avère déterminante pour l'élaboration des schémas relationnels et ce, au cours de l'enfance et de l'adolescence et pas seulement dans les premiers mois de la vie. Accepter l'enfant, le soutenir, être à son écoute et lui fournir des expériences stimulantes adaptées sont les caractéristiques du comportement de chacun des parents, meilleures garantes d'une représentation harmonieuse de soi et d'autrui à l'âge adulte. L'importance de la qualité du jeu, avec chacun des parents pendant les trois premières années de l'enfant, se révèle ainsi fondamentale dans ce domaine.

L'adulte se doit de respecter les besoins d'exploration de l'enfant, lui apprendre à coopérer, tout en lui permettant de trouver seul des solutions à sa portée. Il est là pour guider, soutenir et faire progresser l'enfant dans ses apprentissages, et non pour le soumettre à des situations qui le dépassent ou pour lui imposer des solutions toutes faites. Une fois encore, il s'agit pour le parent de se centrer sur l'enfant, de jouer avec lui, et non d'en faire son jouet. Et il est important que chacun des parents se prête au jeu, car ils ne le feront pas de la même manière, élargissant ainsi le répertoire relationnel de l'enfant, en évitant un déséquilibre entre les sexes. Les paroles accompagnant les activités ludiques, les encouragements, les félicitations, les conseils, semblent aussi avoir un impact ultérieur sur la capacité à concevoir clairement la qualité de ses relations à autrui.

Une des spécificités des résultats de ces études est qu'elles ne retrouvent pas le lien entre les évaluations lors de la situation étrange et les représentations d'attachement vingt ans plus tard, contrairement aux autres recherches du même type. Ce qui peut paraître comme un défaut inquiétant pour la validité des travaux menés ici vient en fait corroborer les conceptions de Bowlby, qui a toujours insisté sur les effets à long terme d'une approche globale de l'enfant par le parent, de l'état affectif de ce dernier dans toutes sortes de situations, et pas uniquement de ce qui se passe en cas de séparation, qui n'est qu'un exemple parmi d'autres des interactions parent/enfant. On en retient aussi que certains parents, et en particulier certaines mères, qui présentent des difficultés dans leurs relations à leur bébé dans les premiers mois, peuvent se montrer beaucoup plus à l'aise avec leur enfant quand il grandit. Elles deviennent plus sensibles à ses besoins relationnels, peut-être aidées par l'apparition du langage qui leur facilite la communication. Le comportement des pères évolue aussi souvent, plus intéressés et sachant mieux s'y prendre avec un enfant dont les compétences motrices et cognitives se sont développées par rapport à un tout-petit.

Cela étant, il apparaît globalement qu'un comportement attentif et chaleureux (ou son contraire) manifesté par les parents pendant les trois premières années a toutes les chances, sauf accident de la vie, de se retrouver dans les situations relationnelles ultérieures, ce qui permet de comprendre comment les schémas se renforcent et se stabilisent chez l'enfant. Les schémas de coopération, d'entraide et d'écoute mutuelle, qui se repèrent déjà dans les activités ludiques à 3 ans, même lors d'une unique séance de dix minutes, se retrouvent à l'adolescence lorsque parents et enfant sont confrontés à une tâche de résolution de problèmes comme prévoir ensemble de prochaines vacances. Ce sont des compétences relationnelles du même ordre qui entrent en jeu dans l'interaction, seule la complexité de la tâche change, adaptée à l'évolution des capacités cognitives de l'adolescent. Ce sont ces mêmes compétences relationnelles qui sont mobilisées au sein des relations de couple, et ce qui émerge clairement de ces études, c'est que ces compétences relationnelles concrètes peuvent être déduites des représentations abstraites évaluées par des entretiens comme l'AAI qui, rappelons-le, se préoccupe de la forme plus que du contenu des propos.

Ainsi, Crowell et Waters ont montré que chez des jeunes adultes sécures avant le mariage, les deux tiers environ ont une conception sécure de leur partenaire. En ce qui concerne le tiers restant, ceux qui ont une représentation sécure de leur enfance, mais insécure de leur relation actuelle, près de la moitié d'entre eux rompent avant le mariage ou peu de temps après. Ces chiffres illustrent à quel point il est difficile pour une personne ayant eu l'habitude d'être écoutée, comprise et soutenue de demeurer avec un partenaire qu'elle n'estime pas sécurisant. La « force de l'amour », comme on dit, ne suffit pas à l'emporter, car elle se heurte au quotidien de la gestion des problèmes traduisant dans les actes les représentations relationnelles héritées de l'enfance. Celles-ci voient les partenaires à l'attachement insécure par rapport à l'enfance se montrer réellement peu à l'écoute, insensibles, agressifs, distants dans leurs relations à leur conjoint après six ans de mariage.

En ce qui concerne les personnes à l'attachement insécure par rapport à leurs parents, près des deux tiers d'entre elles ont aussi une représentation insécure de leur partenaire. De telles représentations sont pourtant loin de prédire une rupture des relations, même si celles-ci s'avèrent chaotiques au quotidien. En effet, les partenaires insécures s'attendent à ce que les choses dégénèrent entre eux et que leurs besoins ne soient pas satisfaits, exactement comme ils ne l'ont pas été au sein de leur famille d'origine. Ils sont dans des schémas relationnels habituels qu'ils n'ont pas besoin de remettre en question, ce qui leur assure un certain confort. Cet équilibre intérieur se trouve notablement perturbé lorsqu'ils sont confrontés à des personnes à l'attachement sécure, dont les réactions, pour attirantes qu'elles soient, les déstabilisent et les effraient. C'est pour eux un inconnu auquel ils n'ont pas été préparés à s'adapter par la rigidité de leurs mécanismes relationnels. Cette dernière finit généralement par l'emporter en venant à bout de la relation, fortement menacée à chaque situation de stress. Ainsi peut encore s'expliquer que les relations partenaire secure/insécure ne durent pas et qu'à peine 15 % des personnes interrogées par Crowell et Waters ont un attachement insécure à leurs parents, mais sécure à leur partenaire actuel. Tous ces chiffres vérifient globalement l'adage « qui se ressemble s'assemble », et illustrent l'importance de l'attachement aux parents dans l'enfance, dans la prédiction des caractéristiques de l'attachement à un partenaire adulte.

Il apparaît dès lors que le débat qui oppose certains spécialistes de l'attachement adulte sonne creux ; débat qui concerne l'aspect purement relationnel de l'attachement opposé à sa cristallisation en composantes de personnalité. En effet, en dehors du champ de la psychologie du développement auquel appartiennent les recherches que nous avons présentées jusqu'ici, il existe un autre champ d'investigation qui ne s'intéresse qu'à l'attachement chez les adultes, sans évaluation directe de ce qui s'est passé dans l'enfance des participants aux études. Parmi les chercheurs de ce champ, certains soutiennent que l'attachement est exclusivement relationnel et qu'il n'y a donc aucun sens à l'évaluer en dehors d'une relation spécifique à un partenaire actuel. D'autres, au contraire, s'efforcent de montrer que les composantes d'attachement deviennent avec le temps des caractéristiques de personnalité, qui conditionnent bon nombre de réactions de la vie courante à l'âge adulte, en dehors des relations particulières à un partenaire amoureux.

Nous allons maintenant nous tourner vers les recherches de cette seconde perspective, que semblent déjà accréditer les résultats que nous avons présentés jusqu'ici. Pour conclure sur ces derniers, l'approche pluridisciplinaire que favorisait Bowlby semble avoir porté ses fruits, par l'inventivité de chercheurs de diverses formations, dont les outils d'évaluation ont permis de traduire ses hypothèses dans la réalité. Ainsi, Ainsworth, ses étudiantes, Main, Bretherton, et de nombreux autres qui ont rejoint l'aventure, ont fait considérablement progresser la recherche sur l'attachement, tant au niveau théorique que pratique. Par ailleurs, l'éthologie et ses méthodes d'observation et de codage minutieux a prouvé son utilité, au-delà du seul fait d'avoir fourni à Bowlby des concepts pour étayer sa réflexion.

Il est dommage que de nos jours, cette multiplicité de perspectives ne soit plus guère de mise dans les études sur l'attachement, qui voient se déchirer plusieurs écoles, en particulier dans le domaine de l'attachement adulte. Contrairement à ce qui s'est passé du temps de Bowlby qui a, lui aussi, rencontré des contradicteurs farouches comme nous l'avons vu, les opposants ne viennent pas de perspectives théoriques différentes. Ils se prévalent tous de la théorie de l'attachement, mais qu'ils ne semblent pas lire de la même façon, pas plus que les résultats concrets qui en émergent. Leurs propres mécanismes d'attachement les conduiraient-ils à une certaine partialité, et à un manque de flexibilité dans l'exploration intellectuelle ? La question peut se poser.

4

L'attachement chez l'adulte : psychologie sociale et théorie de la personnalité

Les études de Shaver et Mikulincer[1]

L'Américain Phillip R. Shaver et l'Israélien Mario Mikulincer dominent la recherche sur l'attachement adulte ces dernières années, par nombre de travaux souvent conjoints, qui permettent d'avoir une meilleure image du fonctionnement des personnes selon leurs caractéristiques d'attachement héritées de l'enfance. Après un détour par les modes d'évaluation de l'attachement adulte dans ce nouveau champ de recherche, nous présenterons certains de leurs travaux sur le couple, ainsi que sur la régulation émotionnelle, et l'image de soi et d'autrui, éléments fondamentaux des implications de l'attachement, selon Bowlby.

---

1. Ce chapitre est inspiré de l'ouvrage Mikulincer, M. et Shaver, P. R. (2007). *Attachment in adulthood : Structure, dynamics, and change*, ainsi que des travaux consultés dans le cadre de ma thèse Wiart, Y. (2009). *Personnalité, stress, émotion et santé, cinq échelles revisitées : l'attachement constitue-t-il une variable sous-jacente permettant de catégoriser les sujets adultes ?*

Évaluation des styles d'attachement chez l'adulte

Contrairement à la tradition de psychologie développementale dont nous avons vu les travaux jusqu'à présent, ici l'attachement n'est pas évalué par entretiens se rapportant au passé familial de la personne, mais par questionnaires. Il en existe plusieurs actuellement, mais qui sont tous plus ou moins issus d'un questionnaire d'origine inventé par Shaver en 1985. Celui-ci travaillait sur la solitude, les relations amoureuses et leur évolution, et il s'est demandé si la théorie de l'attachement ne lui permettrait pas de trouver des réponses nouvelles par rapport à ces questions. Il a eu l'idée d'adapter à des adultes les descriptions des comportements d'attachement des trois principales catégories d'Ainsworth, isolées chez les bébés. Il a inséré ces paragraphes dans un questionnaire plus général sur les relations amoureuses qu'il a fait paraître dans un journal local. Cette démarche originale a eu un succès inattendu, car les résultats se sont avérés immédiatement probants par rapport aux hypothèses.

Ainsi, il a pu montrer que les personnes qui se reconnaissent comme sécures, à savoir qui n'ont pas peur de l'intimité, qui acceptent facilement de compter sur autrui et qu'autrui compte sur eux, et qui ne se préoccupent pas d'être abandonnées ou au contraire que l'on soit trop proche d'elles, sont par ailleurs celles qui qualifient leur relation amoureuse de particulièrement heureuse, fondée sur la confiance et la réciprocité. Elles déclarent accepter leurs partenaires avec ses qualités et ses défauts, et lui apporter le soutien dont il a besoin. Elles croient en l'amour, même si elles reconnaissent qu'il peut y avoir des hauts et des bas dans une relation. Leurs couples durent en moyenne deux fois plus longtemps que ceux dont l'attachement est insécure, dix ans contre moins de cinq ans pour les anxieux et six ans pour les évitants. Sur une population dont la moyenne d'âge est de 36 ans, seuls 6 % des sécures ont déjà divorcé, contre 10 % chez les anxieux et 12 % chez les évitants.

Les évitants, eux, se caractérisent par la peur de l'intimité, la jalousie et une vie émotionnelle chaotique, reconnaissant rarement avoir une expérience positive de l'amour. Ils ne croient pas au coup de foudre, à l'amour romantique et aux relations durables. Quant aux personnes à l'attachement anxieux, leurs relations sont aussi marquées par la jalousie et un certain chaos affectif, associé à une préoccupation obsessionnelle, un intense désir d'union et de réciprocité, ainsi qu'une très forte attirance sexuelle. Elles affirment tomber souvent amoureuses, mais trouver rarement le véritable amour qu'elles recherchent.

En ce qui concerne leur enfance, les résultats ne montrent pas de différence entre les trois groupes au niveau de séparations prolongées, ni même du divorce des parents. Par contre, la qualité de la relation à leurs parents et de leurs parents entre eux est un facteur déterminant. Les personnes sécures décrivent ces relations comme chaleureuses, avec des parents qui s'entendent bien, une mère qui se montre attentive, respectueuse, responsable, ni intrusive ni trop exigeante et un père affectueux avec un grand sens de l'humour. Les personnes insécures s'inscrivent globalement en faux par rapport à cette description, avec comme différences supplémentaires, les évitants qui décrivent leurs mères comme froides et rejetantes, et les anxieux qui perçoivent leurs pères comme injustes.

Ces premiers résultats, qui marquent le début d'une très longue série de recherches sur le sujet, sont, selon les auteurs, tout à fait compatibles avec ceux obtenus par Ainsworth sur les bébés. Les rapprochements de descriptions entre les trois catégories sont en effet troublants. On remarque cependant qu'ici, ce sont les évitants qui déclarent avoir des mères froides et rejetantes, alors que l'AAI et les observations précoces au domicile familial ont révélé que les mères des évitants sont plutôt intrusives, et que ce sont celles des anxieux qui se montrent distantes et inattentives.

Ce type de décalage est, entre autres, à l'origine d'une série de querelles et de malentendus entre partisans de l'AAI et des questionnaires, sur la fiabilité des différents outils et ce qu'ils mesurent exactement pour l'attachement adulte. Une solution simple consisterait à évaluer les mêmes personnes avec les deux types d'outils, mais cela a rarement été tenté jusqu'ici. Lorsque cela a été fait, le manque de clarté des résultats a été tel qu'il semble que chacun ait préféré se retrancher dans son camp, plutôt que de chercher à améliorer conjointement la mesure. En outre, des dissensions se font jour aussi, au sein même de la recherche en psychologie sociale sur l'attachement, entre un modèle en trois catégories présenté ici, et un modèle en quatre catégories qui serait peut-être plus compatible avec les résultats de l'AAI. Nous ne l'évoquerons pas en détail pour éviter de compliquer davantage les choses, car ces quatre catégories ne correspondent pas non plus exactement à celles de Main. Des ponts peuvent être établis entre les différentes mesures comme l'a montré mon travail de thèse, mais cela ne semble pas être actuellement le souci principal des chercheurs. On aura aussi remarqué, pour simplifier le débat, que les catégories d'attachement elles-mêmes ne portent pas le même nom selon la tradition dans laquelle elles sont mesurées, tout spécialement pour les insécures anxieux, diversement appelés ambivalents ou encore préoccupés.

En tout cas, pour l'instant, la solution retenue par les chercheurs en psychologie sociale consiste à transformer l'attachement en variables dimensionnelles, où l'on attribue deux scores aux individus, un score d'anxiété et un score d'évitement, en renonçant à classer une personne donnée dans une catégorie nette plutôt que dans une autre. Les résultats des études qui sont présentés ci-après ont été obtenus selon ce principe. Ainsi, les individus sécures sont ceux qui ont des scores faibles en anxiété et en évitement, les individus à l'attachement anxieux et évitant ont des notes fortes respectivement en anxiété et en évitement par rapport à l'attachement. D'autres évaluations sont ensuite faites sur divers aspects de la personnalité et des réactions des volontaires, et ces différentes mesures sont corrélées entre elles pour voir si on peut établir un lien et tirer des conclusions pertinentes. Bien que les résultats soient livrés avec des appellations par catégorie, il s'agit ici d'une appartenance relative, et non absolue comme dans le cas de l'AAI et des recherches en psychologie du développement qui se centrent plus spécifiquement sur l'individu.

Cela étant, malgré ces incertitudes liées à la mesure et les diverses techniques utilisées, les résultats sont d'une grande cohérence au sein du champ de la psychologie sociale s'intéressant à l'attachement adulte, et plus spécifiquement aux relations de couple d'un côté et aux caractéristiques de personnalité de l'autre. C'est ce que nous allons voir dans un premier temps avec la synthèse des résultats des nombreuses études sur les couples, et dans un second temps avec une présentation détaillée de ce qui a été repéré au niveau de la personnalité et des réactions affectives, en fonction de l'appartenance aux différents types d'attachement.

Types d'attachement adulte et perception de la relation amoureuse

Comme on l'a déjà évoqué, les adultes sécures n'ont aucune difficulté à devenir intimes et à faire confiance à leurs partenaires. Ils pensent que l'amour existe et qu'il peut être durable. Ils ont globalement confiance en eux-mêmes et en autrui, ce qui leur permet d'anticiper une issue positive y compris en cas de conflit dans le couple, et de tout mettre en œuvre pour y parvenir.

En situation de stress ou de difficulté hors de la relation, leur première idée est d'avoir recours à leur conjoint, tant pour un soutien affectif que pour des conseils. Ils définissent la relation amoureuse comme étant avant tout un lieu de partage, de confiance et de réciprocité. Ils ont besoin de se voir rassurés et soutenus dans la relation pour se sentir en sécurité, ce qui requiert que leur conjoint se montre disponible et compétent en la matière.

Ils sont capables de reconnaître et d'exprimer les affects négatifs engendrés par la relation, et ils ont à cœur de remédier à la situation qui les a fait naître, par la discussion et la négociation avec leur conjoint. Globalement, ils rapportent plus d'émotions positives et une plus grande satisfaction par rapport à la relation que les attachements insécures.

Ils reconnaissent leur attachement et leur besoin de l'autre, toujours dans la réciprocité et le respect de chacun. Cette réciprocité se retrouve dans leur mode conversationnel où ils prennent autant de plaisir à se livrer qu'à écouter l'autre, l'important étant de partager un maximum de choses, dans l'appréciation et la compréhension mutuelles.

À l'inverse, les personnes ambivalentes (anxieuses) ont des demandes affectives démesurées qui les conduisent à vivre leurs relations intimes comme frustrantes et génératrices d'inquiétude. Leur peur d'être abandonnées les mène à douter de la sincérité de l'amour de l'autre. Elles deviennent alors soupçonneuses, jalouses et/ou contrôlantes, voire dominatrices. Elles croient les autres incapables de s'engager dans une relation durable.

Elles se maintiennent dans un état d'hypervigilance, cherchant à repérer sans cesse toute source potentielle de détresse interpersonnelle comme d'éventuels signes de trahison et d'abandon. Elles développent donc une grande anxiété par rapport à la relation, qu'elles réduisent par la prise de contrôle du couple ou au contraire par la soumission, voire par une alternance des deux.

Quant aux adultes évitants, ils se caractérisent par un rejet de l'attachement et de la dépendance affective. Ils ne sont pas à l'écoute de leurs propres besoins en la matière, pas plus que de ceux des autres, qu'ils ont donc tendance à maintenir à une certaine distance physique et/ou psychologique. Ils sont persuadés que l'amour n'existe que dans les romans, et qu'il est naïf d'imaginer qu'il puisse durer. Contrairement aux anxieux, ils se protègent des expériences de détresse affective par une désactivation des émotions négatives qui leur permet de ne rien ressentir ou presque, mais ignorent de ce fait s'ils sont heureux ou non.

Ce contrôle affectif n'est cependant pas parfait, et il laisse parfois passer de brutales explosions de violence, totalement imprévisibles et surprenantes sur un arrière-plan habituel de calme et de maîtrise de soi. Cette maîtrise affective s'étend aussi aux émotions positives. Pas d'explosions de joie donc, mais une grande équanimité qui peut paraître rassurante pour le conjoint au premier abord.

L'adulte évitant rapporte alors peu de problèmes relationnels. L'attachement, le soutien et le réconfort ne sont pas jugés par lui comme des éléments importants de la relation. Il met plutôt l'accent sur les réalisations communes, de manière concrète et matérielle. Il insiste sur son besoin d'autonomie et de distance dans le couple, privilégiant souvent les investissements hors de celui-ci, comme son travail.

La relation d'attachement au sein du couple est conçue comme une relation d'amitié forte, qui ne nécessite pas de démonstrations d'affection particulières. La dépendance, le besoin de l'autre, et l'implication sont minimisés, voire dévalorisés comme preuves de faiblesse.

Relation à l'autre et sexualité

L'influence des différents styles d'attachement se retrouve au cœur même de ce que la relation à l'autre peut avoir de plus intime, à savoir la sexualité. Sécures, évitants et anxieux n'ont pas les mêmes motivations à se livrer à l'acte sexuel, et ils n'en retirent pas le même type de satisfaction, ou d'insatisfaction. Tout cela a un impact direct sur le choix de leurs partenaires, et l'importance qu'ils accordent à la protection de leur santé et celle de l'autre, par exemple, ou encore leur propension aux relations multiples. On notera par ailleurs que les remarques qui suivent, issues d'études sérieuses sur le sujet, s'entendent autant pour des populations hétérosexuelles qu'homosexuelles. Par contre, Mikulincer et Shaver ne rapportent pas d'études sur l'impact des styles d'attachement quant à l'orientation sexuelle en elle-même.

Les sujets évitants sont ceux qui semblent avoir le plus de difficultés avec la sexualité au sein d'une relation à deux. Ils oscillent entre un désintérêt patent pour la question, une préférence pour les activités solitaires, voire un recours à la prostitution qui les dispense d'entrer dans une relation où ils devraient prendre en compte les désirs de l'autre et une éventuelle charge affective. Lorsqu'ils s'adonnent à des activités sexuelles de couple, ils privilégient les relations brèves, purement physiques, sans engagement. Ils sont motivés par le contrôle que cela peut leur conférer sur leur partenaire, et ils utilisent le sexe de manière autocentrée, pour augmenter leur estime d'eux-mêmes, accroître leur prestige social en se vantant de leurs conquêtes et se rassurer quant à leur pouvoir de séduction et leur puissance sexuelle. Cela vaut autant pour les hommes que pour les femmes, rappelons-le.

Lors du rapport sexuel lui-même, les évitants ne sont guère enclins aux préliminaires, car ils apprécient peu les caresses et les câlins, ce qui vaut aussi par ailleurs dans les autres aspects de leur vie amoureuse, ils ne sont pas plus attirés par les mots doux et les déclarations d'affection. Par exemple, une étude sur les adolescents évitants (garçons ou filles) a montré que ceux-ci étaient moins susceptibles de flirter avant de passer directement à l'acte, que leur première expérience avait lieu plus tardivement que pour les autres types d'attachement, et que la fréquence de leurs rapports sexuels ultérieurs était moindre. Une étude du même ordre chez des adultes en couple a ajouté à ces caractéristiques des évitants le fait de tenter de se soustraire régulièrement aux relations sexuelles, et ce d'autant plus que leur partenaire se montrait pressant. Ils sont aussi très peu disposés à parler de leur vécu sur ce plan avec leur partenaire, il leur est difficile d'évoquer les difficultés ou même simplement les questions qu'ils peuvent avoir. En l'absence d'un tel échange, ils ont tendance à peu se soucier du ressenti et des envies de l'autre, ou au contraire à se laisser guider en évitant toute initiative.

L'intérêt pour des relations sexuelles sans engagement conduit les évitants à multiplier les conquêtes, à être capables de passer à l'acte avec de parfaits inconnus, à profiter de partenaires déjà en couple ou à se rendre disponibles pour des aventures extraconjugales. Ces dernières leur permettent d'affirmer leur liberté et leur indépendance par rapport aux liens affectifs d'une relation durable qui les déstabilise. En revanche, ils ont tendance à se montrer jaloux en cas d'infidélité, et ils réagissent davantage à une tromperie d'ordre sexuel que purement affectif, car cela affecte leur vision d'eux-mêmes. Leur détachement par rapport aux liens émotionnels et leur valorisation du sexe sans attache ni entrave les amène à considérer des rapports non consentis comme parfaitement justifiés, surtout dans le cadre d'un rendez-vous accepté ou d'une relation déjà inscrite dans la durée.

Malgré cette grande apparence de liberté dans leur sexualité, les évitants ne sont pas pour autant globalement satisfaits de leur vie sexuelle. Ils ont tendance à trouver que le sexe en soi n'a pas autant d'intérêt qu'on veut bien le dire et sont souvent déçus par les bénéfices physiques qu'ils en retirent, l'enjeu pour eux ne pouvant se situer que sur ce seul plan, en dehors du plaisir relationnel. Soit ils prônent l'ascèse, soit ils sont alors attirés par des pratiques visant à pimenter la sexualité, à en explorer les aspects purement techniques, ou encore ils préfèrent une vie fantasmatique fournie en lieu et place d'une activité réelle avec partenaire en chair et en os, physiquement présent.

Les personnes à l'attachement anxieux, quant à elles, ont une vision assez différente de la sexualité. Pour elles, c'est avant tout un moyen de promouvoir un rapprochement, qui leur permet de se sentir acceptées et rassurées quant à leur capacité à être aimées. Elles ont donc tendance à confondre sexe et amour, ce qui a de nombreuses implications dans la réalité de leur vie sexuelle, l'image qu'elles ont d'elles-mêmes et celle qu'elles se font d'autrui dans ce cadre qui devient un enjeu majeur pour leur équilibre.

Ainsi les anxieux par rapport à l'attachement ont tendance à juger de la qualité de leur relation amoureuse à l'aune de la satisfaction sexuelle qu'elle leur procure en termes d'intimité et de partage affectif. Il leur est très difficile de dissocier sexe et sentiments, et le refus d'un partenaire de se livrer à une activité érotique est interprété par eux comme un refus de leur personne globale, un manque d'amour et une menace d'abandon. Ils ont tendance à se montrer pressants dans leur demande de sexualité, et à être incapables de se laisser aller à l'aspect ludique de l'activité. Ils sont inquiets quant à leurs capacités à satisfaire leur partenaire, leur capacité à séduire et à pouvoir s'assurer une relation durable tant recherchée. Une étude a ainsi montré que les femmes à l'attachement anxieux ont tendance plus que les autres à recourir à la chirurgie esthétique pour entretenir, voire augmenter, leur pouvoir de séduction, et pouvoir trouver ou satisfaire l'homme de leurs rêves.

Une telle avidité de reconnaissance et d'acceptation par autrui les amène à se soumettre aux désirs de leur partenaire, ce qui peut aller jusqu'à la tolérance de la violence, des rapports forcés, ou des pratiques sadomasochistes. Il leur est aussi difficile d'imposer l'usage du préservatif par peur de décevoir l'autre, et ces actes non protégés conduisent autant à la transmission de maladies qu'à des grossesses non désirées, en particulier chez les adolescentes. Leur manque de confiance en eux quant à leur capacité à séduire et à être aimés conduit souvent les anxieux par rapport à l'attachement à absorber des substances psychoactives, alcool ou drogues, pour se sentir plus sûrs d'eux-mêmes et plus à la hauteur. Une telle consommation a tendance, sur le plan physique, à provoquer l'effet inverse, en particulier chez les hommes. Pour les femmes, cet état second les conduit à être encore davantage influençables et vulnérables à toutes sortes d'abus. Les évitants ont aussi tendance à avoir recours à de telles substances, mais c'est pour eux un moyen de gérer l'élément relationnel de la rencontre avec autrui, vaincre leur timidité et oser un contact qu'ils veulent purement sexuel comme on l'a vu. L'effet désinhibiteur de l'alcool leur permet d'aller droit au but, sans s'encombrer des fioritures d'une approche d'écoute et de séduction.

Le rôle que joue la sexualité dans la relation affective à l'autre chez les anxieux par rapport à l'attachement les incite aussi à s'en servir pour manipuler leur partenaire et gérer les conflits. La relation sexuelle devient l'objet d'un chantage pour obliger l'autre à se montrer plus attentionné et amoureux ; elle peut aussi devenir exigeante, voire violente pour contraindre l'autre à se rapprocher. À l'inverse, la soumission à un acte non véritablement désiré est considérée comme une preuve d'amour permettant de mettre fin à une dispute, de restaurer la proximité et l'intimité, apportant un terme momentané à la peur du rejet et de l'abandon toujours très présente chez ces personnes.

Les anxieux par rapport à l'attachement sont par ailleurs très jaloux, constamment à l'affût du moindre signe de désintérêt de leur partenaire envers eux-mêmes, et de ses marques d'attention vis-à-vis d'un tiers, immédiatement vécues comme une trahison dès qu'ils sentent la moindre charge affective. Paradoxalement, cela ne les conduit pas à être fidèles pour autant, et ils auront recours à des aventures extraconjugales pour se rassurer et se sentir aimés en cas de relâchement de l'attention de leur partenaire principal. Ils auront même tendance à faire en sorte que ce partenaire soit au courant de leur incartade, quitte à le lui avouer ouvertement, dans l'espoir que cela le motive à se rapprocher de nouveau, pour lui servir de leçon, ce qui dans la réalité a généralement l'effet inverse du but recherché.

Le besoin d'amour, d'affection et d'acceptation chez ces anxieux est tel qu'il conditionne un intéressant effet de genre en ce qui concerne la fréquence des relations sexuelles. On a ainsi pu noter que les femmes anxieuses reconnaissent avoir davantage de rapports sexuels que les hommes anxieux, ce qui est plutôt étonnant en termes d'image de ce qui est considéré comme « politiquement correct » et socialement acceptable. Les chercheurs expliquent ces résultats par la soumission au partenaire, ici hétérosexuel. Les femmes anxieuses se soumettent aux désirs des hommes qui, selon la tradition, ont davantage de besoins, alors que les hommes se calquent sur les envies de leurs partenaires féminines, apparemment moins actives en la matière.

Tout cela conduit les uns et les autres à ne pas se trouver très satisfaits de leur vie sexuelle. À trop vouloir faire plaisir à autrui, les anxieux en oublient leurs propres besoins et leurs propres envies. À mélanger sexualité, amour et reconnaissance, ils font entrer dans la chambre à coucher des soucis et des craintes qui ne font pas bon ménage avec une pratique ludique et épanouie. Leur exigence de sentiments et d'attention les conduit à profiter difficilement de la composante physique de l'activité. Leur focalisation sur le sexe en tant qu'enjeu relationnel les amène à indexer la satisfaction dans leur relation de couple sur la qualité, voire la fréquence, de leur pratique sexuelle, avec un partenaire qui doit parvenir à un sans-faute autant physique qu'affectif.

Pour finir, et en cohérence avec ce qui a été vu jusqu'à présent sur les différences entre styles d'attachement, les sécures sont les plus heureux et les plus satisfaits autant de leurs relations de couple que de leur sexualité. Leur confiance en eux-mêmes ainsi qu'en leur partenaire, leur besoin reconnu d'amour, de soutien et d'attention au sein d'un engagement stable et mutuellement épanouissant leur permet de ne pas faire peser d'enjeux extérieurs trop forts sur la sexualité en tant que telle. Celle-ci peut alors être considérée comme une pratique ludique, occasion de partage, d'intimité et de lâcher-prise, autant sur le plan affectif que physique. Ils se trouvent à l'écoute de leurs propres besoins et envies, comme de ceux de l'autre. Ils se sentent suffisamment libres et en confiance pour en parler. Ils évitent les jeux de pouvoir, de domination ou de soumission, dans un partage des rôles qu'ils peuvent alterner dans la complicité, la détente et le jeu. Le souci de la performance et de la réussite, selon les critères classiques, les préoccupe bien moins que celui de passer un bon moment ensemble, accordant autant si ce n'est plus d'importance aux câlins, caresses et mots doux qu'à l'acte lui-même.

Cela ne signifie pas une stricte équivalence pour l'attachement sécure entre sexualité et relation à long terme, monogamie ou fidélité. Comme le soulignent Mikulincer et Shaver, les sécures sont tout à fait susceptibles d'apprécier le sexe sans engagement, sans rechercher une relation amoureuse durable, mais simplement pour le plaisir. Ils sont aussi capables de tromper leur partenaire, en particulier lorsqu'ils se trouvent engagés dans une relation de couple insatisfaisante. Cela leur permet de se détendre, de prendre du recul, de réfléchir à ce qu'ils attendent vraiment de leur relation de couple, et de décider soit de la poursuivre, soit d'y mettre un terme.

En revanche, ils font en sorte que cette entorse ne vienne pas à la connaissance de leur partenaire en titre, qu'ils ne souhaitent pas blesser ; ce n'est pas pour eux un moyen de pression pour faire évoluer les choses au sein de leur couple. La sexualité n'est pour eux ni un moyen d'autosatisfaction ou d'autopromotion, ni un outil de manipulation, de chantage et encore moins de coercition. C'est une activité entre adultes consentants, dans le respect de soi et d'autrui, qui nécessite une entente et une complicité autant physique qu'affective, sans forcément préjuger d'une relation durable et d'un engagement fort par ailleurs. Il peut s'agir d'un jeu qui peut demeurer tel, tant qu'il ne fait souffrir personne.

Formation des couples sur la base de leurs types d'attachement

Comme on peut s'en douter intuitivement sur la base des informations présentées jusqu'ici, les styles d'attachement adulte s'accordent plus ou moins bien entre eux, ce que les études ont pu vérifier.

Ainsi, les couples les plus durables et les plus heureux sont ceux qui associent deux personnes sécures. Ils sont satisfaits de leur relation, ils se font confiance et se sentent proches l'un de l'autre. Les attachements évitants sont aussi assez stables en couple, mais leur satisfaction est globalement moindre. En particulier, ils ne semblent pas très bien savoir ce qu'ils attendent de la relation, ni ce qu'ils ressentent véritablement envers leur partenaire. Ils ont tendance à s'investir beaucoup dans le travail, et dans des activités hors couple, y compris des aventures extraconjugales. Il semblerait que l'entente entre deux personnes ambivalentes (anxieuses) soit quasi impossible, puisque sur les quatre-vingt-quatorze couples participant à l'étude de Brennan et Shaver (1995)[1], seul un couple présentait cette configuration. Ces résultats confirment ceux de Lee A. Kirkpatrick et Keith E. Davis (1994)[2] qui, dans une étude longitudinale portant sur deux cent quarante couples, n'ont trouvé aucun couple associant deux partenaires ambivalents.

---

1. Brennan, K. A. et Shaver, P. (1995). « Dimensions of adult attachment, affect regulation, and romantic relationship functioning », *Personality and Social Psychology Bulletin.*

2. Kirkpatrick, L. A. et Davis, K. E. (1994). « Attachment style, gender, and relationship stability : a longitudinal analysis », *Journal of Personality and Social Psychology.*

Des couples aux relations houleuses, mais durables se forment, entre adulte ambivalent et adulte évitant. Ils s'entendent parfaitement pour compléter leurs scénarios relationnels respectifs. Plus l'ambivalent se rapproche et demande des preuves d'attachement, car il trouve l'évitant peu démonstratif, plus ce dernier prend ses distances. Insécurisé par ce retrait, l'ambivalent fait part de son impression d'être rejeté et pas aimé, le plus souvent par une scène explosive car très chargée d'émotions. L'évitant se trouve alors conforté dans l'image qu'il a des relations affectives comme dangereuses, ingérables et incontrôlables. Il reste sur son quant-à-soi, et l'ambivalent finit par faire amende honorable, de peur d'être allé trop loin et de perdre réellement l'autre. La réconciliation reste éphémère, car le problème de fond n'est jamais réglé, indépendant qu'il est du problème de surface qui a servi de prétexte au déclenchement de la scène.

Les personnes sécures peuvent se trouver en couple avec des conjoints insécures, même si cela est moins fréquent que leur association avec un partenaire lui-même sécure. Un partenaire évitant peut s'avérer rassurant au premier abord, par son calme et sa sérénité. Néanmoins, à la longue, son absence de communication affective, sa distance émotionnelle en cas de crise et son apparent manque d'implication dans la relation, créent des tensions de plus en plus difficiles à gérer.

En effet, le partenaire sécure cherche à résoudre le problème, il cherche à communiquer sur ce qui ne va pas, il a besoin d'être rassuré. C'est justement ce qui met l'évitant encore plus mal à l'aise. Déstabilisé et se retranchant dans le mutisme et l'isolement, il finit souvent par venir à bout des efforts de compréhension et d'amour de son partenaire. Cette situation les conduit, soit à la rupture, soit à une insécurité du partenaire *a priori* sécure, altérant ainsi son schéma d'attachement.

Il peut exister néanmoins une issue inverse, avec modification cette fois du schéma d'attachement de l'évitant. Celui-ci, mis en confiance, accepte de s'ouvrir à l'autre et de partager davantage, ce qui permet un rééquilibrage relationnel dans le couple. Ces issues sont bien entendu facilitées par les conditions extérieures au milieu desquelles évolue le couple, le stress exacerbant les réactions primaires d'attachement, et donc les difficultés à changer de schéma.

Un couple sécure/ambivalent peut tout à fait se mettre en place aussi. Le partenaire ambivalent présente des aspects très charmeurs au départ. Il est attachant, démonstratif, amoureux, ce qui n'a rien pour déplaire. On peut penser que si les conditions extérieures sont favorables, le couple évoluera sans trop de difficultés, car le partenaire ambivalent n'aura guère de sources d'inquiétude et de stress par ailleurs. Le partenaire sécure saura quant à lui le rassurer sur son implication dans la relation, et ils communiqueront adéquatement sur le plan émotionnel.

En revanche, si des difficultés surgissent, il deviendra de plus en plus problématique pour le partenaire sécure de réussir à rassurer son conjoint, et de faire face à l'exacerbation des affects engendrés par la situation et le mode de gestion émotionnelle typique des ambivalents. Le partenaire sécure peut alors, pour se protéger, avoir recours à des stratégies évitantes qui risquent de le faire basculer du côté de ce type d'attachement, ou se séparer, dans une tempête affective engendrée par la détresse agressive de l'ambivalent.

De tels résultats corroborent et prolongent ceux qui ont été présentés sur la base de l'AAI dans les recherches longitudinales sur le développement présentées plus haut. On peut maintenant s'interroger sur les mécanismes détaillés de ces caractéristiques d'attachement, qui ont une influence sur les relations de couple et les relations à autrui en général. Le tableau se précise encore dès lors que l'on se penche sur l'étude de la gestion des émotions, la régulation affective, l'image que l'on a de soi et des autres, et celle que l'on cherche à donner.

Styles d'attachement et gestion des émotions

– Émotions positives et négatives.

Avant d'aborder l'exemple précis de la colère, directement impliquée dans les conflits interpersonnels et pouvant menacer la relation, nous allons d'abord nous intéresser à ce qui a été découvert sur la gestion des émotions, qu'elles soient négatives ou positives, et plus précisément sur l'impact des styles d'attachement sur la perception, le jugement et la mémorisation des situations affectives. Il s'agit là de manipulations expérimentales réalisées en laboratoire sur des volontaires, d'où le côté peu naturel et un peu technique des situations présentées.

Dans le cadre d'une étude sur les affects négatifs, on commence par susciter un état émotionnel, soit négatif, soit neutre, chez des personnes dont on a préalablement évalué les composantes d'attachement. Ensuite, elles sont soumises à deux expériences différentes : d'abord on leur demande de se rappeler des titres d'articles de journaux à forte connotation affective, puis elles doivent estimer la cause de difficultés fictives au sein de leur relation amoureuse, ce que l'on appelle une tâche d'attribution causale.

Les résultats montrent que dans la première expérience, les individus sécures se rappellent davantage de titres positifs et moins de titres négatifs, et ce particulièrement lorsqu'on induit chez eux des affects négatifs. Leurs stratégies sur le plan émotionnel les conduisent ainsi à limiter l'impact des émotions négatives, et à favoriser les souvenirs positifs. Ils ont aussi tendance à faire des attributions qui maintiennent une vision positive d'autrui, trouvant des excuses à l'autre par exemple, et ils s'abstiennent de faire des généralisations négatives, du type « s'il (elle) a fait ça, c'est parce qu'il (elle) est comme ci ou comme ça, ou qu'il (elle) fait toujours ci ou ça », ou encore « de toute façon, c'est toujours comme ça que ça se passe »... Ils se protègent ainsi d'un envahissement par les affects négatifs, ce qui correspond au but premier de leur stratégie d'attachement, à savoir la limitation de la détresse.

À l'opposé, les individus qui sont anxieux par rapport à l'attachement, les préoccupés ou ambivalents, se rappellent davantage de titres négatifs et moins de titres positifs, sous induction négative. Cela reflète leurs stratégies d'hyperactivation qui augmente l'attention portée aux stimuli négatifs, en favorise la mémorisation et permet de s'en souvenir facilement. Ils attribuent par ailleurs les événements négatifs à des causes globales et stables dans l'ensemble, rapportées directement à leurs partenaires (« il/elle est comme ça »). Ils doutent ainsi ouvertement de sa bonne volonté, et ces attributions négatives peuvent être déclenchées par des événements n'ayant aucun rapport avec le comportement du partenaire en lui-même. Cette hyperactivation des pensées négatives exacerbe leur humeur négative, leur perception négative des autres et leur crainte du rejet et de l'abandon, conduisant à l'activation permanente de leur système d'attachement qui leur fait vivre comme stressantes les relations avec autrui.

Quant aux individus à l'attachement évitant, ils se caractérisent par l'absence d'effet enregistré entre émotions et cognitions. L'induction d'affects négatifs semble ainsi n'avoir aucune prise sur eux, par une désactivation émotionnelle qui leur permet de se protéger de toute détresse, en l'ignorant purement et simplement. Ce phénomène s'appelle aussi la répression affective, qui a été étudiée en dehors du champ de recherche sur l'attachement.

En ce qui concerne l'influence des affects positifs sur le fonctionnement cognitif, les expériences concernent cette fois leur impact sur la créativité et l'exploration de l'environnement. Comme on l'a vu, Bowlby soutient qu'une des fonctions de l'attachement est de permettre de se sentir en sécurité, de façon à pouvoir partir à la découverte de ce qui nous entoure. Cela est très important pour le développement intellectuel et moteur du bébé, mais demeure une constante dans la vie adulte, sous forme de curiosité intellectuelle, curiosité relationnelle et absence de crainte face à la nouveauté ou à l'inconnu.

Selon le même principe que précédemment, après que des affects positifs ont été provoqués chez eux, les volontaires ont dû résoudre un problème, puis faire une tâche de catégorisation consistant à rassembler des mots estimés appartenir à un même ensemble. Les individus sécures se montrent les plus créatifs, aussi bien dans la résolution de problèmes que dans la catégorisation, adoptant des critères de ressemblance moins stricts et exclusifs que les autres participants. Les individus à l'attachement anxieux semblent déstabilisés par l'induction positive, tout autant que s'ils avaient reçu une induction négative. Leur créativité s'en trouve notablement limitée.

Quant aux individus évitants, ils ne sont pas plus affectés par l'induction positive que par l'induction négative précédemment évoquée. Leurs performances restent identiques, comparables à celles obtenues en l'absence d'induction émotionnelle. On s'aperçoit ainsi que l'affect n'est pas intégré à leurs capacités cognitives, et qu'il ne fonctionne donc pas comme source pertinente d'information. C'est ce qui leur donne une forte image de rationalité et de sang-froid, très utile dans certaines circonstances, mais handicapante dans d'autres, surtout lorsqu'il s'agit de répondre aux émotions d'autrui. Ils peuvent paraître ainsi totalement dénués d'empathie, alors qu'ils ne font que se protéger contre des situations qu'ils n'ont jamais appris à gérer, et face auxquelles ils se sentent totalement impuissants.

Une telle perturbation est aussi vécue par les personnes à l'attachement anxieux, mais sous d'autres formes et avec d'autres stratégies, qui permettent d'expliquer leurs piètres performances sous induction d'affects positifs. D'un côté, on peut imaginer que l'induction positive est au départ efficace sur eux, mais que le stress de la situation et le doute sur leurs propres compétences finissent par l'emporter, inhibant leur créativité. D'un autre côté, on peut faire l'hypothèse que la dérégulation émotionnelle vécue par ces personnes est telle que toutes les émotions, positives ou négatives, sont considérées comme ingérables, et donc profondément perturbatrices au point qu'elles n'arrivent plus à réfléchir autrement que de manière assez automatique.

– La colère.

Après avoir vu l'impact des styles d'attachement sur le fonctionnement émotionnel au sens large, voyons maintenant ce qui a été découvert sur le cas particulier de la colère. Dans le dernier tome de sa trilogie, Bowlby s'y intéresse spécifiquement, et il la rapporte à l'expression d'une protestation vis-à-vis du manque de disponibilité de la figure d'attachement. Une telle protestation vise à faire réagir la figure d'attachement, afin qu'elle prenne en compte les besoins du jeune enfant qui n'est pas suffisamment autonome pour faire face seul à ce qui lui arrive. Il s'agit donc au départ d'une réaction positive par laquelle le bébé essaie d'obtenir l'aide dont il a besoin. Bowlby la qualifie de « colère d'espoir », puisqu'il s'agit d'un appel dont le bébé espère qu'il sera entendu. Elle vise à décourager à l'avenir le manque d'attention de la figure d'attachement, elle sert de moyen de communication et tend à maintenir des liens d'attachement forts.

Cependant, lorsque cette stratégie de rapprochement échoue et que l'enfant fait l'expérience d'une absence de réaction de la part de sa ou de ses figures d'attachement, voire de réactions négatives de rejet ou d'abandon, cette colère devient dysfonctionnelle et se transforme en ce que Bowlby nomme une « colère de désespoir ». Cette fois, ces accès de colère, qui ont tendance à être plus longs et plus violents, ont pour effet inverse d'éloigner encore davantage la figure d'attachement et de s'aliéner son attention et ses faveurs. C'est à ce titre que cette colère est dysfonctionnelle, avec une tendance à devenir récurrente et dévastatrice pour l'enfant, puis l'adulte. Ces deux types de colère sont le signe des deux grandes catégories d'attachement, l'attachement sécure pour la première, insécure pour la seconde.

En 1998, pour vérifier cette hypothèse de Bowlby chez les adultes, Mikulincer se livre à une série de trois études, qui montrent que chaque style d'attachement a bien un rapport spécifique à la colère et à ses manifestations. Ainsi, les personnes à l'attachement sécure font preuve d'une colère fonctionnelle dont le déclenchement est basé sur une analyse rationnelle de la situation, et non sur des biais cognitifs de type paranoïde (« il/elle m'en veut ») ou sur un besoin incontrôlable de punir ou de blesser l'interlocuteur. Elles n'attribuent d'intentions hostiles à l'autre que lorsque les éléments de la situation vont clairement en ce sens. Elles ne réagissent donc pas par une colère intense à tout événement frustrant ou perturbateur. Et, lorsqu'elles se mettent en colère en réaction à l'hostilité avérée d'autrui, elles conservent des objectifs constructifs visant à maintenir la relation avec l'instigateur. Elles essaient de trouver une solution au problème, et leur colère reste contrôlée et sans méchanceté. Elles en retirent des affects positifs, ne se sentent ni honteuses ni coupables, et elles s'attendent à ce que l'épisode ait des conséquences bénéfiques.

De tels résultats vont dans le même sens que ceux des études sur les relations de couple, qui montrent, comme on l'a vu, qu'en cas de conflit, les individus sécures sont prêts à discuter du problème avec leur partenaire, ils se préoccupent de la qualité de la relation, et font des concessions. Ils semblent penser que la situation qui a provoqué leur colère est néfaste pour la stabilité du couple, et qu'elle requiert donc des solutions constructives, afin de rétablir l'équilibre menacé.

En fait, la colère des individus sécures est le reflet de leurs croyances positives sur le monde et sur eux-mêmes. Leurs croyances positives sur le monde se manifestent par l'absence de biais d'attribution hostile, qui les conduirait à penser sans preuve que l'autre leur en veut, et par le fait qu'ils s'attendent à ce que l'interlocuteur réagisse positivement à l'expression de leur désaccord. Leurs croyances positives sur eux-mêmes se traduisent par leur décision d'affronter directement le fauteur de troubles, ils ont confiance en l'efficacité de cette attitude et en leur propre capacité à gérer l'épisode conflictuel. Se mettre en colère signifie pour eux qu'ils n'acceptent pas une situation désagréable dans l'idée qu'elle serait nécessaire et incontrôlable. Leur colère a, au contraire, pour objectif de mettre fin au problème et d'améliorer les choses.

Les individus à l'attachement anxieux, eux, font preuve de colères intenses, et de biais d'attribution hostiles qui consistent à penser que l'autre cherche à leur nuire, sans en avoir nécessairement de preuve. Ils s'attendent par ailleurs à ce que les autres réagissent négativement à la manifestation de leur colère. On peut y voir l'expression de leur croyance fondamentale en l'absence de disponibilité de leurs proches, associée à la conviction qu'ils se montreront insensibles à leurs besoins. Ces personnes font preuve d'une absence de contrôle de leur colère, elles ont tendance à ruminer et à se sentir honteuses ou coupables de leur attitude. Elles se montrent incapables de limiter leur ressenti à l'émotion justifiée par la situation, se laissant emporter dans un flot d'affects négatifs plus ou moins différenciés. Il leur est, dans ces conditions, extrêmement difficile de s'extraire de ce flux émotionnel pour réfléchir et essayer de résoudre les problèmes, comme on l'a vu plus haut.

Les évitants, quant à eux, présentent une autre forme de colère dysfonctionnelle : la colère dissociée. Cette dissociation se manifeste dans le décalage entre l'émotion qu'ils admettent, et l'hostilité qu'ils manifestent, perceptible autant par autrui que par des indicateurs objectifs. Ainsi, ils disent se sentir au même niveau de colère que les sujets sécures, lorsqu'on induit de la colère chez eux, alors que les mesures physiologiques traduisent des niveaux beaucoup plus élevés. Ils font aussi preuve d'une hostilité beaucoup plus intense, et ils ont tendance à attribuer davantage d'intentions hostiles à autrui. Ces résultats se retrouvent, y compris dans des situations où les indices indiquent clairement les intentions bienveillantes de l'interlocuteur, ce qu'ils ne décryptent alors pas correctement. Une telle dissociation se manifeste aussi chez ces personnes par un recours à des stratégies d'évitement, qui ont pour but de diluer la conscience de la colère, sans s'attaquer au problème qui demeure entier et continue à peser sur eux et sur la relation.

Cette colère dissociée peut trouver son origine dans une tentative de prise de distance par rapport aux situations pénibles, dans un effort pour supprimer les affects et les pensées négatives, et pour se présenter sous un jour positif. Par ailleurs, les évitants ne perçoivent pas nécessairement les signes physiologiques et subjectifs du déclenchement de leur colère, alimentée par des soupçons paranoïdes et une forte hostilité non reconnue. Ils sont alors incapables de faire des concessions et de faire en sorte de réduire la tension. Ils se trouvent parés d'une armure défensive qui, loin de les protéger des menaces et des dangers de leur univers aussi bien interne qu'externe, les expose à une détresse accrue, en l'absence de confrontation avec les problèmes et donc de possibilité de résolution. Les situations de tension exacerbent leurs réactions d'hostilité, et ils deviennent si pessimistes et leur détresse est telle qu'elle les rapproche à s'y méprendre des personnes à l'attachement anxieux.

D'autres expériences ont aussi montré qu'il suffit de les empêcher de faire fonctionner ces mécanismes défensifs, en leur imposant une surcharge cognitive comme celle de compter de 7 à 1, pour que leurs stratégies habituelles s'effondrent, et qu'ils se montrent aussi incapables de faire face au stress que les autres personnes à l'attachement insécure. C'est là que l'on mesure les effets de l'insécurité psychique dans l'enfance, qui n'a pas permis à ces personnes d'apprendre à réguler leurs affects au sein d'interactions équilibrées avec leurs parents. Bien qu'ayant mis en place des stratégies différentes pour s'en sortir, le calme pour les uns, l'agitation pour les autres, elles finissent cependant au même point lorsque le stress se fait trop intense, et elles n'ont, ni les unes ni les autres, recours au soutien effectif d'autrui pour s'apaiser et rechercher des solutions.

Styles d'attachement et image de soi

Pour en terminer avec cet aperçu des recherches sur l'impact de l'attachement sur la vie adulte, et après avoir évoqué les représentations d'autrui que les différents styles mettent concrètement en œuvre dans les situations affectives, voyons ce qu'il en est de leur image d'eux-mêmes. En parallèle à la gestion émotionnelle spécifique et concrète des différentes catégories d'attachement, se situe en effet la manière dont les individus se présentent à autrui ou, pour être plus précis, la représentation qu'ils ont d'eux-mêmes en relation avec leur style d'attachement. Reprenant ce concept fondamental de Bowlby, Mikulincer émet l'hypothèse que cette représentation de soi intervient en fait comme stratégie de régulation affective dans le cas des styles d'attachement insécure.

Bowlby indique à plusieurs reprises dans ses textes que les individus à l'attachement évitant cherchent à maintenir à tout prix une image positive d'eux-mêmes. Celle-ci leur permet de faire face par eux-mêmes aux situations difficiles, dans la logique d'un acquis selon lequel il est bien préférable pour eux de s'en sortir seuls. À l'inverse, les individus à l'attachement anxieux se croient incapables de parvenir à faire face sans aide extérieure, ils ont donc plutôt tendance à entretenir une image négative d'eux-mêmes. Quant aux individus sécures, ils ont confiance à la fois dans leurs propres capacités à s'en sortir, et dans la disponibilité d'autrui pour leur venir en aide, si besoin est. Cela les conduit à ne pas mettre en place de stratégies défensives par rapport à leur représentation d'eux-mêmes, à l'inverse des catégories d'attachement insécure.

Dans une première étude publiée en 1995, Mikulincer a demandé à des volontaires classés par catégories d'attachement de choisir des expressions les décrivant au mieux. Les résultats indiquent que les personnes sécures sont capables de se décrire autant de manière positive que négative. Les personnes à l'attachement évitant utilisent autant, voire davantage, de termes positifs que les sécures, par contre, ils font preuve de quelques réticences à se qualifier de manière négative. Le schéma inverse se retrouve chez ceux dont l'attachement est anxieux qui accentuent nettement les autoévaluations négatives, et semblent avoir les plus grandes difficultés à se voir sous un jour positif.

En 1998, Mikulincer prolonge cette approche pour montrer que ces représentations de soi émanent directement des stratégies de régulation affective spécifiques à chaque style d'attachement. Il conçoit donc des protocoles expérimentaux manipulant ces stratégies affectives, en les activant artificiellement ou au contraire en les inhibant, afin de voir l'effet sur la représentation de soi. Sa première hypothèse est que placer un individu en situation de détresse affective doit déclencher ses stratégies régulatrices habituelles, à savoir augmenter l'image positive de soi chez un évitant, et au contraire déclencher des représentations négatives chez un anxieux-ambivalent. Une telle manipulation n'est pas censée avoir d'effet sur les sujets sécures, dont la représentation de soi n'intervient pas comme stratégie de régulation affective.

La deuxième hypothèse concerne les effets d'une inhibition de ces stratégies de régulation, en les mettant en concurrence avec d'autres systèmes cognitifs. Cela devrait avoir pour effet de minimiser l'image positive de soi chez les évitants, et l'image négative de soi chez les anxieux-ambivalents. Une troisième série d'hypothèses porte sur les inquiétudes sous-jacentes spécifiques à chaque style d'attachement, et qui déclenchent ces stratégies de régulation affective. Ainsi, les évitants devraient se révéler particulièrement sensibles à des menaces concernant leur autonomie, alors que les anxieux-ambivalents devraient, eux, réagir à des menaces ciblant l'attachement lui-même, à savoir la séparation et le rejet. Par ailleurs, chacune de ces deux catégories devrait s'avérer relativement insensible aux menaces efficaces pour l'autre catégorie, car elles ne correspondent pas à leurs préoccupations spécifiques et ne déclenchent donc pas de stratégie défensive.

Les techniques utilisées pour inhiber les systèmes défensifs des volontaires sont ici particulièrement intéressantes et originales. La première expérience a consisté à les placer en situation d'échec à une tâche cognitive, à le leur faire savoir, et à connecter certains d'entre eux à un détecteur de mensonges factice. Une telle situation contraint les individus à se concentrer sur ce qu'ils ressentent réellement et à en faire part ouvertement, court-circuitant ainsi leurs stratégies habituelles de défense qui risquent ici de les faire passer pour des menteurs, une fois confrontés aux résultats prétendument livrés par la machine. Dans la seconde expérience, les volontaires ont cette fois été confrontés à l'opinion d'une personne proche. Ils devaient se décrire en choisissant des traits préétablis, et une partie d'entre eux le faisaient en présence d'un(e) ami(e). Une telle présence rend plus difficile de s'attribuer des caractéristiques d'autoévaluation défensives, car l'ami(e) qui connaît bien la personne risque de réfuter certaines autoattributions ne correspondant pas à l'image qu'il(elle) a d'elle.

Les résultats de ces expériences vérifient les hypothèses posées par l'auteur. Comme on vient de le voir, les individus évitants se décrivent de manière positive, avec un accès facile et rapide à ces attributs positifs. C'est ainsi qu'ils gèrent leur insécurité et leur détresse fondamentales, en se détachant de tout ce qui peut être facteur de détresse et en se déclarant indépendants et autonomes. Une telle attitude est renforcée lorsqu'ils sont soumis à un stress. Par contre, ces stratégies d'autovalorisation sont atténuées lorsque le contexte rend difficile le recours à un tel système de défense, en présence d'un détecteur de mensonges ou d'un proche, par exemple. Par ailleurs, quand on manipule leur sens de l'autonomie, on observe deux types de réaction chez ces personnes. Lorsqu'on fait peser une menace sur cette autonomie, on s'aperçoit que leurs stratégies défensives s'en trouvent exacerbées. Mais, lorsqu'on leur fait croire qu'une image positive de soi n'est pas du tout un signe d'autonomie, on assiste à une relative inhibition de ces stratégies d'autovalorisation.

On voit de cette manière que l'image de soi positive que présentent habituellement les individus à l'attachement évitant n'est pas le reflet d'une estime de soi réellement élevée. Les résultats semblent au contraire indiquer que leur estime de soi est si faible et si fragile qu'ils ne peuvent tolérer de découvrir chez eux le moindre défaut. Cette idéalisation de soi peut être une compensation au rejet par autrui, vécu par le passé au moindre signe d'inadéquation. Elle devient alors une manifestation de répression, par laquelle tout élément négatif se rapportant à soi-même est dissocié de l'image de soi, qui doit rester globalement et impérativement positive, si la personne veut s'en sortir et ne pas s'effondrer intérieurement.

En ce qui concerne les individus à l'attachement anxieux, leur stratégie habituelle de régulation affective consiste à porter une attention exacerbée au moindre signe de détresse, et à tenter de s'assurer l'amour et le soutien d'autrui, par tous les moyens. Ils ont alors tendance à souligner leurs défauts et leurs imperfections. Les résultats montrent qu'ils se décrivent en termes négatifs, avec une grande facilité d'accès à ces traits négatifs, illustrée par un temps de réponse plus court lorsqu'ils s'attribuent ces caractéristiques négatives que lorsqu'il s'agit pour eux de se voir en termes positifs. Cette image de soi négative est encore renforcée en situation de détresse, par contre, elle est atténuée lorsque l'on rend plus difficile l'accès à ces stratégies défensives. Par ailleurs, cette tendance à se présenter sous un jour négatif semble être directement liée à la recherche de l'affection d'autrui. Elle est renforcée par une menace de séparation ou de rejet, et elle est affaiblie lorsque l'on explique à la personne que cette autodévalorisation ne va pas lui assurer la compassion et le soutien d'autrui.

Un lien avec les recherches développementales et l'AAI

Comme l'explique Bowlby, cette image de soi négative correspond à l'intériorisation d'expériences d'attachement malheureuses. Ces personnes à l'attachement anxieux ont intégré à leur image d'elles-mêmes une absence de valeur, issue de leur expérience de rejet et de manque d'amour. Cependant, les oscillations de cette image de soi négative au cours des différentes manipulations dans l'expérience ci-dessus semblent indiquer qu'il s'agit avant tout d'un mode de communication à destination d'autrui, et pas seulement d'une stratégie de régulation affective à visée interne, selon l'interprétation de Mikulincer. On peut alors tenter d'établir un lien direct avec les résultats des recherches effectuées avec l'AAI.

On peut penser ainsi que, pour les anxieux, se montrer sous un jour négatif est ce qui leur a attiré l'attention de leur figure d'attachement par le passé, par une certaine pitié provoquée chez l'autre qui met fin aux attitudes de rejet, ou alors par l'obligation de faire un mea culpa à la moindre erreur, y compris involontaire ou commise par un autre, frère ou sœur par exemple, voire par le parent lui-même. Enfants, puis adultes, ils en ont conçu un profond sentiment de colère et d'injustice qui ressort à la moindre occasion, et permet de comprendre pourquoi ils se mettent si facilement en colère et se sentent si souvent humiliés, tout en continuant à rechercher une attention qu'ils savent ne pas mériter.

À l'inverse, chez les personnes à l'attachement évitant, c'est se montrer fort et sûr de soi qui leur a valu l'acceptation parentale. Elles ont été poussées à se dépasser sans cesse et à n'avoir peur de rien, par des parents soit très durs, soit manipulateurs. Dans le second cas, elles n'avaient par ailleurs aucune raison de se plaindre d'adultes qui semblaient tant les aimer et prendre soin d'elles dans les moindres détails. Cette intrusivité, non perçue en tant que telle de la part de parents qui se veulent « si dévoués », rend compte à la fois de l'hostilité de ces personnes dès qu'on tente de les approcher et de les aider, et de leur absence de colère manifeste qui ne peut être de mise devant tant de « bonnes intentions ». Puisque c'est toujours l'autre qui a le dernier mot, alors pourquoi lutter.

Cela peut aussi être à l'origine de l'hypervalorisation de leurs relations familiales repérée par l'AAI. Dans la droite ligne de ce qu'explique Bowlby, les parents ont insisté pour que l'enfant ait d'eux une image positive, réellement persuadés d'être de très bons parents n'agissant que pour le bien de leur enfant, et sincèrement convaincus de faire le bonheur de celui-ci. De telles convictions régulièrement réitérées à l'enfant, accompagnées d'une déception manifeste et très mal vécue de la part du parent s'il tente toute expression de malaise ou de désaccord, rendent l'enfant incapable de garder clairement en mémoire ses perceptions négatives réelles dont il finit par douter.

Son vécu réel est pour lui d'autant plus difficile à conserver en mémoire qu'il ne reçoit pas le support de la co-construction parentale, qui permettrait de le faire exister et de lui donner un sens. La fonction réflexive de Fonagy ne s'exerce pas non plus, puisque l'enfant est empêché de réfléchir sur sa propre expérience et son propre ressenti par la version parentale « officielle ». Avoir une perception claire des émotions et des motivations d'autrui n'est pas non plus possible, puisque le parent se ment à lui-même aussi bien qu'à l'enfant, faisant tout pour paraître parfait en dissimulant colère, peur et contrariétés. Puisque personne ne se plaint, pourquoi l'enfant se plaindrait-il, et de quoi pourrait-il bien avoir à se plaindre ?

Par contraste, les résultats des expériences ci-dessus montrent que l'image positive que les sujets sécures ont d'eux-mêmes n'est pas la manifestation d'une hypervalorisation défensive. Cette image n'est ainsi pas affectée par les différentes manipulations expérimentales, indiquant qu'il s'agit chez eux d'une représentation interne stable, contrairement aux sujets insécures. Elle est issue de la base de sécurité qu'a représentée pour eux leur figure d'attachement, et elle est le reflet de leur attitude par ailleurs optimiste et pleine d'espoir. La jouissance d'une telle base de sécurité précoce semble rendre inutile le recours à des stratégies défensives d'autopréservation en cas de stress, par manipulation de l'image de soi, à visée autant interne qu'externe. Par ailleurs, le nombre plus élevé de qualificatifs retrouvés par les sujets sécures en situation d'échec, que ceux-ci soient positifs ou négatifs, peut s'interpréter comme la manifestation d'une plus grande capacité d'introspection, particulièrement sollicitée en situation de détresse, et qui leur permet de s'en sortir en s'appuyant sur la richesse et la stabilité de leur image d'eux-mêmes. Ils s'apportent ainsi leur propre sécurité affective par une exploration la plus poussée possible de la situation et de ce qu'ils en ressentent, afin de concevoir la meilleure solution possible au problème en cours.

Au final, les résultats de ces études de psychologie sociale semblent très bien résumés par cette citation de Fonagy, définissant la capacité de mentalisation des affects, et ce qui se produit en son absence, cible pour lui du traitement psychanalytique : « La mentalisation des affects [...] revient à comprendre par l'expérience ses émotions d'une manière qui va bien au-delà d'une compréhension intellectuelle. C'est dans ce domaine que nous rencontrons résistances et réactions défensives, pas seulement à l'encontre d'expériences émotionnelles spécifiques, mais à l'encontre de modes de fonctionnement psychique dans leur ensemble [...]. Ainsi, nous pouvons mal comprendre ce que nous ressentons, pensant que nous ressentons une chose alors qu'il s'agit en réalité d'autre chose. Plus grave encore, nous pouvons nous priver de la richesse de l'univers de l'expérience émotionnelle dans son intégralité. Par exemple, l'incapacité à imaginer les relations causales dans le domaine psychologique ou psychosocial peut être le résultat d'une inhibition massive et/ou d'une malformation développementale des processus psychiques qui sous-tendent ces compétences[1]. »

Finalement, cette citation, et tout ce qui précède, montre que psychanalystes et spécialistes du développement de l'enfant ou de la psychologie sociale de l'adulte et de sa personnalité sont à peu de chose près d'accord sur ce qu'ils observent des conséquences néfastes d'un attachement insécure, même s'ils ne le disent pas avec les mêmes mots, s'ils n'utilisent pas les mêmes mesures et ne se réfèrent pas aux mêmes expériences. Il leur reste à abandonner leurs querelles d'écoles et à joindre leurs efforts, à l'heure où les recherches en neurosciences et en neurobiologie développementale sont prêtes à dévoiler les secrets de ces fonctionnements psychiques sur lesquels ils travaillent tous avec passion.

Ces sciences dures ont en effet besoin de catégories d'individus clairement identifiés de manière fiable sur lesquels exercer la précision de leurs investigations, si l'on veut finir

---

1. Fonagy, P. et Target, M. (2003). *Psychoanalytic theories : Perspectives from developmental psychopathology*, p. 271 : « Mentalized affectivity [...] represents the experiential understanding of one's feelings in a way that extends well beyond intellectual understanding. It is in this realm that we encounter resistances and defenses, not just against specific emotional experiences, but against entire modes of psychological functioning [...]. Thus we can misunderstand what we feel, thinking that we feel one thing while truly feeling something else. More seriously, we can deprive ourselves of the entire experiential world of emotional richness. For example, the inability to imagine psychological or psychosocial causation may be the result of the pervasive inhibition and/or developmental malformation of the psychological processes that underpin these capacities. »

de percer les mystères de l'attachement. Bowlby serait sans doute heureux de découvrir que l'attachement peut aujourd'hui s'étudier au sein du cerveau, de ses différentes aires et de ses neurotransmetteurs. Lui qui s'est astreint à la plus grande rigueur scientifique dans un domaine de recherche où elle s'applique souvent difficilement et qui n'a eu de cesse d'observer et de trouver des explications les plus concrètes possibles, verrait avec bonheur les progrès techniques permettre d'approcher les mécanismes physiques sous-jacents à l'attachement et à son évolution. C'est ce que les travaux de Daniel Siegel vont nous faire découvrir.

5

Voyage au cœur du cerveau : la neurobiologie développementale[1]

En son temps, Bowlby a fait appel à l'éthologie et à la cybernétique pour fournir des bases théoriques et des explications scientifiques à ses observations et à ses intuitions. Aujourd'hui, l'ère est aux neurosciences et à l'exploration du cerveau, et il semble bien que la théorie de Bowlby relève sans problème le défi, par la vérification au niveau des mécanismes cérébraux de ses hypothèses déjà attestées par les expériences empiriques. Siegel fournit ainsi une approche neurodéveloppementale de l'attachement, montrant comment la structure même du cerveau est modelée par les interactions avec autrui, et tout particulièrement les interactions précoces. Pour comprendre comment un tel phénomène est possible, il recourt entre autres à la théorie des systèmes dynamiques non linéaires, théorie mathématique qui a connu un récent essor dans la modélisation de mécanismes aussi divers que les fluctuations de la Bourse, la formation des nuages ou l'intelligence artificielle.

1. Sauf mention spécifique, chapitre rédigé pour les aspects neurobiologiques sur la base de l'ouvrage de Siegel, D. J. (1999). *The developing mind : Toward a neurobiology of interpersonal experience.*

Cette théorie permet de rendre compte de phénomènes complexes, ouverts sur l'environnement et néanmoins autorégulés, capables d'apprentissage et donc d'adaptation. Ces phénomènes répondent à trois caractéristiques principales, ils possèdent des propriétés d'auto-organisation vers des formes de plus en plus complexes, leur évolution n'est pas linéaire, et ils présentent des schémas d'organisation à la fois émergents et récurrents. Appliqué au cerveau et au développement de l'enfant, cela permet de comprendre comment les apprentissages évoluent entre stabilité et innovation, et en quoi l'interaction avec autrui est fondamentale à l'évolution du système vers une complexité croissante et une meilleure efficacité adaptative.

Le cerveau en développement : un système dynamique complexe

Au départ, plus une situation est répétée par l'expérience, plus elle devient stable et s'enregistre dans le cerveau par une certaine configuration de réactions des neurones, qui en constituent l'image ou la représentation. Ainsi, les comportements routiniers généralement adoptés par les parents envers leur bébé permettent à celui-ci d'associer les sons, la vision, le toucher et le ressenti qui rythment le fait de s'occuper de lui. Une telle représentation de la situation de soin et du schéma interactionnel qu'elle illustre rend son univers prévisible, lui permettant d'anticiper et d'avoir une idée de ce qui va lui arriver, ce qui est rassurant en soi. Au niveau de son cerveau, plus souvent un ensemble de neurones est activé en même temps, plus il s'activera aisément selon la même configuration ultérieurement, et plus il deviendra résistant au changement. C'est ainsi que le système apprend par l'expérience et se stabilise en configurations particulières, parmi les milliards de combinaisons possibles.

Il faut en effet se rappeler que si, à la naissance, le nombre de neurones dans le cerveau d'un bébé est déjà celui d'un cerveau adulte – il est même supérieur en réalité –, les connexions entre les neurones sont, elles, loin d'être toutes établies. Celles des zones assurant les fonctions basiques de survie le sont à peu près, sinon l'organisme ne serait pas viable, mais pour les autres, y compris celles de la perception par exemple, il faut un minimum d'expérience et d'usage pour que les câblages se mettent en place. Siegel illustre le principe du choix de ces connexions avec l'histoire suivante. Vous vous promenez au printemps à flanc de colline, et vous avisez un petit lac en contrebas qu'il vous tente d'approcher. L'herbe vient de repousser après la fonte des neiges et vous êtes face à une étendue que personne n'a encore foulée. Vous tracez donc votre propre chemin vers le lac, et au retour vous aurez sans doute à cœur de l'emprunter en sens inverse afin de ne pas écraser davantage la végétation. Les promeneurs qui viendront ensuite auront probablement le même réflexe de passer sur les traces que vous avez laissées, et assez rapidement un chemin apparaîtra, qui rendra peu probable que quelqu'un s'aventure à marcher ailleurs. C'est ainsi dans le cerveau que par expériences successives une voie neuronale se trouve tracée, voit sa composition chimique modifiée afin d'améliorer encore la circulation de l'influx nerveux, inhibant fortement de ce fait toutes les combinaisons proches possibles.

L'image de cette promenade au lac permet encore

d'illustrer un autre mécanisme fondamental dans la sélection des voies neuronales qui deviendront prépondérantes. Lors de votre promenade, vous n'aviez pas nécessairement décidé de vous rendre à ce lac, vous pouviez en ignorer totalement l'existence, si ce n'est qu'à un moment votre attention a été attirée par un scintillement à travers les herbes. Le lieu vous a paru attrayant, et vous avez décidé d'aller voir de plus près. Intervient ici la notion de motivation, de plaisir de la découverte qui vous conduit à infléchir le cours de votre promenade initiale. Vous serez tout autant, voire davantage encore motivé à découvrir ce lac et à vous en approcher, si son existence vous a été signalée par un ami de confiance qui vous en aura vanté les attraits. Vous aurez envie de partager l'expérience et la joie de cette découverte avec lui.

C'est aussi exactement de cette manière que les ensembles de neurones se connectent au départ au sein d'une quasi-infinité de possibles, par l'importance que revêt pour l'organisme tel type de stimulation plutôt que tel autre, la valeur émotionnelle qu'il comporte, qui attire l'attention et rend l'information nettement plus saillante qu'une autre. La valeur émotionnelle à ce niveau est essentiellement une valeur de survie selon le principe simple de recherche/évitement : recherche de ce qui est bon pour l'organisme, évitement de ce qui lui est néfaste. Cela étant, à la naissance et dans les mois qui suivent, le bébé n'a guère d'autonomie pour effectuer seul cette démarche. Contrairement aux autres mammifères, il est incapable de se déplacer seul, ne peut s'approcher par ses propres moyens de sa source principale d'alimentation, il ne peut fuir le danger et rejoindre des figures protectrices. Bref, il est entièrement dépendant d'autrui, un plus grand que lui, qu'il ne pourra qu'alerter par ses cris, en espérant être entendu, compris et secouru. Les réactions de cet autrui constituent donc une source fondamentale de codage en recherche/évitement, et d'attention à ce qu'il faut faire et ne pas faire pour avoir des chances d'augmenter le plaisir et de voir diminuer le déplaisir.

Cependant, cet autrui n'est pas une machine, les stimulations qu'il offre ne sont jamais exactement identiques, même au sein de routines bien établies, et c'est heureux. Car, c'est justement grâce à ces changements de détail au sein d'un ensemble rassurant par sa stabilité globale que s'introduit la flexibilité, autant au sein des assemblages neuronaux que des représentations plus générales. Cette flexibilité permet d'apprendre quelque chose de nouveau, de l'intégrer au schéma établi, qui peut ainsi s'enrichir et devenir de plus en plus complexe. Pour prendre un exemple très simple, le bébé à la naissance a déjà une idée de qui est sa mère, celle dans le ventre de laquelle il a grandi pendant plusieurs mois, et dont il a appris à reconnaître la voix. Dans les jours qui suivent, il apprend à associer à cette voix une certaine image de la forme d'un visage, un regard, un sourire. Au fur et à mesure que sa vision s'améliore, les détails de ce à quoi ressemble sa mère sont de plus en plus précis. Il intègre que, de près ou de loin, de face, de profil ou de dos, c'est toujours la même personne, celle qui vient régulièrement prendre soin de lui, et qu'il attend avec plaisir, lorsque tout se passe au mieux entre eux.

Par ailleurs, pour pouvoir indiquer à sa figure d'attachement que quelque chose ne va pas, le bébé doit avoir un certain nombre de schémas préétablis sur l'état de son organisme, susceptibles de signaler un malaise lié à une rupture des équilibres internes. C'est là le rôle des zones les plus anciennes et les plus basiques du cerveau, déjà câblées à la naissance, comme le tronc cérébral et les zones adjacentes. Mais il doit aussi disposer d'un système d'alerte par rapport à l'environnement extérieur et des situations potentiellement dangereuses, comme se retrouver seul trop longtemps, en particulier dans le noir, ou voir s'approcher brutalement une forme imposante, qui pourrait être un prédateur. C'est le rôle de l'amygdale que de coder de telles situations et de permettre l'alerte, par une programmation innée liée à la survie basique de l'espèce, à laquelle viennent s'ajouter de nouvelles combinaisons issues de l'apprentissage des conditions particulières dans lesquelles l'enfant est élevé.

Parmi ces conditions, figurent en tout premier lieu les réactions mêmes de la figure d'attachement, dont le bébé doit s'assurer l'accessibilité pour une simple raison de survie. Or maman n'est pas toujours disponible, elle met parfois beaucoup de temps à arriver lorsque bébé appelle, elle peut se montrer irritée d'être dérangée une fois encore, ou se sentir tellement déprimée qu'elle intervient mais de façon mécanique, ne semblant prendre aucun plaisir à s'occuper de son enfant. Le bébé est extrêmement sensible à tous ces détails, un regard irrité ou vide d'expression le déstabilise et lui fait peur, et si ce type d'interactions se répète régulièrement, son amygdale en vient rapidement à coder ses pleurs comme aboutissant à une issue négative. Il apprend alors à se taire, et à se débrouiller autrement pour gérer son propre malaise et attendre que l'on veuille bien venir s'occuper de lui.

En parallèle, son amygdale développe un codage du même ordre en ce qui concerne les situations qui sont agréables et qu'il est bon de rechercher. La découverte de Bowlby a justement été de montrer que, de manière innée, la relation à la figure d'attachement fait partie de ce qui est préférentiellement recherché par le bébé. Le sourire, le babil, les conduites d'accrochage ou de suite, par le regard d'abord puis par le mouvement dès que possible, sont les signes visibles de ce plaisir de l'enfant à entrer et à rester en contact avec ceux qui s'occupent régulièrement de lui. Mais, là encore, le plaisir n'est pas toujours au rendez-vous, maman n'a pas le temps, elle n'a pas envie de jouer, elle se dit que si elle s'occupe trop de son bébé, elle va en faire un enfant gâté et qu'elle ne pourra plus s'en décoller. Il peut y avoir des dizaines de raisons pour empêcher la mise en place d'interactions ludiques entre une mère et son bébé. Là encore, si ce schéma relationnel s'installe sur une base régulière, l'amygdale enregistre que les manifestations d'attachement n'aboutissent pas à une issue positive et elles sont abandonnées, pire, qu'elles peuvent conduire à un rejet, auquel cas tout contact doit être fui et engendre une réelle frayeur.

La théorie des systèmes complexes montre que l'évolution de ces systèmes passe par la généralisation de situations uniques, mais répétées, en configurations plus globales servant d'attracteurs aux expériences nouvelles, qui sont alors codées comme les anciennes, malgré leurs différences. Ici, la répétition d'un certain type de réponses obtenues à une stimulation, les pleurs de bébé ou au contraire ses tentatives de contact positif, créent un conditionnement, une association neuronale spécifique qui rapidement s'active en présence de stimuli semblables, voire dans la simple anticipation de tels stimuli. Le cerveau de bébé apprend vite à quoi s'attendre, et évite de reproduire les comportements dont l'issue est vécue comme négative pour lui.

C'est ainsi que s'établit la stabilité du système malgré sa complexité et l'apparence de chaos imprévisible dans lequel il semble fonctionner en raison de la multitude des paramètres en jeu. Cela étant, il suffit que dans un sous-ensemble, un élément nouveau apparaisse, suffisamment proche pour ne pas être rejeté comme incompatible, et cependant suffisamment différent et porteur d'une forte valeur informative, pour que l'ensemble du système s'en trouve modifié. Ou encore, on peut assister à l'intégration d'éléments différents proches entre eux, dont l'accumulation finit par introduire une masse critique faisant basculer les paramètres du schéma d'origine. On trouve là la troisième caractéristique de ces systèmes oscillant entre récursivité et émergence, autrement dit entre répétition et assimilation au même, et basculement dans une nouvelle configuration permettant d'atteindre des niveaux croissants de complexité, donc d'apprentissage vers une sophistication grandissante. D'un autre côté, cette complexité est aussi illustrée par la non-linéarité de ces systèmes qui fonctionnent par assemblages de sous-systèmes relativement simples, mais dont on ne peut prédire par addition l'effet d'ensemble auquel contribue la richesse des interrelations.

Ces systèmes évoluent encore en fonction de leurs contraintes, contraintes internes d'abord, de modalités d'association des neurones entre eux par exemple, ou de l'état du système à un moment donné, et contraintes externes, celles de l'environnement, exerçant une pression constante à la stabilité ou au changement. Plus le système se développe, plus les contraintes internes deviennent fortes, l'infinité des possibles des connexions entre neurones se réduit par exemple, à tel point que ceux des neurones qui ne sont pas régulièrement connectés et stimulés finissent par se détruire dans un processus naturel appelé apoptose. La nature prévoit ainsi un surplus de neurones à la naissance par rapport à l'âge adulte, qui permet de faire face à un maximum de possibles, et une sorte de ménage est fait au bout d'un certain temps avec ceux qui ne servent pas régulièrement. Le système s'épure pour se consacrer à l'amélioration de ce qui lui est vraiment utile pour s'adapter aux conditions d'existence dans lesquelles il évolue.

Quant aux contraintes externes, elles peuvent évoluer elles aussi. C'est en particulier ce qui se produit lorsque l'enfant change d'environnement. Les conduites adaptatives familiales sont généralement assez stables, sauf lorsqu'un bouleversement majeur vient transformer la relation des parents à leur enfant. C'est ce qui permet d'expliquer la stabilité globale des représentations d'attachement. Par contre, si le schéma requis par les contraintes habituelles se trouve confronté à de nouvelles circonstances extrêmement différentes de l'accoutumée, son potentiel de flexibilité et d'intégration de nouvelles données, et donc de modification des schémas existants, sera la condition même de sa possible adaptation. Si le système est trop rigide, les nouvelles informations ne seront pas enregistrées, ou seront déformées de façon à cadrer avec l'existant, toute évolution du système sera bloquée par des contraintes internes trop fortes inhibant la flexibilité et l'émergence d'une nouvelle approche. La perspective thérapeutique qui relance l'évolution vers davantage d'intégration et de complexité dans le système relationnel humain et dans les connexions neuronales qui le sous-tendent au sein du cerveau, passe ainsi par la présentation de nouveaux contextes et l'introduction d'une flexibilité entre les sous-systèmes impliqués.

Ces sous-systèmes correspondent aux différentes zones du cerveau dont la complexité de traitement de l'information va croissant, en interaction directe avec l'environnement. Par souci de clarté, on peut s'appuyer sur la conception du cerveau tripartite de Paul MacLean, issu selon lui de l'évolution du cerveau reptilien au cerveau humain en passant par celui des mammifères. Sont ainsi définies trois zones fonctionnelles, la première, que nous avons déjà évoquée, rassemble ce qui gère les fonctions vitales du corps, attention, sommeil, faim, température, etc. au sein du tronc cérébral et des structures proches. La deuxième, appelée aussi système limbique ou cerveau des émotions, a la charge de la valeur attribuée aux signaux reçus de cette zone inférieure ainsi que des stimulations extérieures. La troisième enfin, la plus récente dans l'évolution, est constituée du néocortex et traite de manière sophistiquée toutes sortes d'informations, permettant par exemple la pensée abstraite.

Pour les non-spécialistes du cerveau, une illustration à portée de tous, reprise par Siegel, permet de visualiser cette répartition anatomique simplifiée. Vous fermez la main de telle sorte que vos doigts s'enroulent serrés autour de votre pouce. Votre poignet et votre avant-bras représentent la jonction du crâne et du cerveau à la colonne vertébrale et la moelle épinière. Si vous examinez votre poing de face, les yeux se situent au niveau des ongles du majeur et de l'annulaire, avec les oreilles de part et d'autre de votre poing. Vos doigts et le dessus de la main représentent le néocortex, avec les lobes frontaux juste devant vous, et la zone préfrontale vers le bout des doigts. Les parties les plus primitives du cerveau, dont le tronc cérébral, se situent au niveau de la paume de la main, entre les doigts refermés et le poignet. Le système limbique, quant à lui, repose au cœur de votre poing, au niveau de l'extrémité de votre pouce, avec le cortex orbito-frontal juste derrière les yeux. Il faut encore se souvenir que le cerveau est divisé en deux hémisphères reliés entre eux par le corps calleux, zone d'échange intense d'informations entre des structures pour la plupart doublées de part et d'autre. Pour les besoins de l'exposé, nous n'introduisons ici que les notions fonctionnelles et anatomiques qui servent directement à notre propos.

Apprentissage, mémoire implicite et neurotransmetteurs

Comme nous l'avons vu, à la naissance, seules les zones les plus basiques du cerveau sont câblées, rendant l'organisme viable, à savoir à même de réguler un minimum de fonctions de survie, telles que respirer, avoir le cœur qui bat, etc. Pour le reste, le bébé doit s'appuyer sur une aide extérieure pour assurer la satisfaction de ses besoins vitaux, dont celui d'être protégé des dangers extérieurs. Pour faire simple, le tronc cérébral et l'amygdale sont déjà opérationnels, par contre le reste des aires ou sous-systèmes cérébraux doivent leur maturation à l'expérience, c'est-à-dire le câblage des neurones de ces aires entre eux et de ces différentes zones entre elles, et ce, y compris au sein du système limbique qui ne se résume pas à l'amygdale. Un autre de ces ensembles de neurones qui concerne tout particulièrement notre propos est l'hippocampe, fondamental à la mémoire.

En effet, sans mémoire, pas d'apprentissage possible, pas d'anticipation du futur sur la base de ce que l'on connaît déjà, on reste bloqué dans l'ici et maintenant, et le traitement des informations doit être sans cesse recommencé dans son intégralité, comme si on devait tout redécouvrir à chaque instant. Sans mémoire, la structuration des données est impossible, qui permet par comparaison d'intégrer de nouveaux éléments à des ensembles de faits déjà connus. C'est cette catégorisation de l'expérience en sous-ensembles distincts qui permet d'avancer dans la complexité du système, comme les briques d'un mur qui ne peut s'élever qu'en s'appuyant sur les briques déjà posées et consolidées entre elles.

Ainsi, plusieurs types de mémoire ont été mis en évidence chez l'homme. D'abord la mémoire implicite, qui se distingue de la mémoire explicite. La mémoire implicite nous fait agir sur la base de souvenirs dont nous ne sommes absolument pas conscients. Nous n'avons d'ailleurs pas l'impression de nous souvenir de quoi que ce soit, ni que notre comportement actuel soit une réaction à une situation passée. Nous le croyons strictement lié à l'ici et maintenant, et nous pouvons avoir des doutes seulement lorsque notre réaction semble étrangement décalée ou disproportionnée, et qu'autrui par exemple nous le fait remarquer.

Cette mémoire est typiquement enregistrée par l'amygdale qui code telle association de neurones activés à un stimulus donné selon qu'il est à rechercher ou à fuir, dans une perspective d'adaptation et de survie, comme nous l'avons vu. Ce codage en valeur positive ou négative est réalisé par la libération de neurotransmetteurs spécifiques, la dopamine pour ce qui est bon à rechercher, et la noradrénaline pour ce qui est source de stress, dont il est judicieux de se méfier. Ainsi, pour donner un exemple simplifié, une même situation de départ, comme celle consistant pour le bébé à pleurer parce qu'il a faim, va mobiliser à la base chez deux individus les mêmes associations de neurones : d'un côté ceux qui transmettent l'information en provenance du corps que l'homéostasie est rompue, à rééquilibrer par l'alimentation, et de l'autre ceux qui sont à l'origine du déclenchement des pleurs pour attirer l'attention de quelqu'un susceptible de résoudre le problème. En schématisant, on peut dire que les neurones du tronc cérébral s'associent à ceux de l'amygdale, produisant cette séquence d'activation.

En revanche, le codage par les neurotransmetteurs ne sera pas le même en fonction de la réaction de la figure d'attachement. Si celle-ci arrive dans un temps raisonnable, nourrit l'enfant en s'occupant tendrement de lui et en prenant un plaisir manifeste à l'interaction, cette séquence sera dans le cerveau du bébé globalement codée par la dopamine. À l'inverse, si la personne chargée de s'occuper de lui exécute sa mission mécaniquement, ou avec l'air irrité car elle s'estime dérangée, le codage émotionnel de l'ensemble sera marqué par la noradrénaline. Le bébé aura été nourri, mais aucun échange positif pour lui n'aura eu lieu.

Au stress de la faim et des pleurs s'ajoute alors celui du contact relationnel, perçu par l'enfant à deux niveaux. D'une part, il reçoit des informations de son corps avec le sentiment de sécurité qui dérive de la manière dont il est tenu, et de la détente ou non du corps maternant. D'autre part, il lit les expressions faciales d'autrui, directement repérées par des neurones spécialisés de son amygdale, pour qui des visages neutres ou montrant de l'irritation, voire de la peur, sont synonymes d'insécurité, donc codés en tant que tels comme menace potentielle à la survie.

Si son cerveau enregistre par ailleurs que l'on vient régulièrement le nourrir, même s'il ne pleure pas, et que là l'interaction se passe de manière plus positive, le choix sera vite fait par le système qui privilégiera la source de stress moindre, et le bébé cessera de pleurer lorsqu'il a faim. Il attendra gentiment qu'on l'alimente, mangera même s'il n'a pas faim, s'adaptant rapidement aux contraintes externes à la satisfaction des adultes. Le cerveau du bébé aura enregistré deux types d'informations ce faisant, la première c'est que pour qu'on s'occupe de lui, il vaut mieux ne pas réclamer, la seconde, c'est que s'il réclame, ça ne va pas bien se passer pour lui, et que l'interaction avec autrui dans ces circonstances n'est pas à rechercher. Autrement dit, quand ça ne va pas, il vaut mieux se taire et se débrouiller par ses propres moyens. Enfin, un type d'information va disparaître, en provenance du corps, signalant au cerveau qu'il a faim et qu'il doit être nourri. Dans ce cas, cette information ne sert à rien, elle n'a donc plus de raison d'être traitée et transmise jusqu'au bout. On voit immédiatement comment un tel mécanisme conduit à terme à des enfants et des adultes qui ne savent plus quand ils ont faim, et à divers troubles de l'alimentation, même bénins.

Cet exemple simplifié, limité à l'alimentation et à certains types de réactions des adultes, permet d'avoir un aperçu de la manière dont, par expériences récurrentes et par associations entre elles, le bébé se forge rapidement une représentation de ce à quoi il peut s'attendre de la part de ses figures d'attachement. Il y a en effet de fortes chances pour qu'un parent qui se sent irrité par les pleurs de son enfant lorsqu'il a faim le soit encore davantage s'il continue à pleurer alors qu'il a été nourri et changé, et qu'il devienne plus difficile de savoir ce qu'il a et donc de pouvoir le calmer. L'expérience de la situation d'alimentation s'étend alors à toute source de stress pour le bébé, qui apprend à manifester le moins possible. Et pour éviter d'avoir à manifester et essayer de gérer le problème en interne, la meilleure solution consiste à ne plus ressentir, à contenir, voire à annuler l'information émotionnelle.

À ce stade se mettent en place des mécanismes spécifiques d'autorégulation, car si la situation n'est pas gérée par intervention externe pour mettre fin au malaise, le système doit se protéger en interne, car il ne peut rester en situation d'alerte maximale trop longtemps, il n'y survivrait pas. La condition de stress aigu mobilise en effet tout l'organisme, augmente en particulier le rythme cardiaque qui doit opérer à terme un retour à la normale. Le système se protège donc lorsque le stress devient chronique, c'est-à-dire lorsqu'il a fait l'expérience répétée de situations de malaise auxquelles la figure d'attachement n'a pas mis fin dans des conditions adéquates, il élève alors son seuil de tolérance au danger.

Le mécanisme est basique comme pour une alarme dont on trouve qu'elle se déclenche trop souvent, on en modifie le réglage pour qu'elle soit moins sensible. Dans le cerveau, ce processus est réalisé par la diminution des récepteurs à la noradrénaline. Autrement dit, pour faire simple, plus souvent une zone donnée produit de l'adrénaline de façon prolongée, moins les récepteurs à cette molécule dans d'autres zones sont nombreux, et donc moins l'information circule.

L'enfant ne ressent plus le malaise, il ne pleure plus, et les parents se réjouissent d'avoir un enfant facile et sage. Puisqu'il ne peut pas échapper à la situation, son organisme la gère, et lui permet de la supporter à moindres frais.

Il est important de remarquer que ce mécanisme d'autorégulation de la noradrénaline n'intervient pas de la même façon pour la dopamine. Étant donné que cette molécule code ce qui est bon pour l'organisme, plus le cerveau en produit et plus il en comporte de récepteurs, donc plus l'organisme recherche ce qui a ainsi été codé. Cette logique d'autorenforcement vis-à-vis de ce qui est favorable n'a d'effets pervers que si on trompe le système sur ce qui est bon pour lui. C'est ce qui se passe par exemple avec les drogues, dont l'étude a d'ailleurs permis la mise au jour de ce mécanisme spécifique. Par contre, lorsqu'il s'agit de la relation à la figure d'attachement, la recherche et le plaisir d'être avec l'autre, qui représentent la satisfaction d'un besoin véritable, se trouvent ainsi solidement établis, là encore si tout se passe au mieux dans la durée.

En ce qui concerne le codage émotionnel de la valeur à attribuer à ce qui se passe, intervient encore un autre phénomène associant directement autrui : l'imitation et l'apprentissage par la seule observation. On vient de voir que pour encoder son lien à l'environnement permettant d'anticiper la meilleure marche à suivre, le cerveau enregistre des séquences d'événements sous forme d'associations de neurones et de neurotransmetteurs spécifiques. Mais ce type d'apprentissage nécessite que l'enfant fasse directement l'expérience des situations, ce qui limite le processus d'acquisition. La recherche a montré qu'il existe en fait des neurones spécialement dévolus au processus d'apprentissage à partir de l'expérience d'autrui, les neurones-miroirs. Ces neurones ont été mis en évidence par hasard dans le cerveau de macaques, un jour où un chercheur, faisant une pause dans ses expériences pour manger un sandwich, a observé avec surprise que le cerveau de l'animal testé réagissait de la même façon à le regarder manger que s'il avait lui-même été en train de le faire.

Ces neurones ont depuis été aussi nommés neurones de l'empathie, car on estime que c'est grâce à eux que l'on peut avoir une idée de ce que ressent autrui, par mimétisme en fait. On a ainsi découvert que les personnes autistes présentent un dysfonctionnement de ces neurones. Il a aussi été montré que ces neurones codent non seulement une action, mais l'intention avec laquelle elle est réalisée, c'est-à-dire ce que la personne va faire ensuite. On peut penser que cela constitue une économie de moyens, puisque la séquence courante d'actions ne nécessite plus l'activation d'une série importante de neurones, mais qu'un nombre très limité suffit à rassembler l'information.

Cette découverte a relancé l'étude de l'apprentissage par imitation chez le jeune enfant. On a longtemps cru que le bébé devait être capable de se représenter les comportements avant de pouvoir faire pareil, et qu'il devait donc atteindre un certain âge pour y arriver. Des observations récentes plus précises ont mis en évidence qu'un bébé de quelques heures peut imiter certaines expressions faciales comme le sourire ou tirer la langue. L'imitation apparaît alors comme un moyen idéal d'apprentissage pour un petit être découvrant le monde, et qui va devoir s'y adapter.

Imiter les plus grands, ceux qui savent déjà faire, permet ainsi rapidement et à moindre coût d'acquérir des compétences localement appropriées.

Cet apprentissage par imitation et le rôle des neurones-miroirs permet encore de comprendre comment le codage émotionnel d'un stimulus peut passer directement de la mère à l'enfant par simple observation. Les recherches sur les émotions ont montré qu'il suffit de provoquer artificiellement la contraction de certains muscles du visage impliqués dans une expression émotionnelle donnée pour provoquer chez la personne le ressenti correspondant. Ainsi, si vous tenez un crayon en travers de votre bouche de façon à provoquer un sourire forcé, votre cerveau va vous amener à vous sentir de meilleure humeur, comme si vous étiez naturellement en train de sourire. Ces découvertes ont été efficacement appliquées à la formation des acteurs, pour leur permettre de mieux ressentir leurs rôles.

On peut en déduire que lorsque l'enfant observe l'expression faciale des personnes qui l'entourent et qui sont importantes pour lui, ses neurones-miroirs s'activent automatiquement, le conduisant à la fois à reproduire extérieurement l'expression qu'il perçoit, mais aussi à en ressentir la tonalité intérieure. Cela peut expliquer pourquoi les bébés de mères dépressives deviennent tristes et inexpressifs, voire apathiques, exactement comme leur figure d'attachement. Les mères japonaises se servent aussi intuitivement de ce phénomène pour faire comprendre à leur enfant qu'il fait quelque chose qui ne leur convient pas. Elles ne crient pas, ne grondent pas l'enfant, simplement leur visage devient impassible, voire elles détournent le regard, cela étant spontanément codé de manière négative par l'enfant qui cesse son comportement après quelques tentatives.

C'est donc sur les zones les plus basiques du cerveau directement reliées au corps que s'appuie le codage des enregistrements mnésiques qui constituent la mémoire implicite. Ces souvenirs présents en dehors de toute conscience ne se limitent cependant pas au vécu des premières années. C'est un mode d'enregistrement des informations effectif la vie durant, qui s'active tout particulièrement lors de situations à fortes charges émotionnelles lorsque, pour une raison ou pour une autre, celles-ci ne sont pas traitées par le mécanisme de mise en mémoire plus avancé qu'est la mémoire explicite.

Mémoire explicite et langage

La mise en œuvre de la mémoire explicite n'est possible qu'avec la maturation de l'hippocampe, autre zone du cerveau toujours dans le système limbique. Le câblage efficace de cette zone en relation avec les autres n'intervient pas avant l'âge de 3 ans. C'est ce qui explique l'amnésie infantile. On a besoin de l'hippocampe pour coder des souvenirs perçus consciemment et pouvoir les récupérer ensuite, en ayant cette fois l'impression réelle de se remémorer les événements.

Entre-temps, est intervenu dans la croissance du petit humain un autre phénomène majeur, l'accès au langage, d'abord dans sa compréhension, puis dans sa production d'énoncés rapidement de plus en plus sophistiqués. Le langage constitue un outil de gestion de l'information extrêmement performant, ainsi qu'un outil d'accroissement de connaissances bien plus efficace que le seul apprentissage par imitation. Il permet en effet l'acquisition de savoirs nettement plus complexes et abstraits, qui peuvent en outre être communiqués à distance, autant dans le temps que dans l'espace.

En ce qui concerne par exemple le fonctionnement affectif et relationnel, il offre la possibilité de nommer les émotions, de discuter de leur cause probable, d'analyser les problèmes qu'elles signalent lorsqu'elles sont négatives et d'envisager des solutions, ou encore de partager une expérience de joie et de plaisir. Ainsi, un petit enfant qui rentre de l'école, l'air abattu ou en pleurs, verra son parent sécure lui poser des questions pour comprendre ce qui s'est passé. En fonction du contexte, il fera l'hypothèse que l'enfant a dû ressentir telle ou telle émotion négative, lui expliquant que c'est ce qu'il aurait ressenti, lui, dans de telles circonstances, et que c'est normal.

Une telle interaction a pour effet de permettre à l'enfant de comprendre ce qui lui est arrivé, d'établir des relations de cause à effet entre une situation et le ressenti qu'elle déclenche. Il apprend aussi que ses émotions sont quelque chose d'important et de valeur pour sa figure d'attachement, et donc pour lui-même. Il enregistre que c'est un phénomène normal dont il est bon de parler, et qu'enfin, autrui, par son écoute, son soutien et ses conseils peut aider, sinon à résoudre le problème, du moins à alléger l'intensité des émotions négatives vécues, voire les faire disparaître. C'est aussi comme cela que se concrétise la régulation des affects par la figure d'attachement, et cet apport fondamental se poursuit bien au-delà des toutes premières années.

Le langage offre encore au cerveau un formidable outil de classification et donc de rangement. Les informations qui jusqu'alors étaient répertoriées en fonction de leur ressemblance et de leur appartenance à des réseaux associatifs, concrètement liés à des configurations d'activation neuronale, peuvent maintenant se détacher de l'expérience réelle et être encodées de manière abstraite. Autrement dit, il est désormais possible de coller une étiquette sur chaque tiroir de rangement, et il n'est plus nécessaire d'ouvrir le tiroir pour en connaître le contenu. Les informations dans le cerveau peuvent être hiérarchisées à l'image des arborescences dans l'explorateur d'un ordinateur. Il existe plusieurs dossiers principaux, contenant chacun des sous-dossiers, avec des sous-sous-dossiers renfermant les fichiers dans lesquels sont organisées les données.

Lorsque le rangement est correctement fait, chacun de ces niveaux porte un nom correspondant à son contenu. Il devient alors beaucoup plus facile de retrouver l'information dont on a besoin, et d'intégrer adéquatement les informations nouvelles. Pour continuer l'analogie, un tel mode de classement permet de s'en sortir bien mieux que si les différents paquets de données sont enregistrés chacun dans un fichier distinct, et laissés tel quel sur le bureau de l'ordinateur, où l'on finit rapidement par ne plus rien trouver, car on ne voit pas où chercher. Pire encore, la confusion est maximale si les données ont été enregistrées sans tri préalable, mélangées dans leur contenu au sein d'un même fichier, ou encore si les fichiers portent des noms qui ne précisent pas leur contenu, ou sont trompeurs par rapport à ce qui s'y trouve.

En poursuivant la métaphore, le langage offre la

possibilité de communiquer, non plus seulement au niveau des fichiers simples correspondant à un assemblage de données concrètes, mais au niveau des dossiers globaux abstraits. Nommer permet ainsi de rassembler sous un même vocable toutes les expériences faites dans la réalité de l'objet correspondant. Le mot *chaise* rassemble toutes les expériences possibles d'un assemblage comportant généralement quatre pieds, une assise et un dossier, servant à s'asseoir, et ce quels que soient sa couleur, son style ou son matériau. On peut s'asseoir sur des tas de choses qui ne sont pas des chaises, et il suffit qu'on ajoute des accoudoirs à l'assemblage pour que cela ne soit plus une *chaise*, mais devienne un *fauteuil*.

Le tri est clair et normalement efficace, sauf si vous communiquez avec quelqu'un qui ne fait pas la différence. Si vous rejoignez des amis à la terrasse d'un café et que vous demandez une chaise, vous ne vous attendez pas à ce qu'on vous apporte un verre. Si tel était le cas, vous seriez surpris, voire fâché, car vous auriez l'impression que l'autre se moque de vous, s'il n'est pas dur d'oreille. En revanche, si l'on vous présente un objet sur lequel vous asseoir, vous aurez l'impression d'avoir été compris dans votre intention, et vous en conclurez qu'il n'y a plus de chaises disponibles. Il n'y a que le langage, l'abstraction et les associations qu'il permet, qui offrent une telle richesse de communication intersubjective et d'adaptation.

Utiliser le langage oblige aussi à organiser les informations en séquence. Faire une phrase contraint à définir un sujet, un verbe et un complément, pour prendre une structure simple en français. On choisit ainsi une action, quelqu'un qui fait cette action et quelque chose sur lequel porte cette action, par exemple *(à midi) j'ai mangé du poulet.* L'organisation des temps de conjugaison permet de rendre compte du temps chronologique, on a une information supplémentaire par rapport à *manger, je, poulet.* Avec le langage, on peut aussi partager une expérience à distance. Vous n'êtes plus contraint d'avoir déjeuné avec moi pour savoir ce que j'ai mangé et si j'ai trouvé ça bon.

Sans entrer davantage dans les détails qui transformeraient cet ouvrage en traité de linguistique, on s'aperçoit rapidement à quel point le langage est un formidable outil permettant l'intégration de données et leur mémorisation, ce qu'on a souvent tendance à oublier. Il joue ainsi un rôle fondamental dans l'accroissement du niveau de complexité possible du cerveau en développement de l'enfant, et là encore les adultes ont une influence déterminante par l'usage qu'ils en font eux-mêmes.

Langage, émotion et distorsion de l'information

L'acquisition du langage n'a malheureusement pas que des effets positifs, car il permet le mensonge et des interprétations complètement biaisées de la réalité. Il ne s'agit pas ici d'introduire une quelconque réprobation morale dans cette affaire, mais d'attirer l'attention sur les implications qu'une distorsion de la réalité entre l'expérience et ce qui en est raconté a sur le développement du cerveau. À partir du moment où le langage aide à la mémorisation par la synthèse d'informations qu'il permet, les souvenirs accessibles à la conscience sont préférentiellement des souvenirs racontés et racontables, qui viennent se substituer au vécu réel et à ce qui a été enregistré de manière implicite. De là surgit le danger d'apprendre à s'adapter non pas tant à la réalité qu'à l'idée que l'on s'en fait, issue de ce qu'on nous en a dit. La carte en vient à se substituer au territoire, et si l'on raisonne seulement sur ses symboles, on vit dans une illusion.

Par exemple, un petit enfant se trouve confronté à un chien qu'il voudrait approcher, mais qui réagit de manière dissuasive en grondant et en montrant les crocs. Spontanément, l'enfant recule et se met à pleurer de frayeur. Si l'adulte qui l'accompagne le semonce à cet instant, en lui disant qu'il est idiot d'avoir ce genre de réaction, que le chien est gentil et qu'il n'y a pas de quoi en faire une histoire, il méconnaît totalement le vécu de l'enfant. À la peur légitime du petit, il substitue sa propre version de l'affaire, un principe sur la gentillesse présupposée des chiens, et pour faire plaisir à l'adulte et ne pas encourir sa réprobation, c'est la version officielle que retiendra l'enfant.

Si une telle réaction de la figure d'attachement se répète chaque fois que l'enfant est effrayé par quelque chose, en conformité avec une règle éducative visant à éviter d'en faire une « poule mouillée », il ne manifestera bientôt plus aucune peur et se montrera courageux, voire téméraire et complètement inconscient des dangers auxquels il s'expose. Son organisme continuera à avoir peur, car c'est une protection instinctive, mais cette réaction d'alarme ne dépassera pas le traitement par l'amygdale et les mécanismes de stress physique qu'il déclenche, en aucun cas cela ne parviendra à la conscience. L'enfant pourra même croire que cette sensation d'agitation intérieure est une manifestation de plaisir, car l'association qui aura été enregistrée pourra reposer sur la satisfaction observée chez le parent à son comportement téméraire.

Dans le cadre des études sur l'émotion, il a ainsi été montré qu'une émotion en elle-même, par l'activation physiologique qu'elle engendre, n'est pas suffisamment différenciée pour qu'on puisse spontanément lui attribuer telle étiquette plutôt que telle autre. L'étiquetage se fait en fonction d'autrui, du discours qu'il tient ou du contexte qu'il fournit. Par exemple, sur un campus universitaire parcouru par une rivière, on a conduit des étudiants à emprunter un pont suspendu assez instable, plutôt que la passerelle habituelle en dur[1]. De l'autre côté de la rivière attendait une personne chargée d'interroger sur leur ressenti ceux qui venaient de traverser. Très peu d'étudiants ont admis avoir eu peur face à l'instabilité du pont, car la peur n'est pas une émotion qu'un jeune homme acceptera facilement d'admettre face à autrui, en particulier sur un campus nord-américain selon les chercheurs. Mais plus étonnant encore, lorsqu'ils étaient interrogés par une étudiante avenante, plutôt qu'un étudiant, ils lui demandaient quasi systématiquement son numéro de téléphone, chose qui ne se produisait pas aussi nettement lorsque la demoiselle posait les mêmes questions à ceux qui avaient utilisé la passerelle en dur. Ainsi, l'activation physiologique instinctivement provoquée par le support instable était codée comme excitation sexuelle, à la vue d'un contexte permettant de lui attribuer

1. Dutton, D. G. et Aron, A. P. (1974). « Some evidence for heightened sensual attraction under conditions of high anxiety », *Journal of Personality and Social Psychology*.

cette signification, à savoir la jeune fille avenante qui attendait pour leur parler.

D'autres expériences du même ordre ont permis de vérifier que le contexte, et en particulier la réaction d'autrui, est fondamental pour donner un sens à l'émotion ressentie sous forme d'activation physiologique de base. Ces expériences ont été réalisées sur des adultes, on en conclura donc aisément que si des personnes, censées être expérimentées par rapport à leur ressenti, se montrent aussi influençables sur la qualité et l'origine de celui-ci, c'est encore bien davantage le cas des enfants qui ont tout à apprendre, et dépendent entièrement de ceux qui les entourent pour qualifier ce qui leur arrive sur le plan émotionnel.

Lorsque ces adultes ne sont pas au clair avec leur propre ressenti, qu'ils veulent le cacher à l'enfant ou qu'ils refusent que celui-ci ressente un certain type d'émotion, comme la peur dans l'exemple plus haut, on comprend aisément comment des enfants décodent mal les signaux que leur transmet leur corps sur le plan affectif. Ils se retrouvent alors à confondre la peur avec la colère ou l'inverse, ou encore ces deux émotions avec la tristesse, ou, plus étrange mais pas inhabituel, avec la joie, pour n'évoquer que les émotions dites de base. Ils peuvent tout aussi bien avoir l'impression de ne rien ressentir du tout, éventuellement un vague malaise qu'ils ne décryptent pas comme un signal émotionnel, mais comme un désordre physique : la boule au creux de l'estomac sera un aliment mal digéré et rien d'autre. Ceux-là sont devenus alexithymiques au sens propre, qui signifie en grec que l'on ne dispose pas de mots pour qualifier ce que l'on ressent. Et ce qui ne peut être mis en mots a bien des difficultés à exister à la conscience.

Ce principe est une découverte d'un éminent linguiste, Benjamin Lee Whorf[1], qui s'est intéressé à la relation entre le vocabulaire dont on dispose et la perception que l'on a de la réalité. Il a ainsi attiré l'attention sur le fait que les Esquimaux ont un vocabulaire très fourni concernant la neige sous ses différentes formes, plus ou moins dense, plus ou moins fondue, etc., et qu'ils perçoivent cet élément clé de leur environnement avec une précision dont nous sommes incapables, car nous n'avons pas appris à en discriminer les caractéristiques grâce à un vocabulaire spécifique. C'est comme si nous ne connaissions que le mot *siège*, ne nous permettant pas de faire précisément la différence entre une chaise, un tabouret, un fauteuil, un canapé, etc. Whorf a montré qu'il existe le même type de différence perceptive chez les nomades du désert en ce qui concerne la couleur de la robe des chameaux, subtilités qui nous échappent aussi, à nous qui ne vivons pas dans cet environnement caractéristique.

Il a étendu son raisonnement plus loin, en particulier à travers l'étude de la langue hopi où le présent n'existe pas, ne permettant pas de différences de temps mais seulement celles de lieux, pour conclure que les capacités de raisonnement en elles-mêmes sont directement conditionnées par les potentialités offertes par la langue. À son sens, la pensée rationaliste occidentale est directement issue des catégories grammaticales du grec et du latin, qui rendent difficile de penser la synchronicité par exemple, et certains phénomènes suggérés par la physique quantique. Pour lui, on ne pourrait pas aisément penser au-delà de ce que la langue

1. Voir Whorf, B. L. (1969). *Linguistique et anthropologie.*

que nous parlons nous permet de décrire, et donc de concevoir. Lorsque nous manquons de mots, il n'est pas seulement difficile de communiquer avec autrui, mais aussi d'abord avec nous-mêmes, par indiscrimination dans la perception même de ce que nous vivons et dans les raisonnements qui nous sont accessibles.

Donc, pour en revenir à la mémoire, le contenu de la mémoire explicite peut se trouver déconnecté de celui de la mémoire implicite, correspondant à ce qui a réellement été vécu. Cela peut se faire de manière ponctuelle, sur des événements spécifiques ou sur un certain type de ressenti, ou cela peut intervenir de manière beaucoup plus globale, correspondant à un mode d'éducation et de communication intrafamiliale. La recherche a montré qu'il existe ainsi deux grands modes d'interaction, un mode strictement factuel contrasté avec un mode plus émotionnel. Ces modes se repèrent aisément à la manière dont le parent parle à son enfant, en particulier autour des histoires lues, ou racontées par celui-ci lorsqu'il rapporte son vécu.

Certains parents insistent sur l'exactitude des faits, sur la justesse de l'enchaînement et sur la précision du vocabulaire, dans le discours de l'enfant autant que dans le leur. D'autres se montrent éventuellement moins précis sur ces aspects, mais se centrent davantage sur le ressenti des protagonistes, ils tolèrent, voire favorisent, une part d'imagination. Ils introduisent des raisonnements spéculatifs, « et, qu'est-ce qui se serait passé si… ». Bref, l'histoire en elle-même devient le support d'une interaction riche qui se transforme en jeu partagé, et ne constitue pas la simple vérification que quelque chose a été bien compris. Les familles à communication factuelle inhibent la constitution d'un vocabulaire affectif diversifié, la capacité à s'intéresser à sa vie intérieure, ainsi qu'à celle des autres. On retrouve ici la description des évitants, qui ne s'intéressent qu'aux relations de cause à effet, pour Crittenden.

Il est clair qu'il existe encore une troisième catégorie de relations parent/enfant, celle où le parent est trop occupé ou pas intéressé par ce que son enfant peut avoir à raconter, où il l'écoute d'une oreille distraite, voire pas du tout. Mais là, il n'y a pas vraiment d'échange, il s'agit d'une communication à sens unique, à laquelle l'enfant s'adapte rapidement en se taisant, pour n'obéir qu'aux seules consignes de l'adulte. Tout autre discours ne sert à rien si ce n'est à se sentir inintéressant et rejeté, l'enfant évite donc, même s'il ne se fait pas ouvertement rabrouer parce qu'il est trop bavard et qu'il monopolise l'attention. Inutile de préciser que dans ces conditions, les compétences expressives de l'enfant se trouvent plus que limitées, ainsi que les connexions cérébrales qu'une telle communication favorise, sur lesquelles nous allons revenir.

Mise en mémoire et hémisphères

Toujours en ce qui concerne la mémoire explicite et le type d'informations qu'elle engrange et qu'elle permet de restituer, on fait encore la différence entre mémoire sémantique ou procédurale, et mémoire autobiographique. La première concerne *grosso modo* tout ce que l'on peut apprendre d'impersonnel, une formule mathématique, un mode d'emploi, etc., l'autre rassemble ce qui se rapporte à notre vécu. Au sein de cette mémoire autobiographique a été établie une distinction intéressante entre mémoire noétique et mémoire autonoétique. Derrière ce qualificatif peu courant se cache l'idée que l'on peut se souvenir de ce que l'on a fait à un moment donné, sans retrouver une certaine forme de conscience personnelle du vécu de cet événement. La mémoire noétique nous conduit à savoir qu'en telle année, nous sommes partis en vacances à tel endroit, alors que la conscience autonoétique nous fait retrouver l'effet que ces vacances ont eu sur nous, les sensations, les ressentis, au point d'en oublier éventuellement la date, car ce n'est pas le plus important.

Ces deux types de mémoire autobiographique conduisent à des récits de remémoration totalement différents. Dans le cas de la mémoire noétique, le discours sera factuel, il pourra présenter abondance de détails, mais si on demande à la personne ce qu'elle a ressenti, les réponses seront évasives. C'est un discours d'observateur, en apparence non impliqué. À l'inverse, dans le cas de la mémoire autonoétique, la personne habite son discours, on la sent parler de cet événement passé comme si elle le revivait d'une certaine façon. C'est un discours d'acteur, où la précision des faits est moins importante que l'impression générale qui s'en dégage, qui est justement ce que la personne en a retenu, ce qui est essentiel pour elle, et ce qu'elle a à cœur de partager lorsqu'elle raconte l'épisode.

On voit, par cette différence, l'impact à long terme que peuvent avoir les modes de communication intrafamiliale que l'on vient d'évoquer. Une communication factuelle engendre une conscience noétique de son vécu, alors qu'une communication qui intègre le ressenti et lui accorde toute son importance favorise la conscience autonoétique, l'impression d'être acteur de sa vie et pas simplement spectateur. Ces deux types de mémoire ont été mis en évidence comme le fruit d'activations différentes du cerveau. La mémoire noétique semble n'impliquer que l'hémisphère gauche, hémisphère plus spécifiquement dédié au langage, au sens des mots et à une appréhension logique, rationnelle de l'environnement. Les récits autonoétiques activent au contraire les deux hémisphères, le gauche bien entendu qui reste le siège du langage et de la mise en mots, mais aussi le droit, plus spécifique au ressenti, aux impressions, à une approche plus globale des choses. C'est aussi l'hémisphère qui est le plus immédiatement lié au corps, celui dont les connexions neuronales récupèrent et traitent en priorité les informations qui en sont issues.

La manière dont on parle à ses enfants, la manière dont on les écoute ont donc une influence fondamentale sur leur développement affectif et intellectuel, par l'entremise du câblage de leur cerveau et du type d'informations dont la mémorisation sera ou non favorisée. Exactement comme au niveau des neurones individuels, ceux qui ne servent à rien sont éliminés, ici l'enfant utilise et produit uniquement les informations qui lui permettent de s'adapter à la niche écologique que constitue son univers familial. Lorsque cet univers s'ouvre à celui de l'école, des remaniements peuvent s'opérer, puisqu'il y a présentation de nouveaux éléments. Mais il ne faut pas oublier la puissance d'attracteur des configurations déjà existantes, largement testées et validées dans l'espace familial, qui ont déjà tracé des voies et renforcé bon nombre de connexions neuronales, tout particulièrement dans le domaine relationnel.

Cela peut expliquer pourquoi les catégories d'attachement évaluées à 1 an permettent de prédire avec une étonnante précision le mode relationnel qu'un enfant entretiendra à l'école autant avec les enseignants qu'avec ses pairs, à l'âge de 6 ans, et qu'une telle prévision reste valable à l'âge adulte, comme l'illustrent les études longitudinales présentées précédemment. C'est ce qui a pu faire dire que tout se joue avant 6 ans, voire avant 3 ans. Mais c'est à mon sens aller un peu vite en conclusions, et oublier les conditions d'évolution et de maturation du cerveau, ainsi que les capacités de flexibilité inhérentes au système.

Par contre, une autre logique permet de rendre compte du phénomène, c'est la composition même des enseignements délivrés par l'école. Celle-ci a pour objectif d'augmenter le savoir de l'enfant, de lui apprendre à lire, à écrire, à compter, puis à acquérir des connaissances générales. Tout cela constitue des données typiques de celles qu'intègre l'hémisphère gauche. Même lorsque cette école a le souci de l'épanouissement de l'élève et lui offre des activités créatrices, davantage susceptibles de stimuler son hémisphère droit, il y a un domaine dans lequel elle ne s'aventure jamais directement, c'est celui du relationnel réel vécu par l'enfant, en particulier au sein de sa famille. Elle s'en approche éventuellement timidement par le biais de lectures commentées dans lesquelles l'enfant peut s'identifier, mais il n'est pas prévu que celui-ci parle ouvertement en classe de ses problèmes émotionnels, afin de mieux les comprendre et d'apprendre à les gérer.

L'école conduit alors l'enfant à se dissocier encore davantage de son vécu affectif. Si celui-ci n'est pas pris en compte par ses parents, ce n'est pas à l'école que l'enfant recevra l'apprentissage indispensable à la découverte concrète de son importance. Au contraire, l'école offre à l'enfant un nouveau moyen d'étouffer son ressenti et de ne pas en tenir compte. Son esprit est occupé à autre chose, son attention distraite, on lui demande d'apprendre, de travailler pour avoir de bonnes notes, et c'est justement lorsqu'il se montre sage et attentif, sans émotion débordante, que les adultes le félicitent et l'encouragent à continuer. Comme le souligne Crittenden, les évitants sont souvent des premiers de la classe, s'investissant totalement dans les études et le sport (selon le modèle américain), ils ont tout pour plaire, et font tout pour plaire.

Sauf que leur vie n'est qu'un château de cartes, sans véritable substance intérieure, et qu'elle finit un jour par s'effondrer dans la déprime ou la somatisation. Ils vivent sur la base d'un faux self, c'est-à-dire une fausse personnalité dénuée d'affects authentiques, que l'école leur permet encore d'améliorer, puisqu'on peut être quelqu'un d'autre à l'école grâce à l'étanchéité volontairement maintenue par rapport à la vie familiale. Cette notion de faux self rendue célèbre par Winnicott semble sous-entendre une seule personnalité factice. Les recherches récentes tendent à montrer que lorsque la vie affective d'un enfant n'est pas prise en compte par son environnement proche, c'est de troubles dissociatifs de la personnalité qu'il risque de souffrir.

Contrôle des émotions

Pour comprendre ces phénomènes dissociatifs, il est utile de reprendre notre évolution du cerveau, que nous avons laissée à la maturation de l'hippocampe, au sein du système limbique. Celui-ci rend donc possible la mémoire consciente, explicite, qui vient s'ajouter à celle implicite orchestrée par l'amygdale. Il permet le codage et donc l'apprentissage de nouvelles situations émotionnelles, requérant cette fois une attention volontaire. Mais, pour pouvoir faire volontairement attention à un stimulus, il faut en avoir le temps, en particulier lorsqu'il s'agit de quelque chose de potentiellement négatif, perçu en priorité pour des questions de sauvegarde de l'organisme. À la lisière entre le système limbique et les zones corticales se situe le gyrus cingulaire dont la partie antérieure semble particulièrement vouée à une telle fonction par rapport aux émotions, par exemple en inhibant la réaction de fuite commandée automatiquement par l'amygdale en situation de menace.

Pour reprendre l'image utilisée par Joseph Ledoux[1], qui a mis en évidence différentes voies neurologiques de la peur, lorsqu'on se trouve en présence d'une forme fine et recourbée à terre dans un sous-bois, le réflexe du cerveau avec l'amygdale est de prendre la fuite, car il peut s'agir d'un serpent. C'est courir un risque que de s'immobiliser et de prendre le temps de mieux observer la chose, pour réaliser finalement qu'il s'agit d'un bout de bois totalement inoffensif. Cependant, les fonctions supérieures dont nous sommes dotés en tant qu'humains nous permettent justement de ne pas céder immédiatement à la panique, en nous conduisant à réfléchir que nous sommes dans un bois en pleine région parisienne, sur un chemin relativement fréquenté, et que la

1. Ledoux, J. (2005). *Le cerveau des émotions. Les mystérieux fondements de notre vie émotionnelle.*

probabilité pour qu'un serpent ait justement décidé de s'y arrêter pour faire la sieste est assez faible. Elles peuvent nous amener aussi à penser qu'il y a fort peu de risques pour que ce serpent soit venimeux, si serpent il y a, et qu'en prime il aura sans doute bien plus peur de nous que nous de lui, et donc fuira sans demander son reste.

Le recours à de telles informations, le délai qu'il impose à la réaction automatique impulsive, et les probabilités de danger réel calculées par rapport à d'autres connaissances, sont possibles grâce à la maturation du cortex préfrontal. Celle-ci fait suite à celle du gyrus cingulaire, dans ce mouvement de développement de l'arrière vers l'avant du cerveau, des fonctions les plus basiques aux plus sophistiquées, qui parcourt à nouveau la chaîne évolutive dont nous constituons le dernier maillon. Le cortex préfrontal ne devient véritablement opérationnel, c'est-à-dire adéquatement connecté aux autres zones, qu'avec l'adolescence, et ce processus se poursuit encore pendant une vingtaine d'années. Au sein de cette partie du cortex, qui permet donc de ne pas se précipiter, d'envisager des gains à terme plutôt que le seul bénéfice immédiat, se situe une zone qui a fait beaucoup parler d'elle, puisque son étude par le couple Damasio a permis la réhabilitation des émotions au service du raisonnement : le cortex orbitofrontal. Antonio Damasio y a consacré son livre *L'erreur de Descartes*[1], où il raconte l'histoire étonnante de Phineas Gage.

Phineas Gage était un jeune contremaître sur un chantier de construction de voie ferrée au nord-est des États-Unis.

1. Damasio, A. R. (1995). *L'erreur de Descartes : La raison des émotions.*

En 1848, il est victime d'un accident spectaculaire dans lequel une barre à mine lui transperce le cerveau. Longtemps soigné pour ce grave traumatisme qui aurait dû lui laisser d'importantes séquelles, il survit d'une manière assez inattendue, recouvrant semble-t-il toutes ses facultés au point de pouvoir reprendre son travail, avec seulement la perte d'un œil. Cela étant, c'est un homme transformé qui reprend ses fonctions. Auparavant d'humeur égale, plutôt jovial et apprécié de son équipe, il se montre désormais irritable, capricieux, impatient et grossier. Il ne peut plus garder son poste au chantier, et erre de petit boulot en petit boulot, s'exilant même en Amérique du Sud. Il finit par mourir treize ans après l'accident, et son crâne est conservé, car son cas demeure une énigme médicale, consciencieusement relatée par son médecin traitant.

Dans les années 1990, Damasio et son équipe parviennent à modéliser la trajectoire exacte de la barre à mine, et établissent quelles zones cérébrales ont été touchées. Il s'agit essentiellement du cortex préfrontal et orbitofrontal. Comparant ces résultats à ceux enregistrés auprès de patients cérébrolésés, ayant aussi une atteinte de cette zone à la suite d'accidents de voiture, d'attaques cérébrales, ou d'ablation de tumeurs, les chercheurs découvrent qu'ils présentent tous les mêmes symptômes. Leurs performances intellectuelles sont intactes, et pourtant ils se montrent incapables de prendre des décisions personnelles adéquates, et ils font preuve d'un comportement social inadapté. Damasio en conclut que cette zone est impliquée dans des processus de contrôle fondamentaux, permettant de faire des choix et de prendre des décisions, sans céder systématiquement à l'impulsion du moment et en évaluant les conséquences de ses actes.

Le câblage opérationnel de cette zone est donc essentiel à un traitement complexe de l'information, assurant l'intégration entre raisonnement, mémoire et émotion. Elle permet une anticipation et une planification affinées, gage d'une adaptation précise à l'environnement, en particulier social, cherchant à assurer au mieux le bien-être de la personne et celui d'autrui. Comme on l'a vu, cette zone fait partie de celles dont la maturation est la plus longue et la plus tardive à se mettre en place. Sa relative immaturité à l'adolescence permet de rendre compte des conduites à risques souvent adoptées par les jeunes lorsqu'ils échappent au contrôle parental, et de leurs comportements impulsifs et antisociaux, illustrant l'absence de prise en compte des conséquences de leurs actes, autant pour eux-mêmes que pour les autres.

Le développement de cette zone est donc particulièrement sensible aux influences environnementales sur le long cours. Le climat familial et l'éducation reçue sont déterminants dans l'établissement de ses connexions opérationnelles avec les autres régions du cerveau, assurant l'intégration des informations en provenance des zones plus primitives et leur renvoi, au sein d'un même hémisphère et entre les hémisphères. C'est là que peut intervenir la dissociation, ou « dis-association » pour reprendre l'expression de Siegel, lorsque les conditions ne sont pas favorables à l'intégration des informations émotionnelles, et à leur traitement conjoint avec les autres sources de connaissance du cerveau. Nous allons illustrer ce mécanisme avec l'exemple détaillé de l'évolution de l'attachement évitant.

Attachement et défauts d'intégration de l'information

Les modalités d'attachement évitant sont marquées chez l'adulte par une distance affective, une difficulté dans l'expression des émotions, une fuite face à l'intimité authentique tant physique que psychique, un accès à des souvenirs essentiellement factuels, des trous de mémoire quant aux expériences d'enfance et une représentation abstraite des relations aux parents. Chez le petit enfant, ce type d'attachement s'illustre par l'absence de recherche de contact avec la figure d'attachement lors de situations de stress, une absence d'expression émotionnelle de détresse, et une attention préférentiellement portée aux objets.

Ces caractéristiques peuvent se reconstruire globalement comme suit, sur le plan du développement du cerveau. L'interaction avec la figure d'attachement qui conduit à un mécanisme évitant chez l'enfant est marquée par une non-reconnaissance des signaux du bébé, voire par une réaction négative en présence de leur expression. Puisque ces signaux ne servent pas le but recherché et n'aboutissent pas à un soulagement du malaise, puis à une interaction positive avec autrui, ils sont rapidement abandonnés par l'enfant qui cherche à se calmer par ses propres moyens. Ces bébés, en apparence très sages et peu affectés par l'absence de leur mère dans la situation étrange, montrent cependant une forte activation physiologique liée au stress, lorsque l'on évalue leurs paramètres physiques.

L'amygdale enregistre donc bien la situation éprouvante, et relaye l'information physiologique en liaison directe avec le corps. Mais le codage reste bloqué à ce niveau, et on assiste à une inhibition du comportement moteur de rapprochement normalement instinctivement associé. La mémoire implicite enregistre *expression de malaise = contact = danger*, ce qui induit *expression de malaise = danger* et *contact = danger*. Est-il encore étonnant que les évitants n'expriment pas leurs difficultés, leurs sentiments de malaise, et qu'ils aient peur de l'intimité et des contacts physiques au sein de relations non superficielles ?

Plus tard, lorsque la compréhension du langage fait son apparition, puisque l'enfant n'exprime plus ses émotions, elles n'ont aucune raison d'être nommées par le parent. C'est en fait un phénomène qui boucle déjà à ce stade, puisque la raison principale qui conduit certaines mères à ne pas porter attention aux signaux de leur enfant, est leur difficulté de contact avec leur propre ressenti, qui comporte en lui-même une difficulté à mettre des mots sur leurs émotions, héritée de leur propre enfance. On voit ici comment cette double attitude, du parent d'un côté et de l'enfant de l'autre, constitue une parfaite adaptation de l'enfant à l'environnement dans lequel il se trouve, lui permettant de ne pas mettre sa mère en difficulté et donc de diminuer les risques de réaction négative et de rejet.

Au niveau de son cerveau, le langage qui permettrait de coder, de hiérarchiser et d'intégrer les informations émotionnelles est absent. Du moins, il n'est pas connecté à l'expérience réelle de l'enfant. Les mots en viennent à être connus et à avoir un sens, si l'enfant fait quelques lectures ou regarde à la télévision des programmes explicitant les vécus émotionnels des uns ou des autres, mais c'est une connaissance abstraite. Les aires du langage ne sont pas connectées au système limbique et à l'amygdale qui continue à fonctionner en solo. Quant à l'hippocampe, l'attention de l'enfant n'étant pas attirée sur son vécu émotionnel qui semble n'intéresser personne, cette zone n'en vient pas à coder les événements placés en mémoire autobiographique consciente dans une association de la situation et du ressenti qui y est lié. La mémoire noétique autobiographique factuelle se met en place, mais une conscience autonoétique a fort peu de chances de se développer en l'absence d'un codage émotionnel précis entériné par autrui dans la situation d'origine pour commencer.

Ces mêmes mères sollicitent souvent par contre leur enfant sur le plan intellectuel, elles font en sorte de lui apprendre des choses, s'investissent pour qu'il réussisse à l'école, insistant donc sur la précision et l'exactitude des connaissances et de leur expression, au détriment de la fantaisie, de l'imagination et de l'humour. Leur style de communication est très probablement factuel, puisqu'elles ne sont pas à l'aise avec les émotions. Comme on l'a évoqué, l'école vient encore renforcer cette approche du monde et d'autrui par l'enfant, qui aura facilement de bonnes notes, car il a déjà l'habitude de fonctionner en privilégiant son hémisphère gauche au détriment du droit.

Un tel mode d'interaction chronique avec l'environnement conduit donc à la dissociation des informations gérées par les différentes zones du cerveau impliquées dans le traitement émotionnel, au lieu de leur intégration en un schéma global cohérent permettant une adaptation flexible. Le syndrome dissociatif tel qu'il est cliniquement défini par le *DSM-IV* (*Manuel diagnostique et statistique des troubles mentaux*) permet d'isoler deux configurations dissociatives particulières : les troubles dissociatifs de l'identité et les troubles dissociatifs non spécifiés, précisément analysés par Onno van der Hart et ses collègues[1]. La première appellation revient à ce qu'on a coutume d'appeler les personnalités multiples, où plusieurs identités distinctes cohabitent au sein d'une même personne, avec chacune un nom spécifique et des modes de fonctionnement très différenciés, correspondant souvent à des individualités d'âge différent, pouvant aussi ne pas être du même sexe que la personne-hôte.

La seconde appellation concerne une forme de dissociation moins aboutie, moins grave, et sans doute beaucoup plus courante qu'on ne veut bien l'admettre. Ce profil de personnalité correspond à une personne ayant en apparence un fonctionnement normal dans les activités quotidiennes, mais qui a recours à plusieurs types de réactions distinctes dans les situations de stress impliquant un fort investissement affectif. Ces modes de réaction distincts s'organisent en états qui n'ont pas conscience les uns des autres, ce qui fait que la personne ne se souvient pas d'avoir eu telle attitude ou d'avoir tenu tels propos, lorsqu'elle ne se trouve plus dans l'état correspondant. Un tel profil est à l'origine de nombreux malentendus et de difficultés relationnelles car, lorsque la personne a été désagréable et que son entourage lui en fait ensuite reproche, elle nie farouchement et semble être d'une totale mauvaise foi, alors même qu'elle est sincère, se sentant ainsi persécutée par autrui par des critiques injustifiées à ses yeux.

---

1. Van der Hart, O., Nijenhuis, E. S. et Steele, K. (2005). « Dissociation : An insufficiently recognized major feature of complex posttraumatic stress disorder », *Journal of Traumatic Stress*.

Les travaux sur le sujet, auxquels a aussi directement participé Siegel en tant que psychiatre et chercheur, montrent que la dissociation des contenus affectifs ne se fait pas au hasard, mais qu'elle suit la logique d'adaptation de l'organisme pour éviter la douleur émotionnelle liée à des situations de violence psychique dans l'enfance. La dissociation de base est ainsi tripartite au niveau de ce que van der Hart appelle les personnalités émotionnelles (EP), à différencier de la personnalité d'apparence normale assurant le quotidien (ANP), équivalent de la personnalité-hôte des troubles dissociatifs de l'identité.

Lorsque les comportements d'attachement de l'enfant ne sont pas favorablement reçus par ceux qui s'occupent de lui, ce qui veut dire en clair qu'on lui reproche son comportement, qu'on le critique, qu'on le dévalorise, voire qu'on l'humilie, il doit trouver une solution pour mettre fin à cette souffrance chronique. Comme il ne peut agir sur sa figure d'attachement pour la forcer à changer d'attitude, il ne peut qu'agir sur lui-même et sur son propre fonctionnement psychique. Il commence par protéger son vécu et son ressenti authentique qui disparaît dans la clandestinité, pour ne laisser voir aux autres qu'un faux self. On peut dire que l'EP vrai disparaît, à la place apparaît un EP soumis, qui adopte les attitudes, le discours et les pensées qui vont lui valoir d'être accepté, mettant ainsi fin à la douleur du rejet, ainsi qu'à la peur liée à l'agressivité et/ou à l'indifférence des figures d'attachement.

Pour protéger encore davantage le système et le vrai self contre toute intrusion traumatique, les énoncés et comportements négatifs subis par l'enfant sont eux-mêmes isolés dans une autre personnalité, qui devient alors un EP invulnérable et persécuteur. Il est invulnérable, car l'enfant a besoin de se sentir ainsi pour pouvoir survivre aux agressions qu'il subit de la part de ceux qui devraient le protéger et veiller sur lui : il se crée sa propre figure protectrice. Il est persécuteur, car il rassemble tous les éléments négatifs enregistrés dont il n'hésite pas à se servir contre ceux qui le menacent ultérieurement. C'est le mécanisme de défense classique autrement connu sous le nom d'identification à l'agresseur, par lequel on fait subir à autrui les mêmes atteintes que l'on a soi-même endurées.

Une quatrième personnalité émotionnelle apparaît aussi couramment, celle de l'enfant apeuré qui rassemble cette fois les composantes de vulnérabilité physique et émotionnelle de la petite victime. Elle s'exprime par des somatisations ou par un envahissement par des affects intenses souvent non verbalisables, mais manifestes dans le comportement, la posture et le regard.

Une fois cette division de la personnalité mise en place, les rôles alternent en fonction de l'interlocuteur. Mais il ne s'agit pas d'une classique adaptation qui conduit tout un chacun à réagir différemment selon qu'il est en famille ou au travail, avec un collègue ou face à son chef. Ici, les réactions ne sont pas consciemment mises en œuvre, et surtout, elles font l'objet de trous de mémoire des différents rôles entre eux, dès qu'il s'agit d'une situation émotionnelle. Ainsi, en fonctionnement courant factuel, c'est l'ANP qui est aux commandes, et qui se montre efficace et concentré sur ce qu'il a à faire. Mais, dès que la personne se trouve en présence d'autrui, et donc de quelqu'un susceptible d'être désagréable et de réveiller le traumatisme d'origine, l'EP soumis prend le relais. La personne se montre particulièrement attentionnée, soucieuse d'autrui et anxieuse de bien faire.

Lorsque le niveau de stress augmente, ce qui est inévitable car pour ne pas déplaire, la personne en fait bien plus qu'elle ne devrait, l'EP invulnérable et persécuteur prend les commandes. Son côté invulnérable est nécessaire pour que la surcharge puisse être acceptée, pour que la personne réussisse à se convaincre qu'elle est capable de faire tout ça toute seule, qu'elle n'a pas besoin d'aide et qu'elle n'a aucune raison de se plaindre, ni de se sentir fatiguée. Le côté persécuteur est utile pour relâcher la pression, et il intervient dès que quelqu'un essaie de se mettre en travers, ou tente de faire un commentaire compatissant, voire d'aider. Il n'est pas question en effet de dévoiler la vulnérabilité et les difficultés dans lesquelles se débat la personne, car le simple fait de les évoquer pourrait conduire à une prise de conscience qui menacerait alors directement le vrai self.

Il faut en effet préciser que ce mode de fonctionnement est à usage externe pour gérer le quotidien et faire face à autrui, mais aussi et surtout à usage interne, pour assurer la survie tant psychique que physique. La personne a ainsi appris à vivre avec plusieurs voix qui s'expriment dans sa tête et ne sont souvent pas d'accord entre elles, avec par exemple l'EP soumis qui insiste pour accepter ce travail supplémentaire, l'EP apeuré qui sent qu'il ne va pas y arriver, et l'EP invulnérable qui dit que ça ne sert à rien de pleurnicher, qu'on va leur montrer ce qu'on sait faire et que de toute façon, les autres sont tous des imbéciles qui ne comprennent rien et qu'il ne faut attendre d'aide de personne.

La dissociation, telle qu'on peut la conceptualiser au niveau du cerveau, confère des origines différentes à ces diverses voix. L'enfant apeuré est l'expression directe de l'amygdale, expression physique, silencieuse, qui donne envie de fuir, ou de s'immobiliser et de disparaître, expression d'une colère muette aussi pour se sentir si vulnérable et n'avoir personne pour comprendre et pour aider. L'EP soumis est issu de zones supérieures, en contact avec l'hippocampe, qui assurent une mémorisation consciente des stratégies qui ont réussi pour ne pas se faire rejeter, ce qu'on sait qu'il faut faire, et qui sont parallèlement susceptibles d'inhiber les réactions instinctives de fuite et de désespoir de l'amygdale. Ces zones recrutent aussi celles du langage avec toutes ces choses que l'on se dit qu'il faut faire, ou qu'il faut dire pour être accepté et limiter le danger. C'est la mémorisation d'énoncés qui ont effectivement été entendus à un moment ou à un autre, par lesquels les parents disent à l'enfant comment il doit être pour avoir leur attention. De la même façon, l'EP invulnérable et persécuteur s'appuie aussi sur les zones du langage, ayant lui, enregistré tous les énoncés négatifs, agressifs et dévalorisant directement reçus, ou entendus lors de querelles entre les adultes.

Pour ces raisons, on peut situer ces deux EP assez évolués dans la mobilisation plutôt de l'hémisphère gauche, alors que l'EP apeuré, ainsi que le vrai self activent préférentiellement l'hémisphère droit, en relation plus directe avec le corps et les mécanismes du stress. Quant à la personnalité apparemment normale, celle qui assure le quotidien et le factuel, elle raisonne à partir du néocortex, avec cependant une mobilisation minimale des zones préfrontales d'intégration des données telle qu'on l'a décrite précédemment. On peut penser qu'à ce niveau de fonctionnement, l'hémisphère gauche est à nouveau privilégié sur le droit. Ce qui est clair en tout cas, c'est que le cortex orbitofrontal droit n'entre pas en jeu, sinon la dissociation ne pourrait être effective.

Une telle absence de circulation des informations en un tout intégré permet par exemple à la personne de se lancer dans des colères froides, totalement préméditées, avec la conscience de l'aspect construit de telles réactions. Cette apparence d'expression émotionnelle est parfaitement inauthentique en ce sens qu'elle se fonde sur l'expression de zones de traitement de l'information sophistiquées ayant intégré que dans telle circonstance, il est adéquat de se mettre en colère de telle façon. Ce processus a été acquis par imitation et enregistrement direct des énoncés d'autrui, en déconnexion totale avec le ressenti réel de la personne à ce moment-là, géré par l'amygdale et les zones inférieures. À d'autres moments en revanche, la même personne pourra cette fois exploser dans une rage intense, souvent muette, ou verbalisée de manière limitée, lorsque cette fois, c'est l'amygdale qui prend les commandes, colère pouvant en fait être l'expression d'une peur profonde, conduisant souvent à une fuite pure et simple.

De tels épisodes cessent aussi brutalement qu'ils ont démarré et l'instant d'après la personne se montre charmante et détendue, exactement comme s'il ne s'était rien passé, ce qui est difficilement le cas de celles ou ceux qui ont essuyé l'orage. Dès que l'ANP revient aux commandes, la frénésie émotionnelle disparaît en effet, qu'elle ait été authentique ou non, et la personne vaque calmement à ses occupations courantes, en se demandant pourquoi l'autre fait cette tête et a l'air de lui en vouloir autant. L'EP soumis peut se trouver aussi à prendre le relais, si l'interlocuteur est suffisamment hargneux et pertinent dans ses attaques pour débouter l'EP invulnérable et rendre l'issue de la bataille incertaine.

Ce cas de figure se produit encore lorsque l'EP invulnérable s'est passé les nerfs sur quelqu'un qui communique habituellement avec le vrai self, lors d'une mise en danger provoquée, soit par la maladresse directe de ce quelqu'un, soit par l'influence traumatisante d'une tierce personne. L'EP soumis vient alors sur le devant de la scène pour essayer de récupérer les morceaux, car la précieuse relation est mise en danger par l'interlocuteur qui se détourne face à une violence difficilement justifiable. Si la menace de rupture de la relation est encore plus tangible et insupportable, l'EP apeuré peut intervenir, par l'expression d'un désespoir intense, d'une impuissance et d'une tristesse infinie, qui ne trouve pas de mots pour se dire, car on ne lui en a jamais offert.

Une fois que l'on a compris ce système de dissociation ou de défaut d'association des différentes zones de traitement de l'information au sein du cerveau, on s'aperçoit que toutes sortes de combinaisons sont possibles, aboutissant à autant de modes d'expression distincts, intervenant indépendamment les uns des autres. Aux yeux d'autrui, la personne semble être un véritable caméléon, assez imprévisible et difficile à cerner. Lorsque différents interlocuteurs parlent d'elle, ils peuvent avoir l'impression de ne pas du tout fréquenter la même personne, car certains peuvent n'avoir accès qu'à une seule facette, toujours la même, et n'avoir jamais été confrontés aux autres. Typiquement, l'EP soumis sera celui qui gère les relations publiques avec autrui, et il sera très difficile d'imaginer pour ceux qui ne vivent pas au quotidien avec la personne que, dans l'intimité, elle se comporte en véritable tyran.

Au niveau des manifestations isolées des zones supérieures du cerveau, on a vu qu'elles servaient au fonctionnement de l'ANP et de sa gestion efficace du quotidien. Mais elles s'expriment aussi dans le raisonnement abstrait, le jeu avec les idées, impossibles sans le recours au langage, voire qui sécrètent leur propre mode de formulation encore plus éloigné de la réalité concrète, comme le langage mathématique. Cela peut être davantage attribué à la mobilisation de l'hémisphère gauche, mais on peut retracer une mobilisation du même ordre du seul hémisphère droit dans l'expression artistique de la peinture par exemple, pouvant rendre de manière abstraite des émotions profondément ancrées, mais dont le système a perdu toute trace mnésique les rapportant à un vécu réel. Elles semblent alors sortir de nulle part, et témoigner du seul génie créatif. Mais Freud n'avait-il pas déjà pressenti qu'il s'agissait là de la sublimation de quelque chose de fondamentalement refoulé, qui n'est cependant pas forcément d'ordre exclusivement sexuel ?

Dynamique du système et changement thérapeutique

Cette modularité dans le fonctionnement du cerveau, ainsi que la flexibilité inhérente au système indispensable aux apprentissages et à l'intégration des informations vers davantage de complexité en vue d'une meilleure adaptation, est ce qui constitue la richesse fascinante du cerveau humain, et ce qui permet d'envisager un processus thérapeutique. L'action thérapeutique se conçoit lorsque le système change d'environnement, et que les mécanismes d'adaptation mis en œuvre et opérationnels dans le contexte d'origine s'avèrent inadaptés à la nouvelle situation.

Comme on l'a déjà souligné, le système a tendance à se maintenir dans des cadres connus, ce qui est moins coûteux pour lui que de devoir remettre à jour toutes ses composantes. C'est ainsi que l'on peut rendre compte du fait que, bien que tous les styles d'attachement s'accordent à reconnaître qu'un partenaire aux caractéristiques sécures est l'idéal, les relations réelles les plus durables interviennent généralement entre partenaires sécures d'un côté, et partenaires insécures de l'autre. Ce que les aires du langage et les zones associées permettent de rêver est contredit par les schémas plus basiques de recherche/évitement, conditionnés par les expériences d'enfance et enregistrés en mémoire implicite.

Néanmoins, les conditions actuelles dans nos sociétés occidentales requièrent de plus en plus de souplesse et d'adaptabilité pour faire face à un monde en constante évolution. Cela vaut autant pour le rapport au travail que pour les relations familiales dans lesquelles le modèle longtemps dominant de l'homme pourvoyant aux besoins matériels de la famille et de la femme au foyer est devenu obsolète. Les rôles traditionnels de genre du père au travail et de la mère de famille ne fournissent plus de repères stables auxquels s'adapter à l'âge adulte, quasiment une fois pour toutes. Les femmes en particulier subissent aujourd'hui des contraintes externes, peu courantes il y a encore deux ou trois générations hormis dans les milieux les plus pauvres, par lesquelles elles doivent mener de front une vie professionnelle, une vie familiale et une vie de couple réussies. Avoir des modèles de soi, d'autrui et du monde trop rigides devient alors source de difficultés d'adaptation et donc de souffrance, partagées aussi par les hommes qui ne savent plus trop forcément où est leur place et ce qui est attendu d'eux.

La norme actuelle valorise l'autonomie, souvent confondue avec l'indépendance, mais alors que la première favorise les liens dans le respect de soi et de l'autre, la seconde rend la relation à autrui difficile par peur de la dépendance, considérée comme signe de faiblesse et d'immaturité. Construire une relation stable et harmonieuse dans ces conditions relève du tour de force, et nécessite une bonne connaissance de soi, de ses besoins et de ses envies, ainsi que de ceux d'autrui, puisque le mariage et les liens de nature économique ne suffisent plus à maintenir l'unité du couple et de la famille. Par ailleurs, les systèmes religieux ou politiques fortement structurés ont perdu de leur influence pour fournir les règles de ce qu'il faut faire, penser et ressentir selon les circonstances. À chacun désormais d'établir ses normes, en ne pouvant guère compter que sur ses propres ressources pour savoir ce qui est important et bon pour lui. Alain Ehrenberg a très bien résumé ces enjeux autant personnels qu'interpersonnels dans son ouvrage au titre évocateur, *La fatigue d'être soi*[1].

Heureusement, la plasticité intrinsèque du système cérébral, et sa tendance à l'intégration vers la complexité, permettent d'envisager une reprise dans une évolution bloquée. Tout l'enjeu consiste à amener à communiquer entre eux des modules, que l'adaptation d'une époque a conduits à fonctionner de manière isolée. Cela est cependant plus facile

1. Ehrenberg, A. (1998). *La fatigue d'être soi : dépression et société.*

à énoncer sur le papier qu'à concrétiser dans la réalité, car les résistances au changement sont aussi inhérentes au système, on l'a vu. Néanmoins, c'est possible, soit par une action thérapeutique professionnelle, soit par une rencontre avec une personne sécure, qui peut parvenir à faire évoluer les modalités d'attachement insécure de son partenaire, surtout s'ils sont tous deux conscients que c'est ce qu'il y a de mieux à faire, pour chacun et pour la relation.

À ce titre, diffuser des informations le plus largement possible sur ce que représente l'attachement, l'importance d'un attachement sécure pour l'épanouissement tant personnel qu'interpersonnel, et pas uniquement dans le cadre restreint du couple et de la famille, permettra à ceux qui le souhaitent de réfléchir à leur propre mode de fonctionnement. Cela évitera par exemple que lorsqu'une relation sécure/insécure se forme, l'insécure l'emporte sur ce qui paraît judicieux et adapté aux yeux de la majorité, à savoir la dimension évitante prônant l'indépendance, laissant le sécure avec un sentiment de ridicule face à ses besoins relationnels, de contact et de proximité, facilement qualifiés d'infantiles. Si l'insécure gagne, soutenu par des valeurs sociétales, il ne reste au sécure qu'à fuir ou à s'adapter, en niant lui aussi ses besoins d'attachement et l'importance de son vécu émotionnel.

En revanche, si le sécure est conscient de la valeur de son mode de fonctionnement autant pour lui-même que pour autrui, soutenu par un environnement davantage convaincu de l'utilité de tels mécanismes, il peut amener l'insécure à renouer avec une manière d'être et de percevoir plus souple, plus flexible et donc potentiellement mieux adaptée. Il peut en particulier apprendre à l'insécure l'intérêt positif d'une relation, se rapprocher d'autrui pour le *plaisir* d'être ensemble, et non parce que c'est ce qui se fait (schéma évitant) ou que l'on a trop peur d'être seul (schéma anxieux).

Parvenir à un tel objectif revient à donner du pouvoir aux fonctions intégratrices et régulatrices supérieures du cerveau, à leur offrir la possibilité de contrôler de manière réfléchie les schémas automatiques engendrés par d'autres zones fonctionnant en relatif isolement. Cela revient donc à favoriser le câblage du cortex orbitofrontal avec les autres aires, et celui de l'hémisphère droit avec l'hémisphère gauche, afin que l'information circule sans blocage dans l'ensemble du cerveau, et que celui-ci puisse faire face de manière adaptée autant à des situations de routine qu'à des situations nouvelles.

On peut utiliser ici l'image du management d'une entreprise, avec différents niveaux hiérarchiques. À chaque niveau incombe une tâche particulière. Pour que l'entreprise puisse s'adapter aux contraintes tant externes qu'internes, il faut que les informations sur la marche de l'établissement soient relayées jusqu'à la direction, qui définit objectifs et priorités. Lorsqu'il n'y a pas de souci particulier, chacun vaque à ses occupations, la direction sait à peu près qui fait quoi, mais se garde d'intervenir puisque ça fonctionne très bien comme ça. Elle encourage ses collaborateurs à poursuivre en leur offrant des primes par exemple, montrant ainsi son attention et son intérêt pour leur fonction, indispensable à l'ensemble.

Par contre, dès qu'un problème important se présente, il est fondamental que la direction en soit avertie, si elle veut pouvoir coordonner une réponse la mieux adaptée possible. Chaque niveau peut avoir sa solution à apporter, mais certaines seront meilleures que d'autres, et celle qui sera finalement choisie devra en outre être évaluée en fonction de son efficacité sur le terrain. Si l'entreprise fonctionne bien, elle apprendra de ce défi à son adaptation, et pourra indiquer qu'actuellement, face à une difficulté de cet ordre, c'est à tel service de faire face, selon telle ou telle modalité d'intervention. Néanmoins, il restera indispensable que les informations continuent à circuler par la suite, que le service en question ne se considère pas, et ne soit pas considéré par les autres, comme le seul détenteur de la solution, une fois pour toutes. Car tout évolue, un problème ne se présente jamais deux fois exactement de la même façon, et une solution qui s'avère bonne aujourd'hui peut être améliorée par une innovation demain, ou le problème globalement mieux géré par une autre approche dépendant d'un autre service.

D'un autre côté, pour que la communication dans l'entreprise fonctionne correctement et que les informations circulent au bénéfice de l'ensemble, il est indispensable que les différents intervenants se respectent. Par exemple, si les ingénieurs d'étude méprisent les commerciaux tout juste bons, selon eux, à passer leur temps en bavardages entre deux coups de fourchette, ou encore s'estiment supérieurs aux ouvriers incapables de réfléchir, l'entente et la coopération ne seront pas au rendez-vous, chaque groupe rendant bien à l'autre son mépris. Les ingénieurs ne récupéreront pas de la part des ouvriers des informations sur la fabrication du produit, faisant état de problèmes ou proposant des améliorations, pas plus qu'ils ne tireront profit des remarques des clients et de leurs attentes, normalement relayées par les commerciaux. Rapidement, l'entreprise dans son ensemble souffrira de telles dissensions internes, du chacun pour soi travaillant dans son coin en estimant avoir raison, et elle se montrera incapable de faire face autant aux exigences internes d'une production de qualité qu'aux exigences externes du marché. C'est exactement ce qui se passe lorsque les zones du cerveau ne fonctionnent pas de manière associée, le malaise interne devient maladie, et les difficultés externes, problèmes relationnels.

Favoriser la maturation du cortex orbitofrontal dans ses connexions avec les autres zones du cerveau revient donc à permettre au directeur de garder un œil sur ce qui se passe dans ses murs pour prendre les meilleures décisions et anticiper l'avenir. Confronté au bout de bois dans la forêt, le cortex enregistre le signal de danger potentiel et reconnaît la valeur du sursaut qui apprête à la fuite. Néanmoins, si les circonstances le permettent, il intervient pour demander une vérification de l'information, pour établir que la fuite est bien adaptée, et il donne l'ordre de se calmer et de poursuivre son chemin si elle ne l'est pas. Il demande aussi que soit enregistré que chaque forme suspecte dans un sous-bois n'est pas nécessairement dangereuse, et qu'il n'est donc pas nécessaire de se mettre immédiatement dans un état d'alerte maximum, coûteux pour l'organisme. Il requiert néanmoins qu'un état de vigilance minimum soit maintenu, car on ne sait jamais, mieux vaut prévenir que guérir, mais sans que cela engendre une perturbation telle du système que toute promenade dans un tel cadre soit rendue impossible.

Ce qui vaut pour un bout de bois en forêt vaut de la même manière pour toute nouvelle relation dans le mécanisme d'attachement. L'évitant a appris que tout contact proche est dangereux, car porteur d'une issue négative et d'un abandon potentiel. Il ne prend pas le temps de vérifier si la personne qu'il vient de rencontrer a envie ou un intérêt quelconque à le rejeter. C'est trop dangereux de chercher à savoir. Le bout de bois est nécessairement un serpent, et même s'il est immobile et qu'il a l'air inoffensif, c'est un serpent qui dort, qui va nécessairement se réveiller et attaquer à un moment ou à un autre.

Conditions du changement

Pour combattre l'automatisme d'une telle réaction et d'un tel raisonnement, il est cependant indispensable qu'une autre personne intervienne pour offrir une nouvelle perspective. Elle doit en outre se montrer suffisamment patiente et attentive pour comprendre l'immense frayeur engendrée chez l'autre par une situation qu'elle sait parfaitement inoffensive. Lui dire que c'est un bâton et qu'il n'a aucune raison d'avoir peur ne suffit pas. Il lui faut des preuves et on le comprend, faire confiance sur parole est trop risqué, c'est une question de survie au départ, ne l'oublions pas. Il faut prendre le bout de bois, lui permettre de mieux le voir, de l'approcher doucement, et surtout lui expliquer que l'on comprend qu'il ait peur au vu de son expérience, mais que là c'est différent et qu'il n'y a vraiment aucun danger. Une seule intervention de ce genre ne suffira pas à éteindre le mécanisme de peur automatique. Une série d'expériences de rencontre de bouts de bois ressemblant à des serpents sera nécessaire pour que le cerveau enregistre nettement que face à une telle forme, c'est soit un serpent, soit un bout de bois, mais que ça vaut la peine de prendre le temps de réfléchir et d'y regarder de plus près, avant de prendre ses jambes à son cou et de gâcher définitivement la balade, voire de ne plus oser aller se promener en forêt du tout.

Dans le cadre de l'attachement, c'est le même principe mais en spécialement compliqué, car celle qui rassure est généralement juge et partie, puisqu'il s'agit de la personne vis-à-vis de laquelle on se sent attiré, avec laquelle on a tendance à se sentir bien et à qui on voudrait faire confiance. Malheureusement, à ce titre, elle peut très facilement être accusée de mensonge et de manipulation, tout particulièrement lorsqu'elle se montre rassurante, invite au partage et à l'intimité en disant *je t'aime* par exemple. C'est ce que l'EP invulnérable et persécuteur de l'évitant ne manquera pas de faire remarquer, ouvertement ou pour lui-même, pour protéger le vrai self et prendre ses distances, jouant ainsi parfaitement le rôle pour lequel il a été créé. Si le partenaire sécure parvient à ne pas se sentir personnellement et irrémédiablement attaqué par ce mécanisme, s'il a la patience et les connaissances nécessaires pour faire prendre conscience à l'autre de ce qu'il met en place et des raisons pour lesquelles il réagit ainsi, il parviendra avec le temps à construire suffisamment d'expériences correctrices pour inverser le processus.

Il sera cependant nécessaire que le partenaire insécure soit lui aussi convaincu que ses stratégies habituelles ne sont pas adaptées à la relation, et surtout qu'elles ne sont pas bonnes pour lui dans l'absolu. Il faudra qu'il ait envie et qu'il accepte de prendre le temps de discuter longuement de ce qui se passe, de partager son ressenti, ce qui pour un évitant est difficile car il n'a pas appris. Le sécure aura heureusement pour alliés dans cette entreprise le vrai self de l'autre, et son besoin instinctif d'attachement qu'il s'agit de laisser exister et s'épanouir, qu'il faut valoriser et favoriser avec les connexions neuronales qui vont de pair.

L'instinct d'attachement et le plaisir de la relation à autrui bénéficie aussi d'une molécule particulière, l'ocytocine. C'est un neurotransmetteur qui est fabriqué et libéré lors d'interactions positives avec autrui, servant ainsi à leur codage spécifique au sein du cerveau. Cette molécule et ses récepteurs fonctionnent selon le même principe que ceux de la dopamine, codant ce qui est à rechercher par l'organisme : plus le cerveau libère d'ocytocine, plus il en augmente ses récepteurs, favorisant donc la circulation de l'information associée à ce marquage.

La caractéristique d'un attachement insécure, c'est que la relation à autrui n'est pas codée comme source de plaisir, mais principalement, voire uniquement comme source de stress. On peut réintroduire ici la différence repérée entre attachement évitant et anxieux, avec le second qui comporte des alternances de réactions parentales positives et négatives pour l'enfant, motivant tout de même une certaine recherche de l'autre même si on est jamais sûr du résultat, alors que dans le premier cas, une réaction négative systématique a été avérée et donc tout rapprochement dorénavant évité.

Recâbler son cerveau autrement consiste donc à exercer une réflexion permettant de retrouver la réalité de son vécu antérieur, et de ne plus s'appuyer uniquement sur un discours sur celui-ci et sur soi, exclusivement issu de ce que les autres en ont dit. Cela consiste aussi à apprendre à se laisser guider par l'ocytocine, rechercher les situations qui en favorisent la fabrication, c'est-à-dire celles qui induisent un véritable état de bien-être avec autrui, celles où l'on se sent compris, soutenu, accepté et reconnu, ce qui devrait être la caractéristique incontestée de l'amour et de l'amitié.

Cela étant, ni évitants ni anxieux n'ont appris à coder les relations à autrui de cette manière, car ils n'en ont pas fait l'expérience sur une base stable et prévisible. Ces styles d'attachement insécure sont pourtant parfaitement capables d'interactions suivies avec une autre personne, sur une base en apparence positive. C'est la motivation, relayée par l'activation des neurotransmetteurs, qui va faire la différence par rapport à un attachement sécure. Prenons un exemple simple. Un sécure part en vacances seul, loin de ses amis, pour quelques semaines. Parmi ses amis, ceux à l'attachement anxieux ont à cœur de le joindre au bout de quelques jours, pour prendre de ses nouvelles, ne pas le laisser seul, et surtout s'assurer du maintien du lien. Bref, ils appellent essentiellement pour se rassurer.

Les amis évitants, eux, n'ont pas cette motivation. Il ne leur vient pas à l'idée que leur ami peut se sentir seul, et qu'il apprécierait un contact. Ils se disent que si c'est le cas, il n'a qu'à appeler, voire ils ne se disent rien du tout, pris par leur propre quotidien d'où la relation a concrètement disparu. Par ailleurs, si le sécure téléphone à son ami évitant et qu'il tombe sur une messagerie, rien n'est moins certain que celui-ci rappelle. S'il le fait, il y a de grandes chances que ce soit par politesse, qu'il se sente obligé de le faire, même s'il n'en a pas conscience. En effet pour lui, appeler cette personne qu'il apprécie ravive le manque, touche inconsciemment des problématiques de distance et d'abandon, que son style d'attachement vise justement à laisser en sommeil pour éviter tout stress.

À ce niveau, ni les évitants ni les anxieux n'appellent pour le simple et unique plaisir d'entendre l'autre, de partager avec lui des nouvelles de ce qu'ils font respectivement, pour la curiosité, ainsi que dans un souci empathique de ne pas oublier l'autre sous prétexte de distance. Le sécure appelle motivé par l'ocytocine, son cerveau a envie d'entendre cette voix familière, de vivre un bon moment de complicité, même s'il s'agit de n'échanger que des informations somme toute banales. Son action n'est en aucun cas motivée par l'adrénaline, celle qui se déclenche à l'idée de perdre le lien, de faire quelque chose qui ne se fait pas (à savoir ne pas appeler), ou encore justement d'appeler et d'être stressé par le manque.

C'est ce genre de choses que le sécure peut apprendre à l'insécure, apprendre à apprécier le contact relationnel, physique et psychique, hors de tout stress, de manière concrète, vécue dans le quotidien. C'est à cela que correspondent les expériences correctrices que les sécures vont spontanément apporter à leurs partenaires insécures si ceux-ci leur en laissent véritablement l'occasion, en mettant un frein conscient à leurs mécanismes de défense, de distance et de protection pour l'évitant, de besoin effréné de contact, assorti d'une jalousie maladive et d'une peur exacerbée de l'abandon, pour l'anxieux.

De telles configurations relationnelles thérapeutiques sont possibles, bien qu'elles soient actuellement le plus souvent cantonnées à un cadre professionnel strict, qui par sa nature même limite le champ des possibles. On comprend aussi à cette description pourquoi il est beaucoup plus simple pour un évitant de fréquenter un autre évitant qui restera à distance respectable, ou un anxieux qui fera intrusion, mais contre lequel il saura se protéger, comme il l'a toujours fait. Les sécures sont aussi spontanément adaptés à leurs fonctionnements mutuels, ce qui rend les relations plus aisées d'emblée.

Sécures d'origine et sécures acquis

Il est cependant important de se rappeler aussi que les sécures qui sont évalués ainsi parce qu'ils ont vécu une enfance particulièrement protégée ne sont pas nécessairement les mieux à même de faire face aux difficultés de la vie, justement parce qu'ils n'en ont pas fait directement l'expérience. À ce niveau, l'évolution du cerveau rappelle directement celle du système immunitaire, et sa double composante d'immunité innée et d'immunité acquise. L'immunité innée assure une protection contre des problèmes inévitables rencontrés partout, comme les blessures physiques et leur indispensable cicatrisation. L'immunité acquise se forge au fur et à mesure de la rencontre avec des microbes, spécifiques à l'environnement immédiat de l'enfant qui, d'abord protégé par les anticorps de sa mère, doit ensuite se forger ses propres anticorps et adapter ses propres mécanismes de défense. Surprotéger un enfant des microbes n'est donc pas lui rendre service dans l'absolu, et la vaccination opère justement en inoculant une dose minimale de micro-organismes nocifs pour que le corps apprenne à les reconnaître et à s'en protéger.

Le cerveau des sécures à l'enfance sans nuages n'est ainsi

pas habitué à intégrer et à réguler les informations à forte charge émotionnelle négative, et une telle sécurité d'attachement repérée par les évaluations n'implique pas automatiquement une maturation adéquate des zones préfrontales et orbitofrontales en relation avec le reste. Il est plus facile de se montrer cohérent et de valoriser l'attachement lorsque aucune ombre n'est en apparence venue ternir le tableau, plus difficile et exigeant d'être capable d'intégrer toutes sortes d'expériences, de leur donner un sens malgré les contradictions et les manques.

La véritable flexibilité dans l'adaptation consiste justement à être capable de faire face à toutes sortes d'événements, à être susceptible d'anticiper les situations négatives afin de les éviter, et cela requiert une bonne connaissance de soi ainsi que d'autrui. Une telle connaissance repose en particulier sur la capacité à s'appuyer en toute confiance sur son ressenti, à connaître son corps, à savoir en décrypter les messages, et à en tenir compte comme source d'évaluation aussi pertinente que l'analyse rationnelle de ce qui se passe. Les zones les plus évoluées du cerveau ont ainsi besoin des zones les plus primitives et de leurs informations instinctives, indispensables à l'adaptation et à la survie, comme celle des espèces dites inférieures devrait nous le rappeler constamment. Ces espèces ne passent pas leur temps à se demander ce qu'elles devraient ou non faire, ce que les autres vont en penser, leur système neuronal enregistre les expériences qui sont bonnes pour elles afin de les rechercher ensuite, et mémorisent parallèlement celles qui sont mauvaises afin de les éviter.

L'homme rajoute à cela une formidable compétence avec la capacité qu'il a de faire retour sur son vécu, de lui donner un sens grâce au langage, d'apprendre de l'expérience d'autrui, y compris à distance. Cela devrait lui assurer un maximum d'adaptabilité, et lui épargner de retomber sans cesse dans les mêmes situations négatives, parce qu'il a compris et intégré en quoi elles ne sont pas bonnes pour lui, quoi que les autres veuillent lui faire croire, à commencer par ses propres parents. Il devrait être encore mieux à même de s'assurer de ce qui est bon pour lui, en privilégiant les bénéfices à long terme sur ceux qui sont immédiats par exemple, et en ayant à cœur son bonheur et celui de ses proches, une fois que les contingences matérielles immédiates sont réglées.

La fascination des chercheurs pour ce qu'ils appellent les sécures acquis, et cette compétence toute particulière dont ils font preuve de réussir à dépasser un vécu infantile difficile et à valoriser le bonheur dans la relation à autrui, ne tient-elle pas justement à ce qu'ils ont développé une telle capacité d'autoprotection et d'autorégulation centrée sur un ressenti ouvertement analysé, cette fameuse fonction réflexive, ou capacité de mentalisation, mise en lumière par Fonagy ?

En résumé…

Une telle conception du développement du cerveau selon les principes des systèmes dynamiques non linéaires complexes permet de rendre compte de l'évolution de l'enfant d'une manière plus subtile que l'idée de stades qui se substitueraient les uns aux autres dans un ordre préétabli. Dans ces systèmes sophistiqués, même si le développement conduit à l'évolution vers des équilibres de plus en plus complexes, chaque sous-système continue à fonctionner à son niveau, avec ses propres modalités, ce qui permet de concevoir les phénomènes de dissociation lorsque l'intégration de chaque niveau à l'ensemble n'est pas pleinement réalisée. On peut ainsi rendre compte de la spécificité du câblage neuronal d'un individu parmi les millions de combinaisons possibles au départ, traçant une trajectoire développementale directement influencée par l'environnement auquel elle s'adapte. Cette adaptation s'effectue au moyen de stratégies de plus en plus sophistiquées au fur et à mesure que de nouvelles compétences émergent de l'évolution naturelle de l'assemblage, mais sans pour autant détruire ou abandonner complètement les précédentes sur lesquelles elles s'appuient.

L'apparition d'éléments de contrôle et de réflexion sur ce qui arrive, ainsi que sur le fonctionnement intrinsèque du système, permet aux humains de manière inédite par rapport aux autres espèces de s'affranchir des réactions instinctives préprogrammées, et d'apprentissages enfermés dans des fenêtres temporelles d'empreinte bloquant toute évolution. Jusqu'à présent, cette forme d'intelligence supérieure offerte par le développement des lobes frontaux et préfrontaux, a surtout permis un extraordinaire contrôle de l'environnement extérieur, en particulier dans les sociétés occidentales. Il serait sans doute temps que ce mode de fonctionnement, encouragé au niveau de l'hémisphère gauche, le soit tout autant pour l'hémisphère droit, et que, dès le plus jeune âge, on apprenne aux enfants qu'il est aussi important de se connaître soi-même que de connaître l'univers qui nous entoure.

Une dernière remarque enfin, et non des moindres : une telle conception du cerveau, et des conditions particulières d'adaptation qu'il met en place par rapport à l'environnement, ainsi que de ses incroyables capacités de flexibilité intrinsèque, rend caduque l'idée que le développement serait arrêté une fois pour toutes à un certain âge, et que l'on serait à jamais marqué par ses expériences précoces. Si ces dernières participent grandement à l'évolution, comme on l'a vu, un mécanisme est prévu chez l'homme pour qu'il puisse les dépasser et s'en servir pour s'enrichir plutôt que d'en être affligé. Une bonne circulation de l'information au cœur du cerveau, qui intègre toutes les données disponibles sans en négliger ni en mépriser aucune, permet un bon équilibre, un fonctionnement harmonieux en soi-même et avec autrui, dans une envie de compréhension et de souci de l'autre, égal à celui que l'on se porte. Si ce n'est pas ce qui nous a été donné pendant notre enfance, il n'est jamais trop tard pour y parvenir, l'extraordinaire adaptabilité de notre cerveau est là pour ça.

6

Et si Bowlby était encore parmi nous...

Bowlby nous a quittés il y a tout juste vingt ans, alors que la vérification par d'autres de ses intuitions théoriques en était à ses prémices. Il n'a pas été témoin de l'ampleur actuelle du champ de recherche sur l'attachement chez l'adulte qui a fourni une importante somme de connaissances, de même qu'il n'a assisté qu'aux débuts de ce que les neurosciences ont aujourd'hui permis de découvrir sur le fonctionnement du cerveau. Pour conclure cet ouvrage, on peut se demander comment il réagirait à toutes ces nouvelles informations.

Ce que Bowlby pourrait dire...

Bowlby est parti de son expérience clinique et de son vécu personnel par ailleurs pour mettre au point une approche théorique innovante de la relation de l'enfant aux personnes qui s'occupent de lui de manière privilégiée. S'éloignant des conceptions courantes de l'époque selon lesquelles le bébé ne s'intéresse à sa mère que parce qu'elle le nourrit, il propose l'idée d'un instinct relationnel qui motive l'enfant à entrer en contact avec autrui, et qui le conduit à être pleinement acteur du rapprochement dans la mesure de ses moyens, et non simple spectateur recevant passivement des soins.

Il décide d'appeler cet instinct l'*instinct d'attachement*, et la personne vis-à-vis de laquelle l'enfant l'active préférentiellement la *figure d'attachement*. Il définit celle-ci comme toute personne qui s'occupe de l'enfant sur une base stable et régulière, rôle classiquement dévolu à la mère biologique. Il est cependant abusif d'établir une équation stricte entre figure d'attachement et mère biologique, même s'il est souvent commode et plus court d'utiliser le terme de *mère* au lieu de *figure d'attachement*. Lorsque cette définition d'origine est respectée, il s'ensuit que l'enfant a généralement plusieurs figures d'attachement au début de sa vie, c'est-à-dire plusieurs personnes sur lesquelles il sait, par expérience, pouvoir compter pour prendre soin de lui, comprendre ses besoins et y pourvoir au mieux.

Bowlby serait sans doute très heureux d'apprendre que toutes les études menées ces trente dernières années sur les relations mère/bébé en psychologie du développement ont confirmé ses idées, qui commençaient déjà à être étayées par la recherche de son vivant[1]. Les observations très précises de dyades mère/enfant par le biais de technologies de plus en plus sophistiquées ont montré que le bébé joue un rôle actif dans les interactions, qui s'organisent en une sorte

---

1. Voir par exemple Lécuyer, R., Pêcheux, M.-G. et Streri, A. (1994). *Le développement cognitif du nourrisson*, et Lécuyer, R. (dir.) (2004). *Le développement du nourrisson. Du cerveau au milieu social et du fœtus au jeune enfant.*

de ballet multisensoriel où chaque partenaire a son potentiel d'initiative, recherches menées en dehors du cadre spécifique de la théorie de l'attachement.

Il serait sans doute encore plus heureux de découvrir que ces études développementales, associées aux progrès considérables des neurosciences dans la même période, ont donné naissance à une nouvelle discipline, la neurobiologie développementale. Celle-ci s'appuie aussi sur les travaux des éthologistes et des biologistes travaillant sur les animaux, qui sont les premiers à avoir montré par exemple que les relations d'un bébé rat à sa mère conditionnent ses capacités de survie à long terme, par la régulation directe de ses mécanismes physiologiques.

Ainsi un raton avec lequel sa mère a eu de fréquents contacts physiques, en particulier en le léchant, a des réactions physiologiques au stress moins fortes et un système immunitaire plus développé. Il se montre moins anxieux face à la nouveauté. De plus, lorsqu'il s'agit d'une femelle, celle-ci a toutes les chances de transmettre ces mêmes caractéristiques à ses petits, entre autres à travers les mêmes comportements de maternage.

Les ratons que l'on prive expérimentalement de ce type d'interactions se montrent plus vulnérables, à la fois au stress et aux maladies. Par contre, il suffit que l'expérimentateur les manipule régulièrement, et éventuellement qu'il remplace les coups de langue de la mère par ceux d'un pinceau, pour annuler les effets négatifs de la privation et pour que les ratons se développent de manière équilibrée. De tels résultats, dont on a cherché à comprendre l'impact pour les humains, ont conduit à étudier les processus physiologiques et neurologiques permettant d'en rendre compte. C'est ainsi qu'ont été mis en évidence, sur la base également d'autres travaux sur d'autres types de populations, l'ocytocine d'un côté en tant que neurohormone du lien, et les mécanismes neurodéveloppementaux d'évolution du cerveau, que nous venons de présenter.

Bowlby se serait donc très certainement passionné pour ces recherches, tout comme pour celles déjà disponibles de son vivant, dont les résultats étonnants montrent l'importance d'une collaboration entre diverses disciplines sans lien nécessaire entre elles, comme l'éthologie, les neurosciences, la biologie et, au sein de la psychologie, la psychologie développementale, la psychologie cognitive et l'approche clinique. Cette pluridisciplinarité est exactement ce qu'il avait à cœur d'entretenir au cours du séminaire hebdomadaire qu'il avait mis en place à la Tavistock Clinic, dans l'esprit des rencontres internationales orchestrées par l'OMS sur la psychobiologie de l'enfant, auxquelles il participait par ailleurs.

À ce titre, il serait sans doute étonné, voire chagriné, de constater que le champ même d'investigation dont il est le créateur est actuellement la proie de luttes intestines et d'une guerre ouverte entre partisans d'une approche développementale de l'attachement et adeptes d'une approche de psychologie sociale cognitive expérimentale. Il continuerait par ailleurs à s'interroger, comme son ouvrage de 1988[1] s'en fait déjà l'écho, sur la faiblesse des recherches et des applications de tous ces travaux en clinique, visant concrètement à améliorer le vécu des personnes.

---

1. Bowlby, J. (1988). *A secure base : Clinical applications of attachment theory*. Trad. fr. : *Le lien, la psychanalyse et l'art d'être parent*.

Il ne faut en effet par perdre de vue que la motivation première de Bowlby, réaffirmée dans la grande majorité de ses écrits, concerne la compréhension de l'origine des névroses. Celles-ci sont liées, selon lui, à des trajectoires biaisées dans le développement de la personnalité, en conséquence de traumatismes dans les relations de l'enfant à son environnement familial. Une telle perspective n'est pas nouvelle, si ce n'est que contrairement à la plupart de ses collègues psychanalystes de l'époque, Bowlby soutient que les traumatismes sont réels et non fantasmés, et qu'il est possible de le prouver. Il choisit alors une source de traumatisme évidente et non discutable pour étayer scientifiquement son propos, la séparation d'avec la mère, parfaitement objectivable, qui a eu lieu ou non.

Il ne s'attendait sans doute pas à ce que ce choix méthodologique, parfaitement justifié et clair dans son esprit comme il s'en explique une fois de plus dans son ouvrage de 1979[1], conduise à une telle dérive dans la conception actuelle de sa théorie. Cette dérive a aussi été orchestrée par les travaux d'Ainsworth, bien involontairement au départ, par la mise en œuvre du paradigme de la situation étrange, et les résultats inattendus qu'il a fournis. Il s'agissait à l'origine pour cette dernière de parvenir à observer expérimentalement les interactions mère/enfant pour corroborer et affiner les conclusions auxquelles elle était parvenue à la suite de ses études sur le terrain en Ouganda d'abord, puis à Baltimore. Elle cherchait donc à étudier les interactions de l'enfant en situation de stress, mais aussi de détente, d'exploration et de jeu, seul ou avec un partenaire familier ou inconnu.

1. Bowlby, J. (1979). *The making and breaking of affectional bonds.*

Ce qui s'est passé autour de l'enjeu de la séparation d'avec la mère et de la réunion avec elle a été tellement massif et systématique que cela a emporté l'attention des chercheurs, et les a détournés d'autres comportements moins flagrants et donc plus difficiles à étudier. De plus, ces observations sont venues corroborer l'impact de la séparation, déjà choisi par Bowlby pour illustrer l'importance de la réalité du vécu de l'enfant, montrant en outre que des séparations très brèves, de l'ordre de quelques minutes, avaient déjà un effet important sur l'enfant, mais que tous n'y réagissaient pas de la même façon.

Pour finir, les observations réalisées en parallèle au domicile des enfants, auxquelles la situation étrange devait fournir un support méthodologique complémentaire, ont mis plus de temps à être décodées, analysées et publiées, ce qui les a conduites à passer au second plan, effacées par le succès du paradigme expérimental, bien plus facile à mettre en œuvre. Toutes les conditions se sont alors trouvées réunies pour que la théorie de l'attachement devienne une théorie de la séparation, transformée en théorie de la sécurité, ou encore de la base de sécurité, reprenant le thème des toutes premières recherches d'Ainsworth, avant même qu'elle ne rencontre Bowlby.

Par rapport à la situation étrange, après avoir affiné les observations des différentes réactions des enfants, et établi un codage pour une typologie utilisable scientifiquement, c'est-à-dire duplicable, s'est posé le problème d'imaginer un protocole permettant aussi d'évaluer chez les mères des différences rendant compte de celles de leurs enfants, sans passer par la lourdeur de l'observation à domicile. Pour comprendre comment ces bébés en arrivaient à ne pas présenter les mêmes manifestations en situation de séparation d'avec leur mère, l'hypothèse d'origine de Bowlby était qu'il s'agissait de l'expression d'un certain type de lien plus global à la figure d'attachement, lui-même sous-tendu par la relation de la mère à sa propre famille. Main a développé cette idée, en questionnant les mères sur leur enfance et sur l'importance qu'elles accordent à l'impact à long terme des relations familiales.

C'est ainsi qu'est né l'AAI, dont l'étude attentive a montré que ce n'était pas tant le contenu des souvenirs qui importait, mais la manière dont la mère réagissait à l'entretien, qui permettait d'obtenir une classification parallèle à celle des enfants. Ainsi, la qualité du discours, la cohérence, et d'autres éléments de codage purement linguistiques, sont devenus les moyens d'évaluer ce que Main appelle *l'état d'esprit par rapport à l'attachement*, qui ont permis de rendre compte de l'attachement sécure d'un bébé à une mère rapportant pourtant un vécu traumatique et des relations insatisfaisantes avec ses propres parents. Ici, la logique de la théorie a directement guidé la logique de la mesure, influencée par les compétences linguistiques de Main et les conseils de Bowlby avec qui elle était en contact.

Dans un deuxième temps, il est apparu que le codage de l'AAI constituait une démarche assez lourde que Kobak et ses collègues ont décidé de simplifier et d'objectiver davantage en utilisant la méthode du Q-*sort*. Ici, les caractéristiques de codage sont mises sous forme d'items, et les entretiens sont évalués sur la base des réponses des codeurs à ces questions. Ce codage est ensuite indexé sur deux dimensions, la sécurité/anxiété d'une part et la désactivation/hyperactivation de l'autre. On procède ensuite à une corrélation entre les scores ainsi obtenus et ceux d'une description prototypique de chaque style d'attachement. Pour finir, les individus se voient attribuer leur catégorie d'attachement sur la base de ces corrélations positives ou négatives sur chaque dimension, selon un principe de quadrant que nous ne détaillerons pas[1].

On peut en retenir que les éléments réels de l'entretien, déjà codés à l'origine par Main sous forme de contenu des souvenirs évoqués par l'interviewé, mais surtout sous forme de cohérence du récit, de spécificité dans la remémoration, de contradiction ou non entre évocation générale de l'expérience et souvenirs spécifiques, et d'impression générale quant à l'aisance de l'interviewé avec les questions d'attachement, atteignent ici un nouveau degré d'abstraction et des étiquettes qui tendent à faire perdre de vue ce qu'elles codent réellement. La dimension sécurité/anxiété se fonde par exemple sur la capacité ou non de la personne à se souvenir précisément de souvenirs d'enfance cohérents avec l'image globale qu'elle rapporte de ses relations à ses parents. Sur le plan statistique maintenant, on peut s'interroger sur l'attribution d'un style d'attachement sur la base de corrélations de part et d'autre de zéro, lorsque l'on sait que les corrélations faibles ne permettent normalement aucune conclusion, et qu'il serait donc judicieux d'éliminer les scores aboutissant à des corrélations inférieures à .30 en valeur absolue.

---

1. Voir par exemple Pederson, D. R. et Moran, G. (1995). « A categorical description of infant-mother relationships in the home and its relation to Q-sort measures of infant-mother interaction ». *Monographs of the Society for Research in Child Development.*

Ces détails techniques font apparaître que la démarche n'est pas simple, et que l'on finit par être très loin du comportement réel d'attachement du sujet, voire de la réalité de son récit à un entretien dont les questions sont déjà très fortement calibrées dès le départ. Bien qu'ayant été un des premiers cliniciens à utiliser les statistiques et à s'appuyer sur des protocoles de recherche avec comparaison avec un groupe contrôle comme dans son étude sur les quarante-quatre voleurs, Bowlby serait sans doute étonné de la complexité des mesures et des calculs utilisés pour évaluer l'attachement, de leur distance par rapport à l'observation et à la clinique, tout en étant sans doute passionné par la cohérence globale des résultats obtenus.

Des remarques du même ordre valent pour l'évaluation de l'attachement adulte dans la tradition de psychologie sociale, basée cette fois sur l'utilisation de questionnaires. Après avoir au départ mis en place des outils visant à placer les répondants dans une catégorie spécifique d'attachement, les analyses statistiques ont conduit les chercheurs à préférer ici aussi une approche dimensionnelle, d'anxiété par rapport à l'attachement d'une part, et d'évitement par rapport à l'attachement de l'autre. Dès lors, les réponses du sujet au questionnaire se limitent à deux notes, que l'on corrèle ensuite à ce qu'on désire évaluer par ailleurs.

Tant que les sujets ont des notes « pures » sur l'une des deux dimensions, on peut aisément les qualifier d'anxieux par rapport à l'attachement, ou d'évitants. Mais que se passe-t-il lorsqu'un même individu à des notes élevées à la fois en anxiété et en évitement ? Si on ne le place pas dans une catégorie à part, on confond ses résultats par ailleurs avec ceux des anxieux purs ou des évitants purs. Que se passe-t-il encore lorsque l'on utilise une échelle d'évaluation en sept points par exemple, sur laquelle traditionnellement le quatre correspond à une sorte de non-réponse permettant au sujet de dire qu'il n'est ni d'accord, ni pas d'accord avec l'énoncé qu'on lui présente, les autres chiffres de part et d'autre correspondant à des nuances de oui du côté supérieur et de non de l'autre ? S'assure-t-on systématiquement que les sujets dits évitants par exemple ont bien une moyenne sur la dimension en question largement supérieure à quatre ? Dans l'absolu, il suffit en effet qu'une personne ait une moyenne supérieure à celle des autres sur cette dimension pour qu'elle soit jugée plus évitante, même si sa moyenne est inférieure ou égale à quatre, ce qui signifie en réalité qu'elle a répondu un peu moins « non » que les autres, voire qu'elle ne s'est pas prononcée, ce qui ne permet en aucune façon de dire qu'elle reconnaît posséder des caractéristiques d'attachement évitant.

Dans tous les cas, on s'intéresse désormais non pas à une personne ayant un certain style d'attachement associé à un profil de réactions et de pensées, mais à des variables, c'est-à-dire des constructions abstraites dérivées de procédures statistiques aveugles quant au contenu. Dans l'approche clinique du développement harmonieux de la personnalité qui a toujours été celle de Bowlby, cela n'a plus guère de sens, car on ne peut pas soigner des variables et chercher à améliorer leur manière d'être au monde afin qu'elles puissent accéder au bonheur. Mais cela peut aussi poser des problèmes dans la recherche théorique même et conduire à des conclusions qui frisent l'absurdité, comme lorsque des chercheurs concluent que les parents biologiques d'étudiants issus de famille sans problème ne sont pas leur figure d'attachement, car les résultats de l'expérience ne confirment pas leurs attentes et qu'ils font une telle confiance dans la mesure qu'il ne leur vient pas à l'idée d'en mettre en doute l'application.

Dans le même ordre d'idées, Bowlby serait sans doute étonné de constater que dans les familles dont la violence est avérée sur le terrain par des plaintes et l'intervention des services sociaux, on peut trouver 20 % d'enfants à l'attachement sécure[1]. Comment faire correspondre cette idée avec celle longuement développée par lui au cours de tous ses écrits que la violence physique et encore davantage psychologique conduit immanquablement au développement d'un attachement insécure, puisque c'est justement là l'illustration même d'un défaut dans la relation parent/enfant ? Ne serait-on pas ici une fois encore dans une situation où la mesure l'emporte sur la théorie, où les chercheurs trouvent dans les 80 % d'attachement insécures une preuve de la justesse des vues de Bowlby, alors même que si ses vues sont justes et la mesure fiable, c'est 100 % d'attachement insécure qu'il faudrait rencontrer ? À ce titre, on ne devrait pas davantage découvrir des sujets sécures chez les personnes en traitement psychiatrique ou souffrant de troubles psychologiques reconnus.

De la même façon, il peut aussi sembler étonnant que les partisans de la théorie de l'attachement se disputent quant à savoir si l'attachement chez l'adulte est une caractéristique de personnalité appartenant en propre à un individu donné ou s'il s'agit au contraire de particularités liées aux relations amoureuses qu'il entretient. À ce niveau, il apparaît

1. Voir Holmes, J. (1993). *John Bowlby and attachment theory.*

important de faire un retour sur ce que Bowlby lui-même en dit, les véritables objectifs de sa conceptualisation de l'attachement, ce sur quoi il s'appuie et les conclusions qu'il en tire. Un tel retour aux sources permet de se faire une idée plus claire de la nécessité ou non de catégoriser les personnes par rapport à l'attachement, c'est-à-dire d'être capable de les isoler dans des groupes différenciés. Se pose alors le problème d'admettre qu'une large majorité des gens puisse présenter des profils relationnels qui ne sont pas sains, et qu'ils sont susceptibles de transmettre à leurs enfants par une violence psychologique faite d'abus ou de négligences affectives. Chacun se trouve donc concerné, et il n'est pas certain que les chercheurs eux-mêmes acceptent ce genre de questionnement qui pourrait les mettre personnellement en cause.

Ce que Bowlby rappellerait avoir dit…

Comme nous l'avons déjà fait remarquer, Bowlby s'est au départ intéressé à retracer l'origine des névroses, s'inscrivant résolument dans une perspective psychanalytique. À l'instar de Freud, il cherche à établir les liens entre défenses, anxiété et dépression, plus couramment appelée mélancolie à l'époque et déjà associée à des problématiques de deuil. Mais contrairement à Freud qui estime que ce sont les mécanismes de défense et la lutte interne qu'ils conditionnent qui créent l'anxiété, tardivement rapprochée par lui du deuil et de la mélancolie, Bowlby s'aperçoit rapidement que de les considérer dans cet ordre revient à prendre le problème à l'envers.

Son travail clinique et ses observations directes des jeunes enfants en situation de séparation d'avec leur mère le conduisent à découvrir que l'anxiété est première, en connexion étroite avec la phase de protestation déclenchée par l'absence de la figure d'attachement ou par la menace de son départ. Intervient ensuite la phase de désespoir ou autrement dit de chagrin et de deuil lorsque la séparation se prolonge. Et ce n'est que dans un troisième temps que se développe le détachement, mécanisme de protection lorsque l'enfant perd espoir de retrouver sa figure d'attachement, et qu'il semble se désintéresser totalement du problème par la répression de son instinct d'attachement lui permettant de se défendre contre toute nouvelle perte.

Afin de pouvoir étayer ce nouveau point de vue, il a été nécessaire à Bowlby de déterminer d'abord quelle était la nature exacte du lien de l'enfant à la mère, qui ne devait pas se limiter à la simple satisfaction de besoins primaires oraux, comme la satisfaction de la faim. En effet, si la mère sert seulement à l'enfant de garde-manger, un enfant repu ne devrait marquer aucune inquiétude au départ de sa mère ou devrait se trouver satisfait de la présence de toute autre personne veillant à le nourrir. Or ce n'est justement pas ce qui est observé, pas plus chez les jeunes enfants que chez les bébés singes de Harlow.

Un autre problème théorique est soulevé par la question de l'anxiété, plus généralement appelée *angoisse* dans la tradition psychanalytique française, c'est qu'elle est rapportée par Freud à une peur sans objet. Puisque l'enfant semble anxieux au départ de sa mère, alors qu'il ne fait l'objet d'aucune menace réelle à sa survie, cette peur est qualifiée de névrotique, à moins de faire l'hypothèse que c'est l'absence même de la mère qui constitue la menace en soi. C'est là le premier point que s'attache à démontrer Bowlby, postulant l'existence d'un instinct d'attachement à part entière qui voit l'enfant s'assurer les services d'une figure d'attachement susceptible de le protéger et d'assurer ainsi sa survie. Bowlby fait remonter la mise en place d'un tel mécanisme aux nécessités d'adaptation de l'espèce face aux prédateurs, conditions de vie certes assez peu d'actualité, mais qui ont présidé aux premiers pas de l'évolution humaine et donc de son patrimoine génétique.

Parallèlement, il développe une théorie de la motivation assez différente de celle de Freud et de son modèle hydraulique de réservoir et de quantité d'énergie pulsionnelle qui s'accumulerait, créant des états de tension de plus en plus difficiles à contenir, jusqu'à ce que l'évacuation permette de revenir au niveau zéro considéré comme celui du bien-être. Bowlby s'appuie au contraire sur les modèles comportementaux issus des travaux des éthologistes, et sur la théorie du contrôle ou cybernétique, pour montrer que les comportements sont motivés et initiés par l'atteinte d'un objectif et qu'ils cessent dès que celui-ci est atteint, un certain nombre de mécanismes intermédiaires de vérification permettant de s'assurer de la bonne poursuite de l'objectif au long d'un processus potentiellement évolutif.

Ces points sur l'existence d'un instinct d'attachement, son rôle dans l'évolution, et les principes de régulation des comportements, sont au cœur des développements du premier tome de la trilogie, avec les illustrations appropriées se rapportant spécifiquement au comportement d'attachement chez les humains, en particulier chez les jeunes enfants. Une fois cet instinct posé et sa pertinence vérifiée, le deuxième tome s'attaque logiquement au problème de la peur en cas de séparation avec la figure d'attachement. Bowlby y passe en revue ce qui peut être cause de peur, chez les animaux d'un côté, chez les humains de l'autre, finalement quel que soit l'âge.

Il s'attaque alors à un autre point de désaccord avec certaines approches psychanalytiques, selon lesquelles l'anxiété dériverait d'un combat interne contre des pulsions agressives et un instinct de destruction et de mort dès le plus jeune âge, plaçant celle-ci sur un strict plan psychique indépendant de toute réalité extérieure. Bowlby soutient au contraire que si l'enfant a peur, c'est qu'il a été menacé d'abandon, et que ce sont des expériences réelles, et non fantasmées, qui conduisent aux réactions phobiques par exemple, qui peuvent très bien ne se déclencher qu'à l'âge adulte. Ce deuxième tome lui permet de préciser et d'illustrer plus longuement ce qui n'avait qu'à peine été évoqué dans le premier, à savoir les différences interindividuelles dans les comportements d'attachement, clairement repérées dans les travaux d'Ainsworth. Il s'attarde ici plus spécifiquement sur l'attachement anxieux qui voit les individus ne supporter aucune distance à autrui, qui s'illustre par une hostilité et une colère quasi permanente envers les autres qui sont perçus comme indignes de confiance.

À cette occasion, Bowlby en vient à préciser son concept fondamental de *inner working models* encore appelés *representational models*[1]. L'idée qu'il avait en tête avec ces *working models* est empruntée à Young, un biologiste spécialiste du cerveau et du comportement animal, et c'est au départ celle

1. Voir note p. 98.

d'une maquette, d'un modèle réduit construit par un ingénieur pour mieux étudier et maîtriser un projet. Dans le psychisme humain, il s'agit de représentations du monde et de l'individu en son sein, qui permettent à celui-ci d'envisager différentes stratégies adaptatives, sur la base de modèles qu'il peut manipuler en pensée pour anticiper autant ses propres réactions que celles d'autrui.

Bowlby soutient que ces modèles sont élaborés au départ à partir de l'expérience réelle de l'individu dans son enfance, qu'ils sont un reflet de son vécu, et qu'à ce titre, ils devraient évoluer au gré des expériences nouvelles tout au long de la vie. Or les observations cliniques montrent que ce n'est pas toujours le cas, et que certaines expériences traumatisantes de l'enfance en viennent à fixer ces représentations en schémas statiques fermés à toute évolution spontanée, ce qui conduit à des inadaptations pathologiques au cours du temps et des changements de contexte, en particulier relationnels.

Ainsi, lorsque Bowlby se penche sur l'origine des névroses et sur les troubles de la personnalité, il se focalise avant tout sur les relations affectives et la manière dont s'élaborent les liens intimes à autrui, aux parents d'abord et aux partenaires amoureux ensuite. Il insiste effectivement sur les comportements d'attachement qu'il détaille pour bien montrer ce qu'ils ont d'instinctif et d'indispensable à la survie, mais ce qui l'intéresse, et qu'il ne faut pas confondre, c'est l'attachement en lui-même, ou autrement dit l'amour, qui se concrétise en différents attachements au cours de la vie.

Mais il est temps de donner directement la parole à l'auteur, afin de dissiper tout malentendu : « La théorie de l'attachement considère que la tendance à établir des liens affectifs intimes envers des personnes spécifiques est une composante fondamentale de la nature humaine, en germe dès la naissance et active tout au long de la vie adulte jusqu'aux âges les plus avancés[1]. »

Au cours de la synthèse théorique qui ouvre le troisième tome, il précise : « La création d'un lien s'appelle tomber amoureux, le maintien du lien, aimer quelqu'un, et la perte du partenaire, être en deuil de celui-ci. De même, la menace de perte engendre l'anxiété et la perte effective, le chagrin ; ces deux situations provoquant aussi le plus souvent la colère. Le maintien paisible du lien est vécu comme une source de quiétude[2] et son renouvellement comme une source de joie. Parce que de telles émotions sont généralement le reflet de l'état des liens affectifs d'une personne, la psychologie et la psychopathologie des émotions se trouvent en grande partie être la psychologie et la psychopathologie des liens affectifs. […]

– Des perturbations du comportement d'attachement peuvent s'observer à tout âge en conséquence d'un développement ayant suivi un cours déviant. Une des formes les plus communes de perturbation réside dans la surmobilisation du comportement d'attachement, ayant pour résultat un attachement anxieux. Une autre […] consiste en la désactivation partielle ou complète du comportement d'attachement.

---

1. Bowlby, J. (2011). *Le lien, la psychanalyse et l'art d'être parent*, p. 187. Texte original : Bowlby, J. (1988), *A secure base*, p. 136 : « Attachment theory regards the propensity to make intimate emotional bonds to particular individuals as a basic component of human nature, already present in germinal form in the neonate and continuing through adult life into old age. »

2. « Quiétude » a été choisi pour traduire *security*, qui renvoie à la paix intérieure, l'absence d'inquiétude (*cf. insecure*).

– Ce qui détermine principalement le cours suivi dans le développement du comportement d'attachement d'un individu, et du schéma par lequel il s'organise, ce sont les expériences qu'il vit avec ses figures d'attachement pendant ses années d'immaturité – petite enfance, enfance et adolescence.

– De la manière dont le comportement d'attachement d'un individu s'organise dans sa personnalité dépend le type de liens affectifs qu'il établira dans sa vie[1]. »

---

1. Bowlby, J. (1984), *Attachement et perte. 3. La perte. Tristesse et dépression*. Texte original : Bowlby, J. (1975). *Attachment and loss. 3. Loss : Sadness and depression*, p. 40-41 : « The formation of a bond is described as falling in love, maintaining a bond as loving someone, and losing a partner as grieving over someone. Similarly, threat of loss arouses anxiety and actual loss gives rise to sorrow ; while each of these situations is likely to arouse anger. The unchallenged maintenance of a bond is experienced as a source of security and the renewal of a bond as a source of joy. Because such emotions are usually a reflection of the state of a person's affectional bonds, the psychology and psychopathology of emotion is found to be in large part the psychology and psychopathology of affectional bonds. [...]

– Disturbed patterns of attachment behaviour can be present at any age due to development having followed a deviant pathway. One of the commonest forms of disturbance is the over-ready elicitation of attachment behaviour, resulting in anxious attachment. Another [...] is a partial or complete deactivation of attachment behavior.

– Principal determinants of the pathway along which an individual's attachment behaviour develops, and of the pattern in which it becomes organized, are the experiences he has with his attachment figures during the years of immaturity – infancy, childhood and adolescence.

– On the way in which an individual's attachment behaviour becomes organized within his personality turns the pattern of affectional bonds he makes during his life. »

Cette dernière remarque établit l'attachement et ses différentes modalités en tant que caractéristiques de personnalité dans l'esprit de l'auteur, ce qu'il ne cesse d'affirmer au long de ses écrits et que l'on retrouve développé encore plus précisément lorsqu'il évoque les troubles possibles au sein de cette personnalité, et ce qu'il appelle plus haut la psychopathologie du lien ou psychopathologie de l'émotion :

« (a) Les perturbations de la personnalité [...] sont considérées comme des conséquences d'un ou de plusieurs écarts de développement dont l'origine ou l'aggravation peuvent intervenir à tout moment au cours de la petite enfance, de l'enfance ou de l'adolescence.

(b) Les écarts sont causés par des expériences défavorables vécues par l'enfant dans sa famille d'origine (ou lors d'autres modes de garde), en particulier des ruptures dans ses relations et certaines réponses, ou absence de réponses, de ses figures parentales à son besoin d'amour et d'attention.

(c) Les écarts sont des perturbations dans l'organisation du comportement d'attachement de l'individu concerné, s'orientant le plus souvent soit vers un attachement anxieux et insécure soit vers une affirmation véhémente d'autosuffisance.

(d) Bien que les écarts, une fois établis, aient tendance à perdurer, ils demeurent jusqu'à un certain point sensibles aux expériences ultérieures et peuvent en conséquence se voir modifiés dans le sens soit d'une amélioration soit d'une dégradation encore plus forte.

(e) Parmi les types d'expériences ultérieures susceptibles d'influencer favorablement le développement figure toute occasion qui se présente offrant à l'individu – enfant, adolescent ou adulte – la chance de créer un attachement relativement sécure, bien que la possibilité pour lui de tirer profit de ces occasions repose à la fois sur l'organisation déjà établie de son comportement d'attachement et sur la nature de cette relation en cours[1]. »

À la suite de quoi, Bowlby se lance dans la description des expériences relationnelles qui conduisent, d'une part à l'établissement d'un attachement anxieux (ambivalent), d'autre part à un attachement évitant.

« Les individus de ce type [enclins à développer des attachements anxieux et ambivalents] sont bien davantage sus-

---

1. *Ibid.*, p. 217-218 : « (a) Disturbances of personality [...] are seen as the outcome of one or more deviations in development that can originate or grow worse during any of the years of infancy, childhood and adolescence.

(b) Deviations result from adverse experiences a child has in his family of origin (or during substitute care) notably discontinuities in his relationships and certain ways in which parent-figures may respond, or fail to respond, to his desire for love and care.

(c) Deviations consists of disturbances in the way the attachment behaviour of the individual concerned becomes organized, usually in the direction either of anxious and insecure attachment or else in the vehement assertion of self-sufficiency.

(d) Although deviations, once established, tend to persist, they remain sensitive in some degree to later experience and, as a result, can change either in a more favourable way or in an even loss favourable one.

(e) Amongst types of later experience that can affect development favourably are any opportunities that arise that give the individual – child, adolescent or adult – a chance to make a relatively secure attachment, though whether he can make use of this opportunities turns both on the way his attachment behaviour is already organized and on the nature of the relationship that is currently offered. »

ceptibles que ceux qui deviennent sécures d'avoir eu des parents qui, pour des raisons issues de leur propre enfance et/ou de difficultés de couple, se sont sentis accablés par le désir d'amour et d'attention de leurs enfants et qui leur ont répondu avec irritation – par le dédain, des réprimandes ou des leçons de morale. [...]

Cela étant, bien que ceux qui établissent des attachements anxieux et ambivalents soient susceptibles d'avoir vécu des ruptures dans le parentage et/ou souvent d'avoir été rejetés par leurs parents, ce rejet a plus probablement été intermittent et partiel que complet. En conséquence les enfants, conservant un espoir d'amour et d'attention tout en étant profondément anxieux à l'idée de se voir négligés ou abandonnés, accentuent leurs exigences de considération et d'affection, refusent d'être laissés seuls et protestent avec plus ou moins de colère lorsqu'ils le sont.

C'est une image de l'expérience et du développement dans l'enfance à l'exact opposé de celle d'une indulgence excessive conduisant à trop gâter l'enfant, image non seulement largement répandue dans le grand public, mais qui s'est vue fort malheureusement incorporée très tôt au cœur de la théorie psychanalytique[1]. »

---

1. *Ibid.*, p. 218-219 : « Individuals of this sort [prone to make anxious and ambivalent attachments] are far more likely than are those who grow up secure to have had parents who, for reasons stemming from their own childhoods and/or from difficulties in the marriage, found their children's desire for love and care a burden and responded to them irritably – by ignoring, scolding or moralizing. [...]

Nevertheless, although those who make anxious and ambivalent attachments are likely to have experienced discontinuities in parenting and/or often to have been rejected by their parents, the rejection is

C'est ainsi que Bowlby décrit précisément à la fois le comportement des individus à l'attachement anxieux, et les conditions qui ont présidé à la mise en place d'un tel type d'attachement au cours de l'enfance, par les réactions répétées de moquerie et de rejet ou de menace de rejet de parents qui manipulent les besoins de soutien et de réconfort de leur enfant pour mieux se faire obéir de lui ou obtenir la satisfaction de leurs propres besoins. Il ne se lasse pas d'insister sur le fait que la personnalité, et le style d'attachement qui y est associé, s'élaborent au cours de la jeunesse de l'individu, c'est-à-dire pendant les années qui vont de la petite enfance à la fin de l'adolescence, et qu'il tient pour illusoire l'idée que tout serait limité à la première année, voire aux trois premières années de la vie. Il affirme au contraire que, bien que les représentations liées à l'attachement soient particulièrement malléables aux débuts de leur mise en place, et qu'elles aient tendance à se rigidifier et à s'autoaffirmer par la suite, il demeure toujours un potentiel de flexibilité et une ouverture à des expériences correctrices, telles qu'une thérapie adaptée ou le lien à un nouveau partenaire sécure.

En ce qui concerne d'autre part les expériences qui

---

more likely to have been intermittent and partial than complete. As a result the children, still hoping for love and care yet deeply anxious lest they be neglected or deserted, increase their demands for attention and affection, refuse to be left alone and protest more or loss angrily when they are.

This is a picture of childhood experience and development which is the exact opposite of the one of overindulgence and spoiling which has not only been widespread as a popular belief but which, most unfortunately, became incorporated early into psychoanalytic theory. »

conduisent un enfant à devenir un adulte caractérisé par une indépendance affirmée vis-à-vis des liens affectifs, ou autrement dit à développer un style d'attachement évitant, Bowlby en isole deux types, la perte d'un parent et à nouveau l'insensibilité environnante aux besoins relationnels de l'enfant.

« L'un est la perte d'un parent pendant l'enfance, laissant l'enfant livré à lui-même par la suite. L'autre se rapporte à l'attitude critique et dénuée d'empathie d'un parent envers les désirs naturels de son enfant de recevoir amour, attention et soutien. [...]

Certaines personnes exposées à ce dernier type d'expérience familiale pendant leur enfance deviennent dures et insensibles en grandissant. Elles peuvent se montrer compétentes et autonomes selon toute apparence, et traverser la vie sans signe évident d'effondrement. Elles risquent cependant d'être difficiles à vivre, en privé comme au travail, car elles ont une faible compréhension autant d'elles-mêmes que d'autrui, et elles sont facilement animées d'une jalousie et d'un ressentiment dévorants. [...] Même lorsqu'elles ne décompensent pas personnellement sur le plan psychique, elles peuvent souvent être responsables de l'effondrement des autres – conjoint, enfants ou employés. Winnicott (1960) a utilisé le terme "faux self" pour décrire le soi avec lequel vit une telle personne et qu'elle présente au monde, qu'elle le veuille ou non[1]. »

1. *Ibid.*, p. 224-225 : « One is the loss of a parent during childhood, with the child being left therafter to fend for himself. The other is the unsympathetic and critical attitude that a parent may take towards her child's natural desires for love, attention and support. [...]

On découvre ici l'ampleur du phénomène que Bowlby s'attache à décrire, qui ne se limite pas à des cas pathologiques reconnus et avérés, mais concerne toutes les personnes ayant été contraintes à la répression affective. Celles-ci se trouvent en souffrance, même si elles ne s'en rendent pas compte, faisant aussi généralement souffrir les autres, à commencer par leurs enfants.

Ces descriptions de l'attachement anxieux d'un côté et évitant de l'autre sont détaillées par ailleurs dans le cadre des expériences d'enfance de ceux qui sont enclins à présenter des troubles du deuil. Le troisième tome de sa trilogie est en effet consacré au deuil et à la séparation comme venant illustrer ce qui se passe en cas de perte ou d'abandon, voire simplement de menace de perte ou d'abandon, au sein du psychisme. Il s'agit pour Bowlby d'une application, associée à des exemples cliniques, des processus de traitement de l'information précisés en première partie de l'ouvrage, sous le titre *An information processing approach to*

Some individuals who are exposed to the latter type of family experience during childhood grow up to be tough and hard. They may become competent and to all appearances self-reliant, and they may go through life without overt sign of breakdown. Yet they are likely to be difficult to live and work with, for they have little understanding either of others or of themselves and are readily aroused to smouldering jealousy and resentment. [...] Even when they do not become psychiatric casualties themselves they can often be responsible for the breakdown of others – spouses, children or employees. Winnicott (1960) has used the term "false self" to describe the self such a person experiences and which, willingly or unwillingly he presents to the world. »

defence (« Théorie du traitement de l'information appliquée au processus de défense »).

Ce chapitre est un des plus fondamentaux de son œuvre, comme il le souligne lui-même dans son article de 1991 faisant retour sur l'ensemble de son travail[1], chapitre dont il regrette par ailleurs qu'il n'ait pas retenu davantage l'attention. Il y démonte les mécanismes à la fois du faux self, des systèmes de défense et de la dissociation, à l'œuvre selon lui autant dans la psychopathologie que chez des personnes jugées psychologiquement bien portantes, lorsqu'on se laisse tromper par les apparences d'une adaptation sociale fondée soit sur une affirmation d'indépendance et d'autonomie, soit sur un besoin compulsif de s'occuper d'autrui, dans le choix du travail par exemple (*compulsive self-reliance/compulsive caregiving*).

Ce chapitre du troisième tome est un développement des idées que Bowlby introduit dans le deuxième volume concernant les modèles multiples qu'une personne peut avoir d'une de ses figures d'attachement, et donc de façon complémentaire d'elle-même.

« Alors que le bon sens suggérerait qu'une personne fonctionne à l'aide seulement de modèles uniques d'elle-même et de chacune de ses figures d'attachement, les psychanalystes depuis Freud ont présenté de nombreux exemples qui peuvent très bien s'expliquer en supposant qu'il n'est pas inhabituel pour quelqu'un de mettre en œuvre, simultanément, deux modèles de représentation (ou plus) de sa (ou ses) figures d'attachement et deux modèles (ou plus) de lui-

1. Ainsworth, M. D. et Bowlby, J. (1991). « An ethological approach to personality development », *American Psychologist*.

même. Lorsque sont à l'œuvre des modèles multiples d'une seule et unique figure, ils diffèrent le plus souvent quant à leur origine, leur suprématie, et le degré de conscience qu'en a le sujet. Chez une personne atteinte de troubles affectifs, il est courant de découvrir que le modèle exerçant l'influence la plus importante sur ses perceptions et sur ses prévisions, et donc sur son ressenti et sur son comportement, est un modèle qui s'est développé lors des premières années avec une structure assez primitive, dont la personne elle-même peut cependant avoir peu, ou pas du tout, conscience ; tandis que, dans le même temps, opère en elle un second modèle, qui peut être radicalement incompatible avec le premier, autre modèle qui s'est mis en place plus tardivement, qui est bien plus sophistiqué, dont la personne a bien plus aisément conscience et qu'elle peut croire, à tort, être celui qui prévaut[1]. »

---

1. Bowlby, J. (1984). *Attachement et perte. 3. La perte. Tristesse et dépression.* Texte original : Bowlby, J. (1975). *Attachment and loss. 3. Loss : Sadness and depression,* p. 205 : « Whereas common sense might suggest that a person would operate with only single models of each of his attachment figures and of himself, psychoanalysts from Freud onwards have presented a great deal of evidence that can be best explained by supposing that it is not uncommon for an individual to operate, simultaneously, with two (or more) working models of his attachment figure(s) and two (or more) working models of himself. When multiple models of a single figure are operative they are likely to differ in regard to their origin, their dominance, and the extent to which the subject is aware of them. In a person suffering from emotional disturbance it is common to find that the model that has greatest influence on his perceptions and forecasts, and therefore on his feelings and behaviour, is one that developed during his early years and is constructed on fairly primitive lines, but that the person himself

Ainsi les troubles affectifs et comportementaux seraient-ils essentiellement associés à des conflits entre représentations, les unes se rapportant à ce que l'enfant a réellement vécu, les autres à la version officielle qu'il a jugé bon d'en retenir. La conscience qu'il a de lui-même et d'autrui se trouve alors déconnectée de ses perceptions et motivations inconscientes, qui sont finalement celles qui déterminent la réalité de ses réactions, lorsque le système ne fonctionne pas carrément avec des systèmes parallèles de conscience, comme on va le voir.

Vers la fin du volume, Bowlby revient sur cet aspect particulier de la construction des modèles représentationnels dans un chapitre intitulé *Omission, suppression and falsification of family context* (« Omission, suppression et falsification du contexte familial »). Il attire l'attention sur les biais très fréquemment rencontrés dans la narration des événements chez les enfants, comme chez les adultes qui rapportent leur expérience passée, en ce qui concerne l'attitude réelle de leurs parents envers eux. Ces biais ont selon lui une origine liée à l'enfant qui préfère protéger l'image de ses parents, mais aussi, et peut-être surtout, aux parents qui interdisent à l'enfant de voir la réalité de la situation. Cela a une influence déterminante sur la construction des modèles d'attachement, qui conduit aussi à une perception biaisée de l'origine des problèmes

---

may be relatively, or completely, unaware of; while, simultaneously, there is operating in him a second, and perhaps radically incompatible, model, that developed later, that is much more sophisticated, that the person is more nearly aware of and that he may mistakenly suppose to be dominant. »

pour les psys, constituant alors un enjeu thérapeutique majeur.

« Aucun enfant n'a à cœur d'admettre que son parent est gravement en faute. Reconnaître ouvertement qu'une mère vous exploite à ses propres fins, ou qu'un père est injuste et tyrannique, ou qu'aucun de vos parents n'a jamais voulu de vous, est extrêmement douloureux. S'ils peuvent y échapper, donc, la plupart des enfants chercheront à envisager le comportement de leurs parents sous un jour plus favorable. Ce biais naturel chez les enfants est facile à exploiter.

Non seulement la plupart des enfants ont des réticences à voir leurs parents sous un jour trop défavorable, mais il y a des parents qui font eux-mêmes tout ce qui est en leur pouvoir pour s'assurer que leur enfant s'en abstienne ou du moins qu'il ne communique pas une image négative d'eux à autrui[1]. »

Puis, il précise la manière dont se mettent en place les schémas ou représentations d'attachement et ce qui en est à l'origine, montrant ainsi concrètement comment des représentations conflictuelles d'une même figure d'attachement

---

1. *Ibid.*, p. 316 : « No child cares to admit that his parent is gravely at fault. To recognize frankly that a mother is exploiting you for her own ends, or that a father is unjust and tyrannical, or that neither parent ever wanted you, is intensely painful. Moreover it is very frightening. Given any loophole, therefore, most children will seek to see their parents' behaviour in some more favourable light. This natural bias of children is easy to exploit.

Not only are most children unwilling to see their parents in too bad a light but there are parents who themselves do all in their power to ensure that their child does not do so or at least that he does not communicate an adverse picture to others. »

peuvent coexister. Il s'agit là d'un cas typique de violence psychologique, d'une banalité que souligne l'auteur, où l'enfant est, entre autres, culpabilisé des mauvais traitements et de l'indifférence relationnelle qu'il subit.

« Les données utilisées pour la construction des modèles proviennent de multiples sources : ses expériences quotidiennes, les affirmations de ses parents et des informations venant d'autres personnes. Généralement, les éléments qui lui arrivent de ces différentes sources sont relativement compatibles. [...]

Pour une minorité d'enfants, par contre, les données qui leur proviennent de ces différentes sources peuvent être incompatibles de manière régulière et persistante. Pour prendre un exemple réel, bien que loin d'être extrême : l'expérience qu'un enfant a de sa mère peut être celle d'un manque de réceptivité et d'amour, et il peut en conclure à juste titre qu'elle n'a jamais voulu de lui et qu'elle ne l'a jamais aimé. Et pourtant, sa mère peut lui dire et lui répéter avec insistance qu'elle l'aime vraiment. En plus, lorsqu'il y a des frictions entre eux, ce qui se produit inévitablement, elle affirme que c'est à cause de son tempérament contrariant de naissance. Quand il recherche son attention, elle le qualifie d'exigeant et c'est insupportable ; quand il l'interrompt, il est égoïste et c'est intolérable ; quand il se met en colère parce qu'elle le néglige, il a mauvais caractère ou même il a le diable en lui. D'une certaine façon, elle affirme qu'il est né mauvais. Cependant, grâce à une bonne fortune qu'il ne mérite pas, il a la chance d'avoir une mère aimante qui, malgré tout, se dévoue entièrement à lui.

Dans un tel cas, les informations qui parviennent à l'enfant de la part de son parent sont non seulement systématiquement déformées, mais elles entrent en conflit ouvert avec les conclusions qu'il peut tirer de son expérience directe[1]. »

Le chapitre du troisième tome consacré aux mécanismes de défense reprend ce thème, sur la base de la théorie du traitement de l'information et des connaissances sur les systèmes de mémoire et leur substrat neurologique. Bowlby commence par rappeler que dès le premier tome de la trilogie, il a attiré l'attention sur l'importance de la neurophysiologie et de la psychologie cognitive pour comprendre

---

1. *Ibid.*, p. 317-318 : « The data used for model construction are derived from multiple sources : from his day-to-day experiences, from statements made to him by his parents, and from information coming from others. Usually the data reaching him from these different sources are reasonably compatible. [...]

For a minority of children, by contrast, the data reaching them from the different sources may be regularly and persistently incompatible. To take a real, though by no means extreme example : a child may experience his mother as unresponsive to him and unloving and he may infer, correctly, that she had never wanted him and never loved him. Yet this mother may insist, in season and out, that she does love him. Furthermore, if there is friction between them, as there inevitably is, she may claim that it results from his having been born with a contrary temperament. When he seeks her attention, she dubs him insufferably demanding ; when he interrupts her, he is intolerably selfish ; when he becomes angry at her neglect, he is held possessed of a bad temper or even an evil spirit. In some way, she claims, he was born bad. Nevertheless, thanks to a good fortune he does not deserve, he has been blessed with a loving mother who, despite all, cares devotedly for him.

In such a case, the information reaching the child from his parent not only is systematically distorted but is in sharp conflict with what he infers from his first-hand experience. »

la perception et les processus attentionnels directement impliqués ici. Il explique ensuite que dans le cours normal de l'existence, nombre des informations reçues par le cerveau ne sont pas intégralement traitées et en particulier ne parviennent pas à la conscience, et ce afin d'éviter une surcharge du système qui ne retient que celles qui sont directement pertinentes pour la personne. L'intérêt est alors de découvrir quel type d'information est exclu, pour quelles raisons et quelles sont les conséquences à long terme de telles exclusions.

Il rappelle que le traitement des informations nouvelles s'effectue par comparaison à celles qui sont déjà stockées en mémoire, et que la tendance est à éjecter les nouveautés qui n'entrent pas dans un cadre déjà préalablement établi. Par les exemples qu'il donne des expériences de perception subliminale, Bowlby souligne que ces processus ont grandement lieu en dehors de toute conscience du sujet. Il établit aussi la différence entre les mécanismes qui réduisent le flux d'informations traité et ceux qui les augmentent, autrement dit entre défense perceptive et vigilance perceptive ou encore entre désactivation et hyperactivation. Il précise encore que ces processus impliquent concrètement le degré de réactivité des voies neuronales au sein de systèmes de contrôle complexes organisés en assemblages hiérarchiques souples en communication constante entre eux. Les détails qu'il donne des mécanismes de la conscience sont d'une étonnante modernité. Ils contiennent déjà la notion de fonction réflexive, et de capacité préservée ou non de remettre en cause d'anciens schémas à la lumière de nouvelles informations pour une meilleure adaptation aux circonstances actuelles.

Puis, il en vient à l'application de ces notions à l'attachement lui-même, et à l'entraînement quotidien répété sur de longues périodes nécessaire à la fixation des représentations. Ce n'est qu'au bout de nombreuses années d'enfance et d'adolescence d'un traitement invariant, que celles-ci deviennent automatiques, s'imposant sans vérification de leur pertinence dans le traitement des situations nouvelles. Ce délai dans la cristallisation des représentations rend les expériences correctrices plus aisées chez l'enfant et l'adolescent que chez l'adulte, qui seront d'autant plus efficaces qu'elles seront vécues tôt. De cette longue mise en place s'ensuit aussi que c'est véritablement la répétition qui fait traumatisme, et non des incidents isolés, et que la perte d'un être cher par exemple, pour terrible qu'elle soit dans l'absolu, ne crée des difficultés à long terme que par l'absence de soutien et de compréhension vécue par ailleurs.

« La nature des modèles de représentation que construit une personne de ses figures d'attachement tout autant que la forme d'organisation de ses comportements d'attachement sont considérées dans cet ouvrage comme résultant d'expériences d'apprentissage qui débutent au cours de la première année de vie et se répètent quasi quotidiennement pendant toute l'enfance et l'adolescence. De manière analogue à une aptitude physique acquise selon le même principe, les composantes d'attachement relevant de la cognition comme de l'action sont considérées comme devenant si ancrées (en termes techniques surapprises) qu'elles en viennent à fonctionner de façon automatique et hors conscience. De même, les règles d'évaluation de l'action, de la pensée et du ressenti, et de priorité accordée à chaque, associée au concept de surmoi, sont considérées aussi comme surapprises au cours de l'enfance et de l'adolescence. En conséquence, elles en viennent aussi à être appliquées automatiquement et hors conscience[1]. »

Bowlby s'attaque ensuite au problème de la définition du soi, et de la conceptualisation du faux soi de Winnicott en opposition à ce que serait un vrai soi. L'évocation d'expériences sous hypnose lui permet d'établir la réalité des phénomènes de dissociation ou de mise en œuvre selon ses termes de « systèmes ségrégés », susceptibles de traiter séparément l'information, parvenant alors séparément à la conscience.

« Les données font apparaître qu'au moins chez certaines personnes, l'appareil psychique est tel que non seulement un système dominant est capable d'exclure sélectivement une quantité importante d'influx sensoriel devant normalement parvenir à la conscience, mais encore que le traitement de ces informations exclues peut atteindre un niveau

1. *Ibid.*, p. 55 : « Both the nature of the representational models a person builds of his attachment figures and also the form in which his attachment behaviour becomes organized are regarded in this work as being the results of learning experiences that start during the first year of life and are repeated almost daily throughout childhood and adolescence. On the analogy of a physical skill that has been acquired in the same kind of way, both the cognitive and the action components of attachment are thought to become so engrained (in technical terms overlearned) that they come to operate automatically and outside awareness. Similarly, the rules for appraising action, thought and feeling, and the precedence given to each, associated with the concept of super-ego are thought also to become overlearned during the course of childhood and adolescence. As a result they also come to be applied automatically and outside awareness. »

de conscience au sein d'un autre système, fonctionnant en parallèle et de manière séparée du premier[1]. »

Il revient à la fin de l'ouvrage sur l'application concrète de ces mécanismes visibles au plan clinique dans le comportement et le discours désactivé par rapport à l'attachement des personnes au style évitant, qui semblent insensibles à la perte, ainsi qu'à tout besoin d'amour, de soutien et d'attention. Il explique encore que ce mécanisme se trouve à l'œuvre autant dans les cas d'autosuffisance compulsive que dans ceux d'attention compulsive à autrui (*compulsive self-reliance/compulsive caregiving*), permettant ainsi de comprendre la création et le fonctionnement de ces deux modes défensifs très courants.

Le chapitre sur les processus de défense se poursuit par un développement sur les différents systèmes de mémoire, mémoire épisodique, mémoire sémantique, et les types de codage auxquels elles donnent lieu. Ceux-ci permettent d'expliquer les contradictions entre la réalité des faits vécus et ce que l'on en rapporte, entre les souvenirs spécifiques et les généralisations.

« La raison pour laquelle j'attire l'attention sur les différents types de stockage et les risques qui en découlent de conflit cognitif et émotionnel est qu'au cours du processus thérapeutique, il n'est pas inhabituel de mettre au jour des

---

1. *Ibid.*, p. 59 : « The findings make it clear that, at least in some persons, the mental apparatus is such that not only is a dominant system capable of excluding selectively much sensory inflow that would normally reach consciousness but also that the processing of this excluded inflow may reach a state of consciousness within another system parallel to but segregated from the first. »

incohérences flagrantes entre les généralisations sur ses parents livrées par un patient et ce qu'impliquent certains des épisodes rapportés quant à leur comportement réel et à leur discours dans des occasions spécifiques. [...] De même, il n'est pas inhabituel de mettre au jour des incohérences flagrantes entre les jugements généralisés qu'un patient porte sur lui-même et l'image que nous nous faisons de lui quant à sa manière courante de penser, de ressentir et de se comporter dans des occasions spécifiques[1]. »

Bowlby précise ensuite les différences d'origine des éléments stockés d'un côté en mémoire épisodique, de l'autre en mémoire sémantique. Les uns portent sur ce que la personne a réellement vécu, les autres sur les propos qu'on lui a tenus sur ce qu'elle a vécu, c'est-à-dire une information extérieure, de seconde main. Lorsque l'on fait le rapprochement avec l'insistance, soulignée par l'auteur, avec laquelle beaucoup de parents contraignent leurs enfants à ne percevoir et à ne retenir que ce qui les arrange eux de la réalité interpersonnelle familiale, on comprend les bases et les conséquences dévastatrices au plan de la personnalité de cette violence psychologique. On comprend aussi la manière

1. *Ibid.*, p. 62 : « My reason for calling attention to the different types of storage and the consequent opportunities for cognitive and emotional conflict is that during therapeutic work it is not uncommon to uncover gross inconsistencies between the generalizations a patient makes about his parents and what is implied by some of the episodes he recalls of how they actually behaved and what they said on particular occasions. [...] Similarly, it is not unusual to uncover gross inconsistencies between the generalized judgements a patient makes about himself and the picture we build up of how he commonly thinks, feels and behaves on particular occasions. »

dont la personnalité se dissocie pour se protéger, donnant lieu au phénomène controversé des personnalités multiples ou troubles dissociatifs de l'identité, nettement plus courant et pas nécessairement spectaculaire dès lors qu'on y associe le concept de faux self, et de répression affective.

La suite du chapitre est consacrée aux conséquences de l'exclusion défensive les plus importantes pour Bowlby. Il s'agit d'un côté de la répression et de son cortège d'activités possibles de diversion attirant l'attention ailleurs, et renforçant par là même l'exclusion. De l'autre, on trouve ce qu'il appelle la déconnexion cognitive de la situation, ou comment on s'y prend, passé un certain âge, pour ne pas regarder la réalité en face. Il isole trois techniques : l'erreur d'identification de la réalité interpersonnelle à l'origine de la réaction attribuant celle-ci à un fait insignifiant par exemple, la redirection de la réaction loin de celui ou celle qui l'a engendrée ou déplacement qui voit, entre autres, le sujet s'en prendre à quelqu'un qui n'y est pour rien, et la préoccupation vis-à-vis de sa propre personne et de ses souffrances, conduisant à une introspection morbide et/ou à l'hypocondrie.

Le chapitre se termine sur les conditions qui engendrent l'exclusion défensive, tout particulièrement en ce qui concerne l'attachement. Bowlby résume ainsi son propos, reliant l'exclusion à la souffrance engendrée lorsque les informations sur la réalité ont été au départ acceptées :

« La majeure partie des informations susceptibles de faire l'objet d'une exclusion défensive due au fait que leur reconnaissance par le passé a conduit à la souffrance, se répartit en deux catégories : (a) celles qui conduisent à la mobilisation intense chez l'enfant des émotions et du comportement lié à l'attachement, mais mobilisation qui n'a pas été apaisée, voire qui a été punie, et (b) celles dont il sait que son (ou ses) parent(s) ne veulent pas qu'il ait connaissance et pour lesquelles il serait puni s'il les tenait pour vraies[1]. »

Comme on l'a déjà vu plus haut, Bowlby donne des exemples de ces situations familiales où l'enfant est amené par la contrainte ou la manipulation à ne pas percevoir que ses parents ne s'occupent pas correctement de lui, ne répondant pas favorablement à son *careseeking*[2], inversant les rôles, utilisant la menace de ne plus l'aimer ou de l'abandonner comme technique éducative, voire le rendant responsable de ce qu'on lui inflige. Et il conclut en soulignant que même si l'exclusion défensive trouve souvent son origine dans les premières années de l'existence, l'enfant et l'adolescent y demeurent très vulnérables, et le recours à cette stratégie se maintient, voire s'accentue au cours de la vie, ce d'autant plus aisément qu'elle aura été mise en place très tôt.

Comme on peut le constater dans ce survol d'un des chapitres du tome 3 de la trilogie, Bowlby avait donc déjà

1. *Ibid.*, p. 73 : « Much of the information liable to be defensively excluded, because when accepted previously it has led to suffering, falls under two main heads : (a) information that leads a child's attachment behaviour and feeling to be aroused intensely but to remain unassuaged, and perhaps even to be punished, and (b) information that he knows his parent(s) do not wish him to know about and would punish him for accepting as true. »

2. *Careseeking* : terme complémentaire de *caregiving*. Le premier traduit l'idée de recherche d'attention, le second celle d'accorder de l'attention à autrui.

directement ouvert la voie à une perspective de neurobiologie développementale de l'attachement, et clairement isolé la dissociation comme mécanisme fondamental dans la compréhension des troubles affectifs et relationnels, y compris chez des personnes considérées comme en bonne santé. Ceux qui l'ont suivi n'ont finalement fait que s'engager sur ses pas, en s'appuyant sur les dernières avancées scientifiques en la matière. De la même façon, le repérage possible par entretien des modalités d'attachement d'un enfant en fonction de l'état d'esprit de ses parents quant à l'attachement, est déjà présent dans ses textes, soit directement avec les notions d'incohérence des représentations et de désactivation ou d'hyperactivation de l'attention, soit indirectement par l'accent qu'il met sur la transmission transgénérationnelle. Il insiste ainsi à plusieurs reprises sur le fait que les parents élèvent leurs enfants sur la base des modèles qu'ils se sont eux-mêmes construits de leurs relations à leurs propres parents, par exemple dans une relation anxieuse à autrui et au monde en général. Il insiste ici à la fois sur l'incongruité d'un jugement moral et d'une condamnation sans appel des parents, et sur la nécessité de la prévention, par la prise de conscience de chacun, pour éviter la transmission transgénérationnelle.

« La position adoptée ici est que, bien que les parents soient considérés comme jouant un rôle majeur dans ce qui conduit un enfant à développer une hypersensibilité à la peur, leur comportement n'est pas envisagé sous l'angle de la condamnation morale, mais comme étant déterminé par les expériences qu'ils ont eux-mêmes vécues, enfants. Lorsque l'on adopte une telle perspective et que l'on s'y tient rigoureusement, les comportements parentaux aux conséquences les plus graves pour les enfants peuvent être compris et traités sans censure morale. C'est là que réside l'espoir d'une rupture de la transmission générationnelle[1]. »

Donc en résumé, premièrement, l'attachement est un instinct qui se manifeste objectivement par un certain nombre de comportements d'attachement, en direction d'un nombre limité de personnes spécifiques, et ce tout au long de la vie. Deuxièmement, lorsque les comportements d'attachement ont été pris en compte et que l'enfant a acquis l'assurance qu'il lui sera porté assistance en cas de difficulté, il peut donner libre cours à ses comportements exploratoires, immédiatement suspendus cependant à la moindre incertitude. C'est ainsi qu'attachement et exploration sont considérés comme antagonistes, à condition de ne pas oublier toutefois qu'il s'agit là des comportements et non de la relation. C'est en effet au sein d'une relation d'attachement optimale que l'individu se sent la plus grande liberté et la plus grande aisance à explorer alentour, ce qui

1. Bowlby, J. (1978b). *Attachement et perte. 2. La séparation. Angoisse et colère*. Texte original, Bowlby, J. (1973). *Attachment and loss. 2. Separation : Anxiety and anger*, p. 321 : « The position adopted here is that, while parents are held to play a major role in causing a child to develop a heightened susceptibility to fear, their behaviour is seen not in terms of moral condemnation but as having been determined by the experiences they themselves had as children. Once that perspective is attained and rigourously adhered to, parental behaviour that has the gravest consequences for children can be understood and treated without moral censure. That way lies hope of breaking the generational succession. »

chez l'adulte consiste par exemple à pouvoir travailler avec créativité. Le troisième concept clé de la théorie de Bowlby concerne le couple *caregiving/careseeking*, indissociables comme les deux faces d'une même médaille. Au *careseeking* de l'enfant correspond le *caregiving* de la figure d'attachement, et c'est selon la nature de ce *caregiving* que se développent les différents types de *careseeking* de l'enfant qu'il vient peu à peu à déterminer.

Ainsi se différencient les types ou styles d'attachement, le *careseeking* sécure qui est assuré de la réponse qui lui sera donnée, le *careseeking* anxieux qui insiste sans répit pour qu'attention soit apportée, jamais certain d'obtenir satisfaction à tous coups, et le *careseeking* évitant qui a abandonné ses demandes manifestement vaines, à tel point que certains enfants dans ce cas semblent avoir renoncé à obtenir quoi que ce soit de la relation et à ne pas s'être attachés du tout. Ce dernier cas de figure évolue avec l'âge, soit vers des troubles du comportement relationnels pouvant aller jusqu'à la sociopathie, soit vers un *caregiving* compulsif, où l'individu éprouve le besoin de prendre soin des autres, sans se préoccuper de sa propre personne. Il faut en effet se rappeler que le *careseeking* évitant intervient souvent en réponse à un *caregiving* défectueux en ce sens que la figure d'attachement a trop de besoins relationnels insatisfaits. Elle devient alors essentiellement *careseeker*[1] auprès de son enfant, au lieu de *caregiver*, ce qui est une autre manière de décrire le phénomène d'inversion de rôles.

Dans les premières années, le style d'attachement dépend

1. Le *careseeker* est l'individu qui demande de l'attention, le *caregiver* celui qui en donne.

de la relation et du type de réponses réelles du *caregiver* au *careseeker*. Avec le temps et la création de représentations permettant d'anticiper l'avenir et basées sur des séquences relationnelles répétitives, le style d'attachement devient une propriété de l'enfant ou, autrement dit, une composante de sa personnalité. Dès lors, son image de lui-même, des autres, des relations avec eux et de ce qu'il peut en attendre seront de plus en plus difficiles à modifier et se verront automatiquement plaquées sur toute nouvelle rencontre. C'est sur ce principe que fonctionne le transfert, et c'est pour ces raisons que son analyse permet de retrouver les conditions initiales de la relation à autrui, afin d'en prendre conscience et de pouvoir assouplir son mode de réaction si besoin est.

Par ailleurs, dans un article de 1991 déjà mentionné, coécrit par Ainsworth et Bowlby et publié de manière posthume pour ce dernier, les deux fondateurs de la théorie de l'attachement présentent à la fois une synthèse et un historique de leurs travaux, tout en émettant des réserves sur l'évolution de leur théorie et l'accueil qui lui a été réservé. Ainsworth revient ainsi sur les problèmes de mesure de l'attachement, sur l'importance pour elle de mettre en place une classification des sujets, enfants et adultes, qu'il s'agit de rendre la plus fine et la plus exacte possible, et qu'il est nécessaire de faire correspondre avec l'observation sur le terrain des modalités de *caregiving* d'un côté et de *careseeking* de l'autre. Un tel cadre s'entend aussi pour l'évaluation de l'attachement au sein des relations amoureuses, dont les deux créateurs ont pu observer les prémices, extension logique de leur recherche dont ils se réjouissent.

Quant à Bowlby, il met l'accent sur trois aspects de son œuvre ayant selon lui été trop passés sous silence. Il s'agit de l'attention qu'il a consacrée à la description de l'attachement sécure et de ce qui conduit au bien-être et à l'harmonie autant par rapport à soi-même que dans ses relations à autrui, et de la notion de trajectoire développementale sur laquelle influent les circonstances extérieures pour le meilleur ou pour le pire. Le troisième point concerne les processus défensifs et la dissociation psychique, à laquelle nous avons accordé ici une large place, car cette conséquence de la violence psychologique est trop aisément laissée de côté par ceux qui semblent vouloir ne voir dans la théorie de l'attachement qu'une théorie de la perte et de la séparation précoce ou son corollaire, une théorie de la sécurité, ce à quoi elle est bien loin de se résumer, comme nous avons essayé de le montrer.

Il est difficile de clore cet aperçu des préoccupations réelles de Bowlby et de l'empan tant théorique que pratique qu'elles recouvrent sans évoquer son dernier ouvrage, la biographie qu'il a consacrée à Darwin[1]. Cet ouvrage imposant, où il détaille la vie de ce chercheur révolutionnaire, les différentes étapes de son voyage de cinq ans autour du monde, pendant lesquels il a collecté spécimens géologiques, de faune, de flore et observations tous azimuts, ainsi que le travail acharné fourni ensuite pour donner un sens à tout cela, surprend au milieu des centres d'intérêt habituels de Bowlby, auxquels ce dernier a consacré le reste de ses écrits. À première vue, il ne s'agit pas d'un ouvrage sur l'attachement, et il est tentant d'imaginer au départ que c'est là la marotte d'un vieil homme qui a décidé de se passionner

1. Bowlby, J. (1992). *Charles Darwin : A new life*. En français : Bowlby, J. (1995). *Charles Darwin : une nouvelle biographie*.

pour autre chose à la fin de sa vie, en compagnie de son épouse.

Le malentendu se dissipe dès les premières pages, où Bowlby établit clairement les raisons de son intérêt pour la vie de Darwin. Il vient en fait se pencher sur les implications psychosomatiques de l'attachement, point qu'il n'a pu véritablement aborder ailleurs et qu'il développe ici en s'appuyant sur le vécu du grand homme. Celui-ci a en effet souffert une bonne partie de sa vie de maux divers, maux d'estomac, vomissements, maux de tête, étourdissements, palpitations et affections cutanées, entre autres, qui l'empêchaient de travailler parfois des semaines durant.

Bowlby rapporte ces problèmes de santé physique au décès de la mère de Darwin lorsqu'il avait 8 ans, donc à la perte en tant que telle mais surtout au fait qu'à la suite de cet événement tragique, il lui a été impossible d'en parler, son père et ses sœurs ayant décidé que c'était un point qu'il ne fallait pas aborder. Bowlby décrit aussi l'ambiance très particulière qui régnait dans la famille Darwin, avec un père médecin assez peu présent, mais lorsqu'il l'était, plutôt critique envers les compétences de son fils, et des sœurs qui avaient décidé de se charger de son éducation et ne manquaient pas, elles non plus, de le rabaisser et de critiquer la moindre de ses erreurs.

Bowlby dépeint ainsi un homme manquant cruellement d'assurance et de confiance en lui, un homme qui a fait la carrière qu'on lui connaît un peu par hasard, son père le destinant tout d'abord à faire médecine comme lui, puis face à son peu d'enthousiasme pour cette discipline, le sommant de cesser sa vie de dilettante. Darwin s'engage alors dans des études de théologie, tout en affirmant ne guère croire en

Dieu ou du moins en les Évangiles, et son voyage autour du monde, qui ne devait au départ ne durer que deux ans, était des sortes de vacances avant de prendre en charge une paroisse et de se consacrer définitivement à la vie paisible de pasteur de campagne.

Bowlby montre encore que les plus graves attaques physiques subies par Darwin, que les médecins étaient incapables d'expliquer, sont toutes intervenues à des moments clés de sa vie, où il était le plus profondément en proie au doute, à la peur de décevoir et à celle de se tromper. Il en conclut que les troubles physiques de Darwin n'étaient rien de moins que l'expression de problèmes d'attachement, liés à une perte précoce et surtout au manque de soutien, de compréhension et d'empathie de la part de ses proches. Il lui a été interdit d'exprimer verbalement ses émotions, en particulier au moment du décès de sa mère, elles ont alors trouvé leur expression par le corps, le conduisant à somatiser dès qu'une difficulté majeure se présentait à lui.

On mesure ici à quel point il a pu être difficile, pour un homme de cette époque, et pour cet homme-là en particulier avec toutes les angoisses qui étaient les siennes, d'oser penser une théorie aussi révolutionnaire que celle de l'évolution des espèces, battant en brèche toutes les croyances sur la création du monde par Dieu, encore tenues pour indiscutables à ce moment-là. Et il n'est pas interdit de penser que si Bowlby s'est intéressé de si près à Darwin au point d'en faire une biographie aussi détaillée, c'est qu'il s'est reconnu en lui, tant dans la démarche scientifique de recherche de preuves que dans les obstacles auxquels il a dû faire face et les critiques acerbes qu'il a essuyées. Darwin s'est élevé contre les partisans de Dieu, Bowlby contre ceux de Freud, et ils ont tous deux dû combattre avec persévérance et acharnement pour faire valoir leur point de vue, mis en cause par des gens n'apportant aucune preuve scientifique à l'appui de leurs affirmations.

Face à cette approche de la vie de Darwin, on imagine donc encore que Bowlby aurait plus que soutenu toute démarche visant à appliquer la théorie de l'attachement au domaine de la santé physique. Il n'aurait sans doute pas été étonné que soit découverte une relation entre répression affective et cancer, et entre attachement évitant et cancer. Que le soutien social, autre appellation du besoin relationnel instinctif établi par sa théorie, soit lié à un meilleur fonctionnement du système immunitaire, qu'il favorise la guérison et la bonne santé en général, ne l'aurait pas surpris non plus.

En revanche, il se serait sans doute interrogé sur le petit nombre de recherches en la matière, j'entends celles qui s'appuient directement sur la théorie de l'attachement et ses outils d'évaluation spécifiques. Peut-être en aurait-il conclu qu'il y a là quelque chose qui dérange encore profondément les gens, à commencer par les chercheurs et les cliniciens, et que même s'il est de plus en plus admis de considérer que les troubles psychiques trouvent leur origine dans l'enfance et les liens familiaux, ce n'est toujours pas le cas pour les atteintes physiques. Ainsi microbes et gènes semblent-ils avoir encore de beaux jours devant eux, permettant d'éviter de trop se pencher sur le terrain et les conditions d'environnement, précoce ou non.

CONCLUSION

Quand les mots cachent les maux

Bowlby a connu un succès international assez inattendu dès 1951 avec la publication du rapport de l'OMS *Maternal care and mental health*, réédité ensuite dans une version grand public sous le titre *Child care and the growth of love*. Le changement de titre entre ces deux ouvrages retient l'attention, car leur contenu est sensiblement le même, à l'exception des tableaux et nombreuses données chiffrées, allégés pour rendre moins technique l'édition de poche. Lorsque l'on passe à la version française du même rapport de l'OMS, on constate qu'il est paru sous le titre *Soins maternels et santé mentale*. Il semble par contre qu'il n'y ait pas eu de traduction en français de l'édition grand public, qui aurait pu s'intituler *Attention à l'enfant et naissance de l'amour*. La transformation de la première partie du titre souligne déjà l'ambiguïté du mot *care* ou plutôt sa définition très englobante dont l'équivalent français est difficile à trouver, voire impossible à résumer en un seul mot. Et pourtant il s'agit d'un terme absolument central à l'approche de Bowlby et au concept d'attachement, et un manque de rigueur dans sa compréhension, voire dans sa traduction, conduit à une dérive immédiate dans le sens et la portée du propos.

Care a généralement été traduit par « soin » en français. Or, ce terme évoque le plus souvent l'idée de *soigner*, surtout lorsqu'il est mis au pluriel, c'est-à-dire de s'occuper de la santé d'une personne malade ou blessée, ou encore de veiller au bien-être physique d'un enfant en bas âge. L'idée d'apporter des soins à une personne adulte en bonne santé est incongrue en français, et pourtant *care* pourra être utilisé dans ce contexte sans difficulté en anglais. À bien y réfléchir, *soin* est ambigu en français aussi. Lorsque l'on prend soin de ses affaires, que l'on est soigneux, voire soigné, c'est l'idée d'attention que l'on évoque : un travail soigné n'a jamais été malade, en revanche on a porté toute son attention à son exécution. De même, une unité de soins intensifs, *intensive care unit* en anglais, désigne un service hospitalier où il ne s'agit pas tant de soigner intensivement les patients, ce qui sous-entendrait qu'ils sont moins bien soignés lorsqu'ils en sortent, mais de leur porter une attention constante, de surveiller en permanence leurs paramètres vitaux avec des machines et un personnel constamment disponible, afin d'éviter tout accident fatal. Bref, il s'agit d'assurer une présence attentive, d'être à ce que l'on fait comme dans *be careful*, « fais attention » ou à l'inverse *I don't care*, « je m'en fiche », « ça n'a pas d'importance pour moi », « ça ne m'intéresse pas ». La forme adjective *caring* tire encore davantage le sens vers un sentiment romantique, qui se traduit par « attentif », « aimant », tandis que l'expression *he cares for you*, évoque l'idée d'aimer vraiment beaucoup quelqu'un, dans un contexte où *love* serait trop fort ou déplacé.

Et c'est bien dans ce sens-là qu'il s'agit d'entendre *care* en anglais, en particulier chez Bowlby qui lui accorde une place fondamentale dans la relation parent-enfant, en faisant une pierre de touche de l'attachement. Il le décline en de nombreux noms composés tels que *care-taker*, *care-giver* ou *care-seeker*, limpides en anglais par la possibilité qu'offre cette langue de créer un nouveau sens par la simple juxtaposition de deux mots qui combinent leurs significations respectives, cauchemar du traducteur auquel le français refuse la même concise souplesse. *Care-taker* se rencontre très souvent au fil des textes de Bowlby, qu'il s'agisse de désigner la mère, le père, la nounou ou le personnel des crèches. Il n'est même pas besoin de préciser qu'il se rapporte à l'enfant, si c'est bien de lui dont il s'agit dans le contexte, il est évident que c'est à lui que l'on porte attention, que c'est de lui que l'on s'occupe et sur lui que l'on veille. Pourtant, le dictionnaire réserve une surprise, version unilingue ou bilingue, lorsque l'on découvre que le sens classique du terme est « concierge », ou « gardien d'immeuble ». *A priori* on ne voit pas le rapport, si ce n'est qu'il s'agit encore d'attention, de faire attention au bon entretien d'un bâtiment et de veiller sur ses occupants, sans qu'il faille le moins du monde les *soigner* comme dans un hôpital.

C'est ainsi que l'on comprend qu'entre la version technique officielle du rapport de l'OMS et l'ouvrage grand public, on ait pu passer de *maternal care* à *child care*, qui décrivent exactement la même chose malgré les apparences. On met ici en relief l'attention que l'enfant est censé recevoir de la part de ses parents, la présence et la disponibilité attentive dont il a besoin pour aller bien, pour apprendre l'empathie et l'amour, souligné dans le titre grand public. Il a en effet largement été démontré depuis que, sans cette attention reçue, l'expérience d'une telle présence d'autrui, l'enfant devenu adulte a les plus grandes difficultés à faire attention à lui-même, à sa vie intérieure, et encore bien davantage à celle d'autrui. Il lui est alors difficile d'aimer, de manière authentique et sans entrave.

Un autre terme amplement utilisé dans la théorie de l'attachement, en particulier actuellement, semble encore être à l'origine d'une certaine confusion : le mot *secure*. Paradoxalement, il est bien moins utilisé par Bowlby qu'on ne pourrait le penser, au vu de la conclusion largement répandue actuellement dans la littérature tant française qu'anglo-saxonne qui fait de l'attachement une théorie de la *sécurité*. *Secure* en anglais fait référence à l'assurance que l'on peut avoir de quelque chose ou sur un objet. Par exemple *to have a secure grip on something* veut dire « *bien* tenir quelque chose », « le tenir *fermement* ». L'idée de sécurité au sens français habituel du terme sera bien davantage traduite par le mot *safety*. C'est ce sens d'assurance et finalement de confiance que revêt *secure* lorsque Bowlby l'utilise pour qualifier la relation de l'enfant à la mère, conditionnant ses réactions à la séparation par exemple, comme dans cet extrait du deuxième chapitre de *Child care and the growth of love* : « A happy child, secure in his mother's love, is not made unbearably anxious ; the insecure child, doubtful of his mother's good feelings towards him, may easily misinterpret events[1]. »

---

1. « Un enfant heureux, assuré de l'amour de sa mère n'est pas envahi par une anxiété insupportable ; l'enfant qui n'a pas cette assurance, doutant de la bienveillance de sa mère envers lui, peut facilement mal interpréter les événements. »

Réduire tout ce qui est concerné par le terme *secure* au sein de la théorie de l'attachement à la seule idée de sécurité, revient à passer outre l'aspect d'assurance affective, de confiance dans la présence attentive d'autrui et en son secours en cas de difficulté, mais aussi dans le plaisir de la relation parent-enfant selon Bowlby[1]. Comme il le précise dès les premières lignes du même ouvrage : « L'enfant dans ses jeunes années devrait vivre une relation chaleureuse, intime et sans ruptures avec sa mère (ou substitut maternel stable – une personne qui le "materne" de façon régulière), dont ils retirent tous deux joie et satisfaction, [...] une relation complexe, fertile et enrichissante, étoffée de multiples manières par les liens avec le père et avec les frères et sœurs. Une situation dans laquelle l'enfant ne bénéficie pas d'une telle relation est appelée "privation maternelle"[2]. »

Assimiler *secure* à *sécurité* revient à limiter le rôle des parents à offrir un environnement exempt de dangers. Si cette fonction de protection est bien évidemment fondamentale, et qu'elle a largement pu servir à sauvegarder l'enfant des prédateurs dans les temps anciens comme Bowlby le rappelle ailleurs, l'évolution de la race humaine et

1. Voir aussi p. 257.

2. Bowlby, J. (1953). *Child care and the growth of love*, p. 11-12 : « The infant and young child should experience a warm, intimate and continuous relationship with his mother (or permanent mother-substitute – one person who steadily "mothers" him) in which both find satisfaction and enjoyment, [a] complex, rich and rewarding relationship [...] varied in countless ways by relations with the father and with the brothers and sisters. [...] A state of affairs in which the child does not have this relationship is termed "maternal deprivation". »

de son environnement lui a conféré aujourd'hui une application plus vaste et surtout plus subtile. Il ne s'agit pas tant de protéger l'enfant des dangers extérieurs à la famille que de lui offrir l'assurance qu'il n'est nullement menacé au sein de celle-ci par l'attitude même de ses parents envers lui.

Dès ce rapport de l'OMS pourtant consacré aux enfants placés en institution, Bowlby a à cœur d'attirer l'attention sur ce qui perturbe les liens familiaux, directement à l'origine des difficultés psychiques ultérieures, des plus bénignes aux plus graves, selon lui et les experts qu'il a consultés. Une page plus loin dans la version grand public, il précise :

« Naturellement, il existe bien d'autres situations rendant la relation parent-enfant potentiellement malsaine, outre la privation engendrée par la séparation ou le rejet pur et simple. Parmi les plus courantes, on trouve (a) un rejet inconscient sous-jacent à une attitude aimante ; (b) une exigence excessive d'amour et de réassurance de la part de la mère ; et (c) une satisfaction inconsciente retirée par celle-ci du comportement de l'enfant, alors même qu'elle pense le désapprouver[1]. »

Il est à noter que le texte d'origine ne cible pas spécifiquement la mère dans l'extrait correspondant, mais mentionne le *parent*, ce qui se rapporte aussi bien au père, loin

---

1. *Ibid.*, p. 13 : « Naturally, there are many other ways besides deprivation, arising from separation or outright rejection, in which a parent-child relationships may become unhealthy. The commonest are (a) an unconsciously rejecting attitude underlying a loving one ; (b) an excessive demand for love and reassurance on the part of a mother ; and (c) a mother's unconsciously getting satisfaction from the child's behaviour, whilst she thinks she is blaming it. »

d'être oublié dans ces pages d'introduction, comme on l'a trop souvent reproché à Bowlby.

Il apparaît donc extrêmement réducteur d'enfermer Bowlby et sa théorie de l'attachement à la relation mère-enfant des premières années, et aux seuls effets des séparations précoces. Ce à quoi Bowlby cherche à sensibiliser ses confrères tout comme l'opinion publique dès cette époque, c'est à ce qu'on appellerait aujourd'hui la violence psychologique, dont il a été démontré ces dernières années qu'elle est sous-jacente à toute violence physique et peut être exercée seule, avec des conséquences encore plus graves que les atteintes corporelles.

Ce qui peut paraître étonnant, c'est à quel point Bowlby n'a pas été entendu sur cet aspect spécifique de la relation parent-enfant, auquel on peut rapporter les choix de traduction en français par exemple soulignés plus haut. Mais ce biais imputable à la situation de traduction ne vaut pas pour la littérature anglo-saxonne qui a aussi, dans sa grande majorité, passée outre le fond du problème d'origine soulevé par l'auteur. Une telle myopie, à défaut d'aveuglement, n'a probablement pas trop surpris Bowlby cependant, qui a mentionné à plusieurs reprises dans ses textes qu'il savait nombre de ses collègues peu enclins à croire l'enfant et à prendre le parti de ses souffrances au détriment des parents, évitant ainsi de regarder de trop près la réalité de leur propre vécu, qu'ils préfèrent traiter sous l'angle de l'imaginaire et du fantasme.

Avec cet art typique de l'*understatement* britannique (litote), il avoue en préface à son dernier ouvrage, *A secure base* : « Il est quelque peu inattendu, alors que la théorie de l'attachement a été formulée par un clinicien en vue du diagnostic et du traitement de patients et de familles émotionnellement perturbés, que l'usage qui en a été fait jusqu'ici ait principalement consisté à favoriser la recherche en psychologie du développement[1]. »

Dans ce contexte, des travaux comme ceux de la Française Raphaëlle Miljkovitch apparaissent comme d'autant plus remarquables et ses conclusions fascinantes. Loin, comme certains sur la scène internationale, de déclarer l'obsolescence de la théorie de l'attachement, voire de prôner un changement d'appellation[2] qui mettrait mieux en valeur leurs propres travaux, pourtant fondés sur les concepts de Bowlby, oublié au passage, Miljkovitch reprend les paramètres de base de la théorie pour une recherche innovante sur les relations de couple[3]. Par l'étude approfondie d'entretiens avec des adultes ayant vécu plusieurs relations amoureuses durables, elle montre que la première s'établit en duplication quasi parfaite des relations d'attachement aux parents établies dans l'enfance. Lorsque celle-ci se fait sur

1. Bowlby, J. (2011). *Le lien, la psychanalyse et l'art d'être parent*, p. 10. Texte original : Bowlby, J. (1988). *A secure base*, p. 9 : « It is a little unexpected that, whereas attachment theory was formulated by a clinician for use in the diagnostic and treatment of emotionally disturbed patients and families, its usage hitherto has been mainly to promote research in development psychology. »

2. Mikulincer, M. et Shaver, P. R. (2007). « Reflections on security dynamics : Core constructs, psychological mechanisms, relational contexts, and the need for an integrative theory. »

3. Miljkovitch, R. (2009). *Les fondations du lien amoureux.*

des bases insécures, elle a des chances d'être plus ou moins rapidement mise en péril et de conduire à une séparation. La relation qui suit, semblant avoir tiré profit de la leçon de cette expérience, prend le plus souvent le contre-pied du modèle d'origine, l'homme ou la femme soumis se rebelle, et celui ou celle qui y allait un peu fort, par jalousie par exemple, se calme.

Cela étant, cette seconde relation court un grand risque de ne pas être davantage pérenne que la première, car elle est tout autant dictée par des modèles relationnels issus du passé, qui ne sont pas plus satisfaisants lorsqu'on les inverse. En particulier, l'enfant n'y a pas appris à gérer correctement ses états affectifs, il n'a pas appris non plus la confiance dans le partenaire de la relation, et il transporte tout cela dans son intimité adulte. Comme le dit Miljkovitch dans la conclusion de son ouvrage : « La capacité de gérer efficacement ses propres affects, qui permet à chacun dans le couple de ne pas imposer indûment à l'autre la charge de résoudre les problèmes personnels liés à la vie passée ou aux difficultés quotidiennes, s'acquiert [...] dans la petite enfance. [...] Cette aptitude à contrôler ses réactions émotionnelles autorise le développement de l'empathie, autre facteur important de l'harmonie conjugale, qui permet au conjoint de se sentir entendu et compris, et favorise en lui une attitude ouverte et bienveillante. De plus, cette capacité d'adopter son point de vue aide à percevoir la véritable signification de ses actes, plutôt que de les comprendre selon ses propres codes, et contribue ainsi à éviter de se tromper sur ses pensées et ses intentions. [...] Accepter son propre ressenti autorise aussi une certaine spontanéité, qui facilite la communication des attentes personnelles et permet au conjoint de les connaître et ainsi de pouvoir y répondre[1]. »

Dans la droite ligne des résultats de son enquête et des postulats de la théorie élaborée par Bowlby, sur la base de ses observations cliniques rappelons-le, Miljkovitch invite à « réinterroger au sein du couple certaines stratégies d'attachement, qui ont été conservées depuis l'enfance parce qu'elles avaient alors fait leurs preuves ». Elle poursuit : « Paradoxalement, dans la relation de couple, on part à la découverte de son passé. Des expériences d'enfance apparemment oubliées influencent nos perceptions, nos pensées et nos actions dans nos échanges quotidiens avec le partenaire amoureux[2]. » L'introspection semble donc s'imposer pour réussir sa vie amoureuse, et ce d'autant plus que l'on a développé des stratégies d'attachement insécures. Cela étant, avant d'affirmer se situer dans une relation sécure à autrui, qui peut être mise en péril par la seule insécurité du partenaire, ce cas existe aussi, il est bon de commencer par balayer devant sa porte, et d'inspecter avec soin ses propres modèles relationnels et affectifs.

Et Miljkovitch de terminer sur une note d'optimisme quant aux capacités potentiellement réparatrices des relations de couple : « La vie conjugale [...] procure une expérience nouvelle qui permet de modifier le mode relationnel. On revit l'expérience de problèmes rencontrés avec ses parents, en cherchant à les résoudre au contact de sa nouvelle figure d'attachement. [...] C'est peut-être d'ailleurs l'espoir d'être libéré de peurs et de manques qui remontent à

1. *Ibid.*, p. 165-166.
2. *Ibid.*, p. 167.

l'enfance qui, joint à la pulsion sexuelle, rend le sentiment amoureux si grisant et confère à la relation de couple une telle intensité[1]. »

Si Bowlby était encore parmi nous, il serait certainement très heureux de découvrir ce texte de Miljkovitch, même s'il ne manquerait sans doute pas de faire remarquer que les modèles relationnels se mettent en place, selon lui, tout au long de ce qu'il nomme les années d'immaturité, à savoir la petite enfance certes, mais aussi l'enfance et l'adolescence. Il serait heureux de constater qu'il inspire enfin des travaux cliniques sur l'adulte et ses relations amoureuses, période sur laquelle on trouve actuellement essentiellement des travaux cognitifs, très informatifs, mais avec peu de perspective d'ensemble et d'application pratique directe. Or il semblerait que le grand public ait bien besoin de ce genre d'informations pour espérer limiter l'hécatombe relationnelle qui touche aujourd'hui les sociétés modernes de par le monde. Bowlby et ses découvertes, à jamais d'actualité, peuvent encore servir cette cause, exactement comme en son temps son rapport de l'OMS a, entre autres, révolutionné les perspectives quant au droit de visite des parents à leurs enfants (et *vice versa*) dans les hôpitaux, appuyé en outre par les films de son collègue Robertson.

Un récent reportage sur les relations de couple au Japon, diffusé sur une chaîne française généraliste en deuxième partie de soirée, a retenu mon attention et vient parfaitement, me semble-t-il, illustrer le propos[2]. Le documentaire

---

1. *Ibid.*, p. 169.

2. Documentaire de Pierre Caule, Kami Productions, diffusé par France 3 le 16 janvier 2011.

s'intitulait *L'empire des sans*, et, selon le programme, il y était question d'une nouvelle tendance au sein des couples japonais de vivre des relations durables à deux dénuées de sexualité. Ayant auparavant vu une autre émission qui montrait que la société nipponne évoluait vers une grande libération des mœurs, voire une sexualisation à outrance, cet apparent contraste m'a intriguée et m'a évoqué une éventuelle réaction par un retour à une certaine modération zen.

Ma surprise fut grande, car ce n'était pas du tout de cela qu'il s'agissait, bien au contraire. Ce qu'il fallait comprendre, c'est que les Japonais en couple n'avaient plus de relations sexuelles à deux, ce qui ne voulait nullement dire qu'ils avaient renoncé à toute pratique sexuelle, mais préféraient grandement s'y livrer tout seuls. Un homme d'une quarantaine d'années, cadre nippon par excellence, qui partageait sa vie avec une amie, après avoir divorcé d'une première relation, racontait ainsi qu'il se rendait très régulièrement dans des *sex boxes*, cabines high-tech sobres et aseptisées, où, face à des films porno qu'il venait de choisir dans le magasin attenant, il faisait ce qu'il avait à faire à l'aide d'un instrument adéquat. Le reportage filmait toute la séquence, ou presque, et comportait par ailleurs un spot publicitaire vantant ouvertement les avantages de l'instrument en question, avec démonstration à l'appui, sur un ton professionnel et décontracté comme s'il s'était agi de présenter une nouveauté technologique des plus banales.

Interrogé sur les raisons de cette pratique à laquelle il n'était d'ailleurs absolument pas le seul à recourir, bien qu'heureux en couple disait-il, il expliquait qu'entre la pression des attentes pesant sur ses épaules au travail, celles de sa compagne à la maison, il n'avait pas une minute à lui pour être tranquille, et que les *sex boxes* étaient le lieu idéal pour décompresser, joindre l'utile à l'agréable, et pouvoir assurer sur le reste. Même les prostituées étaient trop pour lui, car il anticipait des attentes de leur part que seul un film porno ne pouvait avoir.

D'autres messieurs étaient filmés dans un minuscule bar très sélect, où ils payaient une fortune pour regarder évoluer une jolie hôtesse élégamment vêtue, qui leur chantait des chansons romantiques avec accompagnement au piano. Là encore ils payaient pour le calme et un univers où on n'exigeait rien d'eux, en particulier pas qu'ils aient un comportement sexuel vis-à-vis de la dame. D'autres bars à hôtesses étaient présentés, où cette fois ce que l'on appelle habituellement des entraîneuses avaient davantage la tenue de l'emploi, si ce n'est qu'elles n'étaient là entre deux verres que pour se livrer à un simulacre de charme et de drague bon enfant, d'où toute considération réellement sexuelle était à nouveau exclue.

Le reportage racontait encore que ce phénomène qui touchait les hommes concernait de la même façon les femmes qui, lasses d'entendre leurs maris rentrer et se dire « trop fatigués » pour la bagatelle, avaient aussi pris leur sexualité en main, si je puis me permettre, disposant elles aussi de leurs propres magasins d'accessoires avec pignon sur rue, comme n'importe quel autre commerce. Et le commentateur de conclure que malgré cette apparence de dysfonctionnalité dans les couples, le taux de divorce était toujours aussi bas au Japon, et que chacun semblait trouver un certain confort dans cette nouvelle manière de vivre, entrée en vigueur depuis la crise où le modèle macho et paternaliste s'était brusquement effondré.

Le reportage se terminait sur la nouvelle tendance chez les jeunes Japonais d'une vingtaine d'années, donc de la génération suivante, d'avoir cette fois totalement abandonné, et la sexualité, et la relation à deux, et toute envie de consommation au pays des biens d'équipement. Rassemblant 50 %, voire 75 % de cette classe d'âge selon les sources, leur attitude est devenue une préoccupation du gouvernement japonais, par la menace qu'ils font peser à la fois sur le taux de natalité et sur la consommation nipponne qui n'en finit pas de tenter de s'extraire de la crise. Ceux-là ne sont pas davantage zen : leur seul centre d'intérêt est leur personne, leur apparence physique et vestimentaire qu'ils soignent dans le moindre détail, et leurs loisirs les placent des heures devant leur écran de télévision ou leur console de jeux, qui les délassent des interactions forcées qu'ils ont au travail.

Le jeune homme du reportage choisi comme représentatif de ces « herbivores », car c'est ainsi qu'on les appelle, avait tout de même des activités extérieures. Une à deux fois par semaine, il sortait le soir pour aller au karaoké. Là encore, surprise, pas de bar empli d'un auditoire bruyant, mais une cabine, encore une, légèrement plus spacieuse que la *sex box* précédente puisqu'elle comportait une table basse et un canapé, dans laquelle le jeune homme, micro en main, passait plusieurs heures à chanter ses airs favoris. Il expliquait son plaisir à y venir exclusivement seul, car ainsi il pouvait chanter ce qui lui plaisait, comme il lui plaisait, sans craindre le regard et le jugement d'autrui.

Pour une spécialiste de l'attachement, ce qui frappait à travers ces portraits finalement assez variés en apparence, était leur même type de discours sur la relation à autrui. Tous et toutes s'accordaient à dire qu'elle était devenue extrêmement difficile, que les gens n'arrivaient plus à se parler, à se connaître, et donc à partager suffisamment d'intimité sans contrainte pour avoir envie de relations authentiques, sexuelles ou pas. Au fil du reportage, semblaient se dérouler inexorablement les conséquences d'un attachement de plus en plus évitant au fur et à mesure des générations, passant d'une libération des mœurs avec émancipation totale des femmes devenues hypersexuées à la mode manga, à un repli sur soi des hommes renonçant à satisfaire leur épouse au lit et préférant un autoérotisme compulsif, pour terminer sur un désintérêt de tout cela et une vie pseudo-monacale en tête à tête chez soi avec des écrans d'où les présences humaines ont même été remplacées par des figures de dessins animés.

Je n'ai pu m'empêcher de relier cette évolution et le discours que les protagonistes eux-mêmes en tenaient au peu que je connais des conditions d'éducation récentes des petits Nippons. Dans un univers où la concurrence fait rage plus que jamais, et où il faut s'assurer d'avoir la meilleure place pour espérer garder une situation correcte, aujourd'hui que le travail à vie pour la même entreprise a disparu et que l'intérim fleurit, les petits enfants entrent en compétition dès la maternelle. Fréquenter une bonne école dès cet âge est un gage important pour l'avenir, l'important est aussi d'y réussir et les mères ne ménagent pas leurs efforts en ce sens. Les petits ne sont pas là pour jouer, mais pour apprendre vite et bien, et s'endurcir pour la suite. Quoi d'étonnant que ces enfants aient ensuite de l'autre l'image de quelqu'un qui a des attentes démesurées vis-à-vis d'eux, et une fois adultes, à défaut de se suicider pour échapper à la pression, ce qu'ils font aussi beaucoup au point d'avoir des lieux « spécialisés » patrouillés régulièrement pour tenter d'enrayer l'épidémie, qu'ils se réfugient dans la solitude, véritablement seuls ou à deux, mais alors dans le refus de l'intimité des corps.

Quoi d'étonnant que ce soit les hommes que cela touche en priorité, ceux dont le modèle relationnel s'est totalement effondré avec la crise qui n'a manifestement pas eu qu'un impact économique. Pour évitant que ce modèle fût hier, il était encadré par des normes sociales qui le rendaient totalement intégré, et en cohérence avec ce que les femmes avaient appris à attendre de leur conjoint. Les femmes ont changé, elles se sont libérées, ont encore accentué leur pression et leurs attentes, maintenant ouvertement exprimées. Elles sont devenues des « carnivores », grisées d'un nouveau pouvoir qui fait fuir leurs partenaires devenus, eux, « herbivores » selon les expressions consacrées, c'est-à-dire n'ayant plus goût à grand-chose, et surtout pas à la relation à deux, même homosexuelle.

On pourrait se dire que cette situation est typique du pays du Soleil levant, qu'elle relève d'un certain exotisme et de conditions socioéconomiques et culturelles particulières. Sans doute, mais ne serait-ce pas le moment de s'emparer de cette illustration, toute extrême qu'elle puisse paraître, et de se demander si elle ne préfigure pas ce qui risque de nous arriver, à nous Occidentaux, à nous Français, petits et grands, qui passons de plus en plus de temps devant nos ordinateurs et nos télévisions, qui préférons surfer sur Internet et chatter sur des blogs en tête à tête avec les milliers d'inconnus des réseaux sociaux, alors que nous n'adressons même pas la parole à notre voisin de palier ?

En 2003, la France s'est émue des milliers de « vieux » qui se sont éteints, seuls chez eux, dans l'indifférence générale et dont un nombre effrayant n'a pas été « réclamé », livrant leurs corps au carré des indigents, lors de cérémonies communes où ils se sont (enfin ?) sentis moins livrés à eux-mêmes. Nos petits enfants, que nous passons de mode de garde en mode de garde, de nounou à baby-sitter, et dont nous sommes bien contents qu'ils aillent enfin à l'école, pour que ce soit enfin plus facile, sommes-nous certains qu'ils deviendront sécures en grandissant, qu'ils prendront davantage de plaisir à la relation à autrui qu'à celle avec leur écran qui les divertit sans contrainte depuis si longtemps ? Faisons-nous suffisamment attention à leur donner justement l'attention dont ils ont besoin, une présence suffisante dont la qualité est bien plus importante que la quantité, et ce tout au long de leur enfance *et* de leur adolescence ?

Est-ce si terriblement antiféministe ou encore excessivement traditionaliste et conservateur que de demander aux parents d'aimer leurs enfants, aux mères de faire le choix d'accorder à leurs bébés un maximum d'attention dans les premières années, à un moment où leur cerveau est en pleine croissance et où les câblages se mettent en place dans une interaction qui se doit d'être la plus stable et la plus continue possible pour une évolution sans heurt ? Ces questions sont des choix de société, et le propre fils de Bowlby ne s'y est pas trompé, qui a décidé de consacrer sa retraite à la promotion des idées de son père, attirant en particulier l'attention sur l'usage grandissant des crèches et sur les études qui en ont montré la nocivité à forte dose, sans grand succès semble-t-il pour l'instant.

Aujourd'hui, chacun réclame le droit au travail, aux loisirs, et à avoir des enfants, qui plus est en bonne santé et qui réussiront dans la vie. Et personne ne paraît vouloir envisager que ces souhaits, totalement légitimes par ailleurs, empiètent les uns sur les autres. Je ne crois pas qu'il existe de réponse toute faite à ce sujet, mais qu'il incombe à chacun et à chacune de faire ses choix et d'établir ses priorités. Il me paraît cependant indispensable que ces décisions soient prises en toute connaissance de cause, avec toutes les informations correspondant aux besoins d'un enfant et à ses conditions optimales d'éducation, lorsque l'on choisit d'en avoir un.

On aurait pu croire que la légalisation de l'avortement et la large diffusion d'une contraception fiable, libérant la femme du fardeau d'enfants non désirés, auraient enfin permis de voir naître des bébés auxquels leurs parents consacreraient le meilleur de leur attention et de leur amour, et ce tout au long de leur croissance. Ce n'est pas exactement ce qui semble se produire actuellement. L'enfant est devenu un droit, hautement revendiqué, mais il semble avoir été relégué à l'arrière-plan des priorités, quand il n'est pas devenu un objet, gage de réussite. Les femmes qui souhaitent aujourd'hui interrompre leur carrière pour s'occuper de leurs enfants, voire qui se projettent heureuses en tant que mères au foyer, font figure d'extraterrestres.

Les autres soutiens potentiels, susceptibles de s'occuper de l'enfant et de lui accorder l'attention dont il a besoin, sur la base d'un bénévolat stable et compréhensif, ont aussi beaucoup évolué. La famille élargie, et en particulier les grands-parents qui, à une époque encore pas si lointaine, accueillaient avec plaisir leurs petits-enfants, sont aujourd'hui bien trop occupés avec leur propre travail, lorsqu'ils sont en activité, avec leurs loisirs qu'ils estiment amplement mérités, ou ils sont tout simplement trop éloignés sur le plan géographique.

L'enfant est alors confié aux soins d'inconnus, le plus souvent des femmes dont on trouve là normal qu'elles s'occupent des enfants des autres. Mais pour compétentes et professionnelles qu'elles soient, elles constituent en elles-mêmes une multiplication des figures d'attachement. Une telle situation est très complexe à gérer pour le petit enfant, qui a besoin d'un maximum de stabilité et de continuité relationnelle pour développer un lien sécure à autrui. Ainsi, les modes de garde actuels tendent à engendrer des enfants insécures, en particulier évitants, qui ont désactivé leurs modes d'attachement à autrui, face à la surcharge affective liée aux changements incessants.

Mais les expériences en bas âge ne suffisent pas, on l'a vu, à ancrer substantiellement les représentations d'attachement. Les relations familiales ultérieures vécues dans l'enfance et l'adolescence sont tout autant, voire davantage déterminantes à long terme. Or, on dit aujourd'hui que l'enfant est roi, qu'il est au centre des préoccupations, et que ses parents ont à cœur qu'il ne manque de rien. Les publicitaires l'ont bien compris. Sauf qu'inonder un enfant de biens matériels et d'argent de poche ne remplace pas l'attention qu'on lui porte par ailleurs et le temps que l'on consacre simplement à l'écouter, à discuter et à partager avec lui des activités. Cela n'empêche pas non plus de faire pression sur lui pour qu'il réussisse à tout prix ses études, faisant peser sur ses épaules la crainte d'un échec qui est avant tout celle des parents. Vouloir absolument élever seule un enfant lui fait encore courir le risque d'une situation d'inversion de rôles.

Toutes ces situations étaient relativement inédites au moment où Bowlby a rédigé son rapport pour l'OMS, et pourtant il y attirait déjà l'attention sur les conséquences graves de la violence psychologique à enfants, par abus et/ou par négligence affective. Les mauvais traitements physiques, très courants à l'époque, ont aujourd'hui davantage été remplacés par des mauvais traitements psychiques ou encore par l'absence de bons traitements, par des parents débordés qui ne savent pas forcément mieux s'y prendre pour apporter à leurs enfants ce dont ils ont besoin sur le plan affectif et relationnel pour s'épanouir. Les enfants de nos sociétés occidentales sont trop souvent actuellement livrés à eux-mêmes, dans un abandon qui n'apparaît pas comme tel, au sein de familles préférant laisser à d'autres le soin de veiller sur eux et de faire leur éducation.

Ainsi la famille et le lien à autrui me semblent aujourd'hui menacés en France, quoi qu'on veuille bien en dire. J'en veux pour preuve des faits qui, pour futiles qu'ils puissent paraître, pourraient bien s'avérer significatifs à cet égard. Par exemple, on entend couramment présenter Noël, symbole de la fête de la famille, ou les anniversaires censés célébrer une personne, comme des corvées dont on serait ravi de se passer. Revendre les cadeaux, oublier les dates, signent de plus en plus une absence de notion de l'importance de la relation à autrui, et de ce qu'il est bon de faire pour la préserver et l'entretenir, oubliant que le cadeau, plus qu'une marchandise, témoigne du lien et de l'attention portée à celui auquel il est destiné. Ceux qui s'affichent hostiles à ces manifestations disent souvent qu'ils n'aiment pas faire la fête sur commande. Sauf qu'ils n'ont pas l'air de prendre davantage l'initiative d'organiser des fêtes à d'autres moments, et qu'il semblerait bien que ce soit le rappel du lien à autrui qui les dérange. Ne serait-ce pas là un des signes, parmi d'autres, que notre société devient de plus en plus évitante, et que ceux qui se replient sur eux-mêmes aujourd'hui ne sauront pas davantage établir de liens demain, et préféreront s'éteindre seuls chez eux, avec ou sans canicule[1] ?

L'attachement est un instinct, qui a cependant besoin de conditions favorables pour se développer de manière saine. L'oublier est ouvrir la porte à l'indifférence et à la violence, en particulier relationnelle, ce dès le plus jeune âge. Le lien à autrui est le garant d'un épanouissement et d'une bonne santé tant psychique que physique. C'est là la grande leçon que nous a léguée Bowlby, sans doute serait-il judicieux de s'en souvenir.

1. La mesure d'attachement réalisée, dans le cadre de ma thèse, sur une population française tout venant de 225 personnes de 18 à 74 ans, a révélé environ un quart de sujets sécures, corroborant les résultats trouvés par d'autres, lorsque quatre catégories d'attachement sont isolées sur la base des types de représentations de soi et d'autrui préconisés par Bowlby

POSTFACE

La recherche sur l'attachement : une fable

Pour mieux saisir l'état actuel des recherches sur l'attachement, laissez-moi vous entraîner dans l'univers d'une île un tant soit peu exotique, en dehors des grandes routes touristiques et commerciales. Les habitants n'y manquent de rien, il y fait bon vivre entre mer et cocotiers, et les autochtones n'ont guère envie de s'en éloigner. Sur cette île débarque un jour un étranger, un médecin à l'esprit aventureux et voyageur, arrivé là un peu par hasard au gré des flots et des vents, guidé par sa bonne étoile. Sa surprise est grande lorsqu'il rencontre les premiers habitants, qui lui réservent un accueil chaleureux, heureux de partager des nouvelles d'autres cieux.

Il découvre en effet que nombre d'entre eux ont bien triste mine, certains ont le teint vert, d'autres le teint pivoine, en contraste étonnant avec la couleur rosée de la majorité. Le médecin est très étonné, car il se trouve là devant une situation sanitaire qu'il a bien connue au tout début de sa carrière, mais qu'il croyait globalement éradiquée depuis que l'on avait isolé le microbe à l'origine de ces maux. Il s'agissait du terrible *microbius amortibus*, qui avait fait des ravages dans son pays pendant des années avant que l'on ne découvre enfin un traitement qui mit un terme à l'épidémie.

Le plus étonnant ici, c'est que non seulement l'infection était encore extrêmement répandue, mais que personne n'avait l'air de s'en plaindre, ni même de réaliser qu'il s'agissait d'une maladie et que les personnes atteintes pouvaient se faire soigner. Le médecin se mit alors à mener sa petite enquête et à poser des questions avec doigté et discrétion afin de ne pas froisser ses hôtes. Il ne lui fallut pas longtemps pour découvrir que si personne ne semblait s'alarmer de ces différences de teint, c'est que tous les habitants de l'île étaient affligés d'un daltonisme qui ne leur faisait percevoir que des nuances de gris. Pour eux, teint rose et teint vert étaient d'un même gris, tout juste le teint pivoine paraissait-il un peu plus soutenu à un œil exercé qui se serait intéressé de près au problème, qui en fait n'en était un pour personne.

Après quelques semaines de séjour, mis en confiance par des amis, eux aussi médecins, très ouverts à ce qu'il leur racontait de la vie dans son pays d'origine, il ose leur faire part de ses observations lors d'une soirée informelle, peut-être un peu arrosée. Il leur raconte que dans son pays aussi, il y avait eu pendant très longtemps une terrible épidémie qui avait ravagé près de la moitié de la population en donnant le teint vert aux uns, pivoine aux autres, et qu'il leur avait fallu de nombreuses années de recherche pour en découvrir la cause et mettre au point un médicament. Il leur explique que le problème de teint n'était pas le seul symptôme associé à chacune des souches du *microbius amortibus*, la souche redex et la souche greenex, plus communément appelées rougeole et verdole. La rougeole se manifestait aussi par une toux sporadique, une tendance à la transpiration et un besoin d'activité, alors que la verdole rendait les gens plutôt frileux, apathiques, avec des problèmes de digestion.

Après l'avoir écouté avec attention, et après s'être concertés pour revenir de leur surprise, ses amis médecins tombèrent d'accord pour dire que cela correspondait tout à fait aux symptômes les plus courants dans leurs consultations, mais qu'ils n'avaient jamais réfléchi à leur association et encore moins à une origine commune. La conversation ainsi engagée, le médecin étranger leur mentionna encore que les recherches dans son pays avaient montré que chacune de ces séries de symptômes allait en s'aggravant avec le temps, et qu'elles étaient le prélude à des pathologies à l'issue peu favorable telles qu'infarctus d'un côté et cancer de l'autre. Tous s'assombrirent, prenant la mesure de la gravité du phénomène jusque-là insoupçonné.

Après un silence, ils s'enquirent de ce qu'ils pouvaient faire pour enrayer un tel désastre. Le médecin étranger leur dit alors que la chose était finalement fort simple, puisqu'il s'agissait d'un même microbe qui répondait bien aux médicaments qui, eux-mêmes, n'étaient pas très difficiles à fabriquer. On pouvait traiter les adultes, tout comme les enfants avec des doses appropriées, et éviter ainsi la contagion familiale, lieu de propagation le plus courant. Le seul souci était de bien diagnostiquer les malades et de les différencier des bien portants, car pour ces derniers le médicament avait des effets peu souhaitables.

Une fois rentrés chez eux, les médecins autochtones présents à cette mémorable soirée s'empressèrent d'avertir leurs confrères, afin de passer sans attendre à l'action. Là, les réactions furent tout autres : qui était ce médecin étranger pour dire que la moitié de la population locale était malade ? Pour qui se prenait-il de venir leur faire la leçon sur la manière de faire des diagnostics et de soigner les gens ? Il fallait être bien naïf pour croire ainsi le premier inconnu venu, et balayer sans attendre une longue tradition médicale qui avait fait ses preuves. En résumé, tout cela n'était que fadaises et fascination pour l'exotisme : si eux, éminents médecins, n'avaient rien vu, c'est qu'il n'y avait rien à voir, et cet étranger ne manquait pas de toupet de leur diagnostiquer en plus à eux aussi un daltonisme dont ils ne s'étaient jamais aperçus ! Tout cela n'était franchement pas sérieux et l'académie de médecine, qui finit par en être avertie, opposa au bout du compte son veto à toute discussion et à toute action en la matière.

Pendant ce temps, le médecin étranger était rentré chez lui, trouvant finalement son séjour un peu agité par toute cette polémique. Et puis, le devoir l'appelait, même si dans son pays ces dernières années, depuis que l'épidémie avait été éradiquée, son cabinet était plutôt désert, ce qui lui laissait beaucoup de liberté. Il avait souhaité bon courage à ses amis, qui l'avaient regardé s'éloigner avec regret, car convaincus de la pertinence de ses observations, ils n'avaient pas lâché l'idée de faire quelque chose, même si cela devait être dans la clandestinité.

Ils décidèrent alors de s'associer en un petit groupe de recherche pour collecter des informations sur la question, dans l'espoir que face à un ensemble de preuves tangibles, plus aucun doute ne serait permis et que leurs collègues s'inclineraient. Ils étaient cependant confrontés à un problème de taille. En l'absence du médecin étranger qui voyait au premier coup d'œil les différences de teint, eux étaient bien en peine de distinguer ceux qui étaient atteints de la rougeole ou de la verdole, et les autres. Après mûre réflexion, ils eurent l'idée de s'appuyer sur les symptômes associés que leur avait décrits leur ami. Comme ils devaient mener leurs investigations en toute discrétion, ils décidèrent de faire une enquête par téléphone, sous un prétexte plus général.

Pendant leur temps libre, ils remplirent ainsi des dizaines de questionnaires individuels où ils notaient si les personnes avaient ou non tendance à tousser, si elles étaient frileuses ou si elles transpiraient beaucoup, si elles avaient des maux de ventre ou pas, et ce qu'elles disaient de leur niveau d'activité. Et plus ils interrogeaient de personnes, plus les associations de symptômes indiquées par leur ami étranger apparaissaient nettement. Cela était fascinant de régularité : ceux qui avaient tendance à tousser se plaignaient aussi de transpirer et s'avouaient débordants d'activité, alors que ceux qui se disaient frileux souffraient souvent de maux d'estomac et se déclaraient plutôt apathiques. Quant au troisième groupe, il était composé de ceux qui répondaient non à toutes ces questions. Au bout d'un certain moment, ils décidèrent au vu de ces résultats quasi systématiques qu'ils tenaient enfin un outil fiable pour distinguer ceux qui avaient la rougeole, ceux qui avaient la verdole et ceux qui étaient en bonne santé, et qu'ils avaient ainsi les moyens de mieux étudier le phénomène, afin de pouvoir envisager sérieusement un jour de le traiter.

Mais beaucoup de temps s'était écoulé depuis le départ du médecin étranger, et certains du groupe d'origine avaient dû arrêter la recherche faute de temps, ou parce qu'ils craignaient de se faire repérer et de perdre leur droit d'exercer. D'autres les avaient remplacés, intéressés par le projet, mais comme la clandestinité rendait la communication et les réunions difficiles, personne n'avait en charge de centraliser les informations et de maintenir le cap de départ. Tant et si bien qu'au fur et à mesure des années, le point de vue ambiant s'était infiltré dans le groupe et qu'il ne s'agissait plus de diagnostiquer et de guérir une maladie, mais bien plutôt d'étudier les spécificités de différentes populations.

Ce changement de perspective eut pour avantage immédiat de rendre les choses acceptables au grand jour, et dès ce moment des crédits purent être alloués à cette recherche, moyennant une occultation soigneuse de son origine polémique, déjà passablement oubliée, comme on vient de le voir. Avoir le teint vert, pivoine ou rose fut établi comme une caractéristique personnelle, au même titre qu'avoir les cheveux longs ou courts, ou les yeux verts, bleus ou marron. Cela entra même dans le langage courant, on se mit ainsi à parler des tinverts, des tinpivoines et des tinroses, sans que personne sût trop bien au final quelle était l'origine de ces termes, masquée par leur modification orthographique consacrée au fil du temps. Il faut se rappeler en effet que le repérage des trois groupes s'effectuait sur la base des caractéristiques associées en réponse à des questions indirectes, puisque la couleur du teint n'était pas perceptible en tant que telle par les insulaires.

Et la recherche prospéra. De minutieuses expérimentations furent créées qui montrèrent, sans qu'aucun doute fût permis, que se joignaient à ces caractéristiques de base d'autres associations spécifiques quant à la manière de s'habiller, la manière de parler, les façons de penser, les goûts alimentaires, bref un éventail quasi infini de différenciations potentielles. Rapidement, il fut clair aux yeux des spécialistes que les tinverts, les tinpivoines et les tinroses n'avaient pas le même mode de fonctionnement, voire que leur cerveau n'était pas tout à fait câblé de la même manière, mais il était plus que jamais inenvisageable de parler d'anormalité ou de dysfonctionnement et encore moins de maladie, sauf à se voir définitivement banni du milieu de la recherche et à se retrouver sans emploi. Et tout cela donnait lieu à de multiples communications scientifiques assurant une grande renommée à leurs auteurs, et à des colloques prestigieux où chacun était fier de présenter ses découvertes.

Sauf que, et ceci n'aura pas échappé à ceux qui se souviennent du début de l'histoire, l'épidémie continuait à s'étendre et le *microbius amortibus* à prospérer, lui aussi. Les parents continuaient à le transmettre à leurs enfants, les amants à leurs maîtresses, et les plus vulnérables étaient évidemment les tinroses, qui, contaminés, se transformaient en tinverts ou en tinpivoines. Ces derniers entre eux ne couraient pas grand risque au début, si ce n'est qu'ils finissaient par présenter des assemblages variables de symptômes de chacune des souches de base. Cela posait des difficultés surtout pour l'évaluation, car les repères étaient brouillés.

Certains résolurent le problème en basant leurs études uniquement sur les sujets les plus extrêmes, transformant par la magie de la statistique les caractéristiques tinvert et tinpivoine en variables comme on dit. On se mit ainsi à parler de vertitude ou de pivoinitude, et de leurs degrés chez les différents sujets. Évaluer la rositude était plus délicat, puisqu'il s'agissait de l'absence des deux autres dimensions, mais comme c'était une notion majeure, on ne pouvait pas ne pas en parler. Pour résoudre le problème des sujets mixtes, d'autres décidèrent de créer une nouvelle catégorie, les tinverpivoines, mais celle-ci resta sujette à controverse car les chercheurs qui avaient fait ce choix n'étaient pas les plus nombreux. Et puis, ce n'était plus la mode de classer les gens par catégories, il y avait trop d'erreurs et ça pouvait être mal interprété…

Il y avait encore le problème des personnes interrogées qui ne disaient pas toutes la vérité sur leur état réel, soit parce qu'elles n'avaient pas envie d'avouer leurs symptômes, car elles n'avaient pas l'habitude de se plaindre, soit parce qu'à leurs yeux, ça n'était pas grave et que ça ne valait pas la peine d'en parler. Une telle attitude engendrait aussi des biais dans les mesures, car passaient pour tinroses, des tinverts et des tinpivoines. En fait, cela arrangeait tout le monde qu'il y ait plus de tinroses, y compris des faux, car même s'il était désormais hors de question de parler d'anomalie ou de maladie, le consensus voulait que c'était mieux d'avoir une société où les tinroses étaient largement majoritaires.

Les infarctus et les cancers continuaient à ravager la population, mais comme il fallait bien mourir de quelque chose, et que tout le monde ou presque en était atteint, cela n'avait rien de remarquable. Et puis, qui aurait fait le rapprochement avec certains goûts vestimentaires ou des préférences musicales, typiques des tinverts, des tinpivoines ou des tinroses ? Cela n'avait pas de sens. De toute évidence, cela n'avait aucun rapport, et les rares voix, parmi les médecins mêmes, cardiologues ou cancérologues, qui osaient prétendre qu'ils avaient cru observer des concordances, étaient raillés pour leur manque de sérieux, et les études qu'ils auraient aimé tenter ne trouvaient pas de financement.

C'est dans ces conditions que vivent aujourd'hui les habitants de cette île, atteints pour bon nombre d'entre eux d'une maladie qu'ils ignorent, et qui pourtant une fois soignée leur offrirait, à eux et à leurs enfants, un immense gain en bien-être et une longévité inespérée. Une ancienne rumeur dit qu'il existerait quelque part un manuscrit où tous les détails sur le *microbius amortibus* seraient consignés, ainsi que son traitement, mais ce n'est sans doute qu'une rumeur... De vieux fous prétendent aussi que la société est malade, et qu'il existe des moyens simples de la soigner. Ceux-là sont sans doute parmi les amis d'origine du médecin étranger ou parmi leurs descendants directs, mais ils sont jugés trop vieux ou trop fous pour qu'on les écoute...

Moralité : lorsque la mesure l'emporte sur la réalité de ce qu'elle est censée évaluer, on perd de vue l'objectif de départ. La carte remplace le territoire et tout cela devient terriblement abstrait... et les malades restent malades et contagieux !

Bibliographie

Ainsworth, M. D., Blehar, M. C., Waters, E., et Wall, S. (1978). *Patterns of attachment : A psychological study of the strange situation*. Oxford : Lawrence Erlbaum.

Ainsworth, M. D., et Bowlby, J. (1991). « An ethological approach to personality development », *American Psychologist*, 46(4), 333-341.

Badinter, É. (1980). *L'amour en plus. Histoire de l'amour maternel, XVIIe-XXe siècle*. Paris : Flammarion.

Bowlby, J., *et al.* (1948). « Diagnosis and treatment of psychological disorders in childhood », *Medical Press*, 220, 1-10.

Bowlby, J. (1951). *Maternal care and mental health*. Genève : World Health Organization.

Bowlby, J. (1953). *Child care and the growth of love*. Londres : Penguin Books.

Bowlby, J. (1954). *Soins maternels et santé mentale*. Genève-Paris : OMS-Masson.

Bowlby, J. (1969). *Attachment and loss. 1. Attachment*. New York : Basic Books.

Bowlby, J. (1973). *Attachment and loss. 2. Separation : Anxiety and anger*. New York : Basic Books.

Bowlby, J. (1975). *Attachment and loss. 3. Loss : Sadness and depression*. Harmondsworth : Penguin Books.

Bowlby, J. (1978a). *Attachement et perte : Vol. 1. L'attachement.* Trad. par Jeannine Kalmanovitch. Paris : PUF.

Bowlby, J. (1978b). *Attachement et perte : Vol. 2. La séparation. Angoisse et colère*. Trad. par Bruno de Panafieu. Paris : PUF.

Bowlby, J. (1979). *The making and breaking of affectional bonds.* Londres : Tavistock Publications Ltd.

Bowlby, J. (1984). *Attachement et perte : Vol. 3. La perte. Tristesse et dépression*. Trad. par Didier E. Weil. Paris : PUF.

Bowlby, J. (1988). *A secure base : Clinical applications of attachment theory.* Londres : Routledge.

Bowlby, J. (1992). *Charles Darwin : A new life*. New York : W. W. Norton and Company.

Bowlby, J. (1995). *Charles Darwin : une nouvelle biographie.* Paris : PUF.

Bowlby, R. (2004). *Fifty years of attachment theory.* Londres : Karnac.

Bowlby, J. (2011). *Le lien, la psychanalyse et l'art d'être parent.* Trad. par Yvane Wiart. Paris : Albin Michel.

Brennan, K. A. et Shaver P. (1995). « Dimensions of adult attachment, affect regulation and romantic relationship functionning », *Personality and Social Psychology Bulletin*, 21, 267-284.

Cassidy, J. et Shaver, P. R. (éds.) (1999). *Handbook of attachment : Theory, research, and clinical applications.* New York : Guilford Press.

Crittenden P. (2008). *Raising parents : Attachment, parenting and child safety.* Portland : Willan Publications.

Damasio, A. R. (1995). *L'erreur de Descartes : La raison des émotions.* Paris : O. Jacob.

Dutton, D. G. et Aron, A. P. (1974). « Some evidence for heightened sexual attraction under condition of high anxiety », *Journal of Personality and Social Psychology*, 30(4), 510-517.

Ehrenberg, A. (1998). *La fatigue d'être soi. Dépression et société*. Paris : O. Jacob.

Fonagy, P. et Target, M. (2003). *Psychoanalytic theories : Perspectives from developmental psychopathology*. Londres : Whurr Publishers Ltd.

Grossmann, K. E., Grossmann, K. et Waters, E. (éds.) (2005). *Attachment from infancy to adulthood : the major longitudinal studies*. Londres : Guilford Press.

Harlow, H. F. (1958). « The nature of love », *American Psychologist*, 13(12), 673-685.

Holmes, J. (1993). *John Bowlby and attachment theory*, Londres : Routledge.

Karr-Morse, R. et Wiley, M.S. (1997). *Ghosts from the nursery : Tracing the roots of violence*. New York : The Atlantic Monthly Press.

Kirkpatrick, L. A. et Darics, K. E. (1994). « Attachment style gender, and relationship stability : a longitudinal analysis », *Journal of Personality and Social Psychology*, 66, 50.

Lécuyer, R., Pêcheux, M.-G. et Streri, A. (1994). *Le développement cognitif du nourrisson*. Paris : Nathan.

Lécuyer, R. (éd.) (2004). *Le développement du nourrisson. Du cerveau au milieu social et du fœtus au jeune enfant*. Paris : Dunod.

Ledoux, J. (2005). *Le cerveau des émotions : Les mystérieux fondements de notre vie émotionnelle*. Paris : O. Jacob.

Main, M. et Cassidy, J. (1988). « Categories of response to reunion with the parent at age 6 : Predictable from infant attachment classifications and stable over a 1-month period », *Developmental Psychology*, 24(3), 415-426.

Mikulincer, M. et Shaver P. R. (2007). *Attachment in adulthood : Structure, dynamics, and change*. New York : Guilford Press.

Mikulincer, M. et Shaver, P. R. (2007). « Reflections on security dynamics : Core constructs, psychological mechanisms, relational contexts, and the need for an integrative theory », *Psychological inquiry*, 18(3), 197-209.

Miljkovitch, R. (2009). *Les fondations du lien amoureux*. Paris : PUF.

Miller, A. (1983). *Le drame de l'enfant doué*. Paris : PUF.

Miller, A. (1990). *La souffrance muette de l'enfant*. Paris : Aubier.

Miller, A. (1996). *L'avenir du drame de l'enfant doué*. Paris : PUF.

Pederson, D. R. et Moran, G. (1995). « A categorical description of infant-mother relationships in the home and its relation to Q-sort measures of infant-mother interaction », *Monographs of the society for research in child development*, 60(2-3), 111-132.

Rholes, W. S. et Simpson, J. A. (éds.) (2004). *Adult attachment : Theory, research, and clinical implications*. New York : Guilford Press.

Schore A. N. (2003a). *Affect dysregulation & disorders of the self.* New York : W. W. Norton and Company.

Schore A. N. (2003b). *Affect regulation & the repair of the self.* New York : W. W. Norton and Company.

Siegel, D. J. (1999). *The developing mind : Toward a neurobiology of interpersonal experience.* New York : Guilford Press.

Simpson, J. A., et Rholes, W. S. (éds.) (1998). *Attachment theory and close relationships*. New York : Guilford Press.

Simpson, J. A. (1990). « Influence of attachment styles on romantic relationships ». *Journal of personality and social psychology* », 59(5), 971-980.

Steele, H. et Steele, M. (2005). « Understanding and resolving emotional conflict », *in* K. E. Grossmann, K. Grossmann et E. Waters (éds.). *Attachment from infancy to adulthood : the major longitudinal studies* (p. 137-164). Londres : Guilford Press.

Van der Hart, O., Nijenhuis, E. S. et Steele, K. (2005). « Dissociation : An insufficiently recognized major feature of complex posttraumatic stress disorder », *Journal of Traumatic Stress*, 18(5), 413-423.

Van Dijken, S. (1998). *John Bowlby : His early life. A biographical journey into the roots of attachment theory.* Londres : Free Association Books Ltd.

Whorf, B. L. (1969). *Linguistique et anthropologie.* Paris : Denoël.

Wiart, Y. (2009). *Personnalité, stress, émotion et santé, cinq échelles revisitées : l'attachement constitue-t-il une variable sous-jacente permettant de catégoriser les sujets adultes ?* Thèse de doctorat, université Paris-Descartes et EHESS, France.

Table

CHEZ LE MÊME ÉDITEUR

Claude Allard, *L'enfant au siècle des images*

Annie Birraux et Didier Lauru (dir.), *Adolescence et prise de risques*

Gérard Bonnet, *Défi à la pudeur. Quand la pornographie devient l'initiation sexuelle des jeunes*

Nicole Catheline, *Harcèlements à l'école*

Pr Patrick Clervoy, *Le syndrome de Lazare. Traumatisme psychique et destinée*

Patrick Delaroche, *La peur de guérir*
– *Psychanalyse du bonheur*

Pierre Delion, *Tout ne se joue pas avant 3 ans*

Joëlle Desjardins-Simon et Sylvie Debras, *Les verrous inconscients de la fécondité*

Caroline Eliacheff, *La famille dans tous ses états*
– *Puis-je vous appeler Sigmund ?*
– et Daniel Soulez Larivière, *Le temps des victimes*
– et Nathalie Heinich, *Mères-filles, une relation à trois*

Christian Flavigny, *Avis de tempête sur la famille*

Fernando Geberovich, *No satisfaction. Psychanalyse du toxicomane*

Dr Alain Gérard, *Du bon usage des psychotropes. Le médecin, le patient et les médicaments*
– et le CRED, *Dépression, la maladie du siècle*

Sylviane Giampino, *Les mères qui travaillent sont-elles coupables ?*
– et Catherine Vidal, *Nos enfants sous haute surveillance : évaluations, dépistages, médicaments…*

Roland Gori et Pierre Le Coz, *L'empire des coachs, une nouvelle forme de contrôle social*

Jean-Michel Hirt, *L'insolence de l'amour. Fictions de la vie sexuelle*

Philippe Hofman, *L'impossible séparation entre les jeunes adultes et leurs parents*

Patrice Huerre et François Marty (dir.), *Alcool et adolescence, jeunes en quête d'ivresse*
– *Cannabis et adolescence. Les liaisons dangereuses*

Jean-Marie Jadin, *Côté divan, côté fauteuil. Le psychanalyste à l'œuvre*

Pr Daniel Marcelli, *La surprise, chatouille de l'âme*
– *L'enfant, chef de la famille. L'autorité de l'infantile*
– *Les yeux dans les yeux. L'énigme du regard*
– *Il est permis d'obéir. L'obéissance n'est pas la soumission*

Anne Marcovich, *Qui aura la garde des enfants ?*

Jean-Paul Mialet, *Sex æquo. Le quiproquo des sexes*

Gustavo Pietropolli Charmet, *Arrogants et fragiles. Les adolescents d'aujourd'hui*

Xavier Pommereau, *Ado à fleur de peau*
– *Ados en vrille, mères en vrac*
– et Jean-Philippe de Tonnac, *Le mystère de l'anorexie*

Jean-Jacques Rassial, *Pour en finir avec la guerre des psys*

Serge Tisseron, *Comment Hitchcock m'a guéri. Que cherchons-nous dans les images ?*
– *Vérités et mensonges de nos émotions*
– *Virtuel, mon amour. Penser, aimer, souffrir à l'ère des nouvelles technologies*
– *L'empathie au cœur du jeu social*

Jean-Philippe de Tonnac, *Anorexia. Enquête sur l'expérience de la faim*

Jean-Pierre Winter, *Homoparenté*

Composition IGS-CP
Impression CPI Bussière en août 2011
à Saint-Amand-Montrond (Cher)
Éditions Albin Michel
22, rue Huyghens, 75014 Paris
www.albin-michel.fr

ISBN : 978-2-226-23065-2
N° d'édition : 19706/01. – N° d'impression : 112385/4.
Dépôt légal : septembre 2011.
Imprimé en France.